# Marjane Satrapi

# Persépolis

Círculo de Lectores

Círculo de Lectores, S.A. (Sociedad Unipersonal)
Travessera de Gràcia, 47-49. 08021 Barcelona
www.circulo.es
1357980028642

Licencia editorial para Círculo de Lectores
por cortesía de Norma Editorial.
Está prohibida la venta de este libro a personas
que no pertenezcan a Círculo de Lectores.

© 2007 NORMA Editorial
Traducción: Albert Agut
Rotulación: Estudio Din&Mita y Estudio Fénix.
ISBN: 978-84-672-2962-2
Depósito legal: B-53127-2007
Impresión: Indice, S.L.
Impreso en España
N.º 43646

# Libro 1

# Introducción

**C**uando los árabes invadieron Persia en el año 642, les bastó una sola batalla para conquistar el país y derrotar a la dinastía de los Sasánidas.

Vencidos, los persas adoptaron el Islam, pero un Islam de los vencidos, un Islam subterráneo, esotérico y revolucionario: el chiismo.

Tras la muerte de Mahoma en el año 632, su familia fue apartada del poder en beneficio de los compañeros del profeta. Ali, su yerno y primo, y Hussein, el hijo de Ali que se había casado con una princesa persa perteneciente a la antigua familia sasánida, fueron asesinados sucesivamente y el poder pasó a manos de la corriente sunnita.

A través de la fidelidad a Ali y Hussein, se manifiesta también la fidelidad al linaje sasánida y al glorioso pasado de Persia.
Las fiestas religiosas provienen de las fiestas zoroastrianas.
La permanencia del chiismo se aseguró con un linaje de imanes que partía de Hussein y que se sucedería hasta el año 874, fecha en la cual el duodécimo imán, Mohamed Al-Mahdi, desaparecería.
Sus partidarios decían que se había "ocultado" y que reaparecería para reinar antes del final de los tiempos.
La invasión y la ocupación árabe son las primeras de una larga serie. Persia dejaría de existir como nación independiente durante más de ocho siglos.

En el siglo X estuvo dominada por los turcos
gaznavíes; en el siglo XI, por los turcos seljú-
cidas y, desde finales del siglo XII hasta
el siglo XIV, por los mongoles, que fundaron la
dinastía de los Ilchán. A finales del siglo XIV,
Persia pasó a ser dominada por los Timouridas.
Sin embargo, a pesar de sus múltiples dueños,
Persia exprimió la vitalidad de su cultura y de su lengua.
Su símbolo es el "Libro de los Reyes", escrito por Firdusi
en el siglo X para el soberano turco Mahmud
de Gazna. Narra la epopeya de los reyes y héroes
de Persia desde el principio del mundo. Esta
historia netamente persa se difundió por
toda Asia y sería adaptada por los Khans
turcomanos y uzbecos, los sultanes mamelucos
y otomanos, los Ilchán mongoles y los grandes
mogoles de la India.

Persia le debe su renacimiento, a principios del siglo
XVI, a una dinastía turcomana pero chiita,
los Safawíes. Durante todo su reinado
lucharon contra los turcos otomanos. En
1795, después del interregno del aventu-
rero Nadir Sha, fue otra tribu turcomana
quien fundó su dinastía, la de los Kadjar.
Persia se encontraba entonces entre los intereses de Rusia y los de Inglaterra. Durante
el siglo XIX, el país se convirtió en un estado
tapón entre las dos potencias. La primera
anexionó el Cáucaso y Asia Central, y la segunda intervino en Afganistán y el Tíbet.
El descubrimiento de petróleo y la Pri-
mera Guerra Mundial aceleraron la
hegemonía de los británicos, que interve-
nían cada vez más en la economía del país.
En 1925, un oficial, Riza Pahlevi, se hizo con
el poder y persiguió al último soberano qadjar.
Aceleró la occidentalización del país para gran
cólera de los religiosos, que empezaban a soñar
con un poder religioso y le daban oficialmente
al país el nombre de Irán.

Durante la Segunda Guerra Mundial, el norte del país fue ocupado por los soviéticos y el sur, por los ingleses y unos recién llegados, los americanos, que obligaron a Irán que declarara la guerra a Alemania. Ante el poco entusiasmo del sha, lo derrocaron y lo sustituyeron por su hijo Mohamed Reza.

Fue en 1953 cuando la CIA organizó su primer golpe de estado contra Mossadeq, el jefe de gobierno que puso en tela de juicio la repartición de los beneficios de la explotación petrolera por la angloiraní Oil Company. Los americanos sometieron al país a un bloqueo que impedía la exportación de petróleo. Mossadeq fue sustituido y Mohamed Rezah, que había huido del país, volvió a subir al trono. Se mantendría en el poder hasta 1979, fecha en la que escaparía de la Revolución.

Ésta es la gran historia. Marjane ha heredado todo eso y ha hecho el primer álbum iraní.

# David B.

# EL PAÑUELO

ÉSTA SOY YO CUANDO TENÍA DIEZ AÑOS. ERA 1980.

ESTO ES UNA FOTO DE CLASE. YO ESTOY SENTADA EN EL EXTREMO IZQUIERDO, POR ESO NO SE ME VE. DE IZQUIERDA A DERECHA: GOLNAZ, MAHSHID, NARINE Y MINNA.

EN 1979 ESTALLÓ UNA REVOLUCIÓN QUE MÁS TARDE SE LLAMÓ "LA REVOLUCIÓN ISLÁMICA".

DESPUÉS LLEGÓ 1980: EL PRIMER AÑO EN EL QUE ERA OBLIGATORIO LLEVAR PAÑUELO EN LA ESCUELA.

TOMA, HIJA.

NO NOS GUSTABA MUCHO LLEVAR EL PAÑUELO, SOBRE TODO SIN SABER POR QUÉ.

¡HACE MUCHO CALOR!

EJECUCIÓN POR LA LIBERTAD.

¡DEVUÉLVEME MI PAÑUELO!

TENDRÁS QUE CONVENCERME.

¡UUH! SOY EL MONSTRUO DE LAS TINIEBLAS.

SOOOOO.

ADEMÁS, EN 1979 ÍBAMOS
A UNA ESCUELA FRANCESA Y LAICA...

...EN LA QUE CHICOS Y CHICAS ESTÁBAMOS JUNTOS.

Y DE REPENTE, EN 1980...

TODAS LAS ESCUELAS BILINGÜES TEN-
DRÁN QUE CERRAR SUS PUERTAS.

SON EL SÍMBOLO DEL
CAPITALISMO MUNDIAL.

¡BRAVO!

¡QUÉ SABIO!

DE LA DECADENCIA.

A ESTO SE LE LLAMA UNA
"REVOLUCIÓN CULTURAL".

NOS ENCONTRAMOS CON UN VELO Y SEPARADAS DE NUESTROS COMPAÑEROS.

¡Y YA ESTÁ!

EN LAS CALLES HABÍA MANIFESTACIONES CONSTANTES A FAVOR Y EN CONTRA DEL PAÑUELO.

EN UNA DE LAS MANIFESTACIONES, UN PERIODISTA ALEMÁN HIZO UNA FOTO DE MI MADRE.

YO ESTABA MUY ORGULLOSA DE ELLA. SU FOTO SE DIFUNDIÓ POR TODA EUROPA.

APARECIÓ INCLUSO EN UNA REVISTA DE NUES-TRO PAÍS. MI MADRE TENÍA MUCHO MIEDO.

SE TIÑÓ EL PELO.

Y LLEVÓ GAFAS DE SOL MUCHO TIEMPO.

YO NO SABÍA QUÉ PENSAR DEL PAÑUELO. ERA MUY CREYENTE, PERO MIS PADRES Y YO ÉRAMOS MUY MODERNOS Y VANGUARDISTAS.

NACÍ CON LA RELIGIÓN.

A LOS SEIS AÑOS YA ESTABA SEGURA DE SER LA ÚLTIMA PROFETA. ESTO ERA UNOS AÑOS ANTES DE LA REVOLUCIÓN.

¡OH, LUZ CELESTIAL!

ANTES DE MÍ HUBO OTROS.

¿UNA MUJER?

YO SOY LA ÚLTIMA.

QUERÍA SER PROFETA...

PORQUE NUESTRA CRIADA NO COMÍA CON NOSOTROS.

PORQUE MI PADRE TENÍA UN CADILLAC.

Y SOBRE TODO PORQUE A MI ABUELA SIEMPRE LE DOLÍAN LAS RODILLAS.

¡VEN, MARJI! AYÚDAME A LEVANTARME.

NO TE PREOCUPES. ¡PRONTO DEJARÁN DE DOLERTE! YA LO VERÁS.

COMO TODOS MIS PREDECESORES, YO TENÍA MI LIBRO SAGRADO.

LAS TRES PRIMERAS REGLAS PROVENÍAN DE ZARATRUSTA, EL PRIMER PROFETA DE MI PAÍS ANTES DE LA INVASIÓN ÁRABE.

TODO SE BASARÁ EN ESTAS TRES REGLAS: BUEN COMPORTA-MIENTO, BUENAS PALABRAS, BUENAS ACCIONES.

QUERÍA QUE SE CELEBRARAN LAS FIESTAS ZORO-ASTRIANAS, COMO LA FIESTA DEL FUEGO...

...SEGUIDA DEL NOROUZ, EL AÑO NUEVO PERSA, QUE SE CELE-BRA EL 21 DE MARZO, EL PRIMER DÍA DE LA PRIMAVERA.

LA ÚNICA QUE ESTABA AL CORRIENTE DE MI LIBRO ERA MI ABUELA.

REGLA N°6: TODO EL MUNDO TENDRÁ UN COCHE.

REGLA N°7: TODAS LAS CRIADAS DEBEN COMER CON LOS SEÑORES.

REGLA N°8: NINGUNA ANCIANA DEBE SUFRIR.

SI ES ASÍ, YO SERÉ TU PRIMERA DISCÍPULA.

¿DE VERDAD?

PERO DIME UNA COSA, ¿CÓMO HARÁS PARA QUE LAS ANCIANAS NO SUFRAN?

BUENO, MUY SIMPLE, ESTARÁ PROHIBIDO.

TODAS LAS NOCHES TENÍA LARGAS CONVERSACIONES CON DIOS.

DIOS, DAME MÁS TIEMPO. AÚN NO ESTOY PREPARADA.

¡CLARO QUE SÍ, LUZ CELESTIAL! ERES MI ELEGIDA, MI ÚLTIMA Y MEJOR ELECCIÓN.

APARTE DE MI ABUELA, NADIE ME CREÍA.

¿Y TÚ QUÉ HARÁS CUANDO SEAS MAYOR?

SERÉ PROFETA.

JA JA JA JA JA

ESTÁ LOCA.

CITARON A MIS PADRES.

SU HIJA ESTÁ PERTURBADA. ¡QUIERE SER PROFETA!

¿Y QUÉ?

¿ESO NO LES PREOCUPA?

¡NO! ¡EN ABSOLUTO!

?

DE TODAS FORMAS, MIS PADRES SE HACÍAN PREGUNTAS.

DIME, HIJA, ¿QUÉ QUIERES SER DE MAYOR?

PROFETA.

SERÉ DOCTORA.

ESO ESTÁ MUY BIEN, QUERIDA.

ME SENTÍA CULPABLE ANTE DIOS.

¿ASÍ QUE ES CIERTO? ¿QUIERES SER DOCTORA? YO CREÍA QUE...

CLARO QUE NO, SERÉ PROFETA, PERO ES MEJOR QUE NO LO SEPAN.

QUERÍA SER LA JUSTICIA, EL AMOR Y LA CÓLERA DE DIOS EN UNA.

# LA BICICLETA

MI FE ERA ABSOLUTA.

EN EL AÑO DE LA REVOLUCIÓN, 1979, HABÍA QUE ACTUAR. ASÍ QUE ABANDONÉ MI DESTINO DE PROFETA DURANTE UN TIEMPO.

HOY ME LLAMO CHE GUEVARA.

YO SOY FIDEL.

Y YO QUIERO SER TROTSKY.

NOS MANIFESTÁBAMOS EN EL JARDÍN DE CASA.

¡ABAJO EL REY!

¡ABAJO EL REY!

LA REVOLUCIÓN ES COMO UNA BICICLETA; CUANDO LAS RUEDAS DEJAN DE MOVERSE SE CAE.

¡BIEN DICHO!

ASÍ SE HIZO LA REVOLUCIÓN EN MI PAÍS.

"LA REVOLUCIÓN DESPERTÓ AL PUEBLO DESPUÉS DE UN LARGO SUEÑO DE 2.500 AÑOS."

"2.500 AÑOS DE TIRANÍA Y SUMISIÓN", COMO DECÍA MI PADRE.

PRIMERO NUESTROS PROPIOS EMPERADORES.

DESPUÉS LA INVASIÓN ÁRABE DEL OESTE.

SEGUIDA DE LA INVASIÓN MONGOL DEL ESTE.

Y, POR ÚLTIMO, EL IMPERIALISMO MODERNO.

PARA DESPERTARME, ME COMPRARON LIBROS.

LO SABÍA TODO SOBRE LOS NIÑOS PALESTINOS...

...SOBRE FIDEL CASTRO...

...SOBRE LOS PEQUEÑOS VIETNAMITAS ASESINADOS POR LOS AMERICANOS...

...SOBRE LOS REVOLUCIONARIOS DE MI PAÍS...

F. REZAÏ 1942-72   Dr. FATÉMI 1928-58   H. ASHRAF 1938-72

PERO MI LIBRO PREFERIDO ERA UN CÓMIC TITULADO: "EL MATERIALISMO DIALÉCTICO".

EN MI LIBRO APARECÍAN MARX Y DESCARTES.

EL MUNDO MATERIAL NO EXISTE, NO ES MÁS QUE UN REFLEJO DE NUESTRA IMAGINACIÓN.

¡VAYA!

ENTONCES, ESTA PIEDRA QUE TENGO EN LA MANO, LA VES PERO NO EXISTE, PORQUE SÓLO ESTÁ EN TU IMAGINACIÓN.

ESO MISMO.

¡AY, AY!, ¡¿QUÉ HACES KARL?! ¡ME HAS ABIERTO LA CABEZA!

¡JA! ¡JA! ¡JA! ¡JA! ¡JA! ¡JA!

ERA DIVERTIDO VER CÓMO SE PARECÍAN MARX Y DIOS. PUEDE QUE MARX TUVIERA EL PELO MÁS RIZADO.

A PESAR DE TODO, DIOS VENÍA A VERME DE VEZ EN CUANDO.

ASÍ QUE YA NO QUIE- RES SER PROFETA.

HABLEMOS DE OTRA COSA, ¿QUIERES?

¿CREES QUE ME PAREZCO A MARX?

¡TE HE DICHO QUE HABLEMOS DE OTRA COSA!

MAÑANA HARÁ BUEN TIEMPO.

?

HABRÁ 27°C A LA SOMBRA.

¡SHHT! ¡ESPERA, ESPERA!

ESTA TARDE HAN PRENDIDO FUEGO AL CINE REX.

¡OH! DIOS MÍO.

UNOS MINUTOS ANTES DEL INCENDIO CERRARON LAS PUERTAS CON CADENAS.

LA POLICÍA ESTABA PRESENTE.

PROHIBIERON QUE LOS CIUDADANOS SOCORRIERAN A LAS VÍCTIMAS ENCERRADAS.

DESPUÉS, LOS APORREARON.

LOS BOMBEROS LLEGARON CUARENTA MINUTOS MÁS TARDE.

INFORMARON A LA B.B.C. DE QUE HABÍA 400 MUERTOS. EL RÉGIMEN DEL SHA CULPÓ DE LA MASACRE A LOS FANÁTICOS RELIGIOSOS, ¡¡¡PERO EL PUEBLO SABÍA QUE HABÍA SIDO CULPA DEL SHA!!!

¿ADÓNDE?

¡A MANIFESTAR-
ME POR LA
CALLE! ESTOY
HARTA DE
HACERLO EN EL
JARDÍN.

¡ES MUY PELIGROSO,
DISPARAN CONTRA LA GENTE!

PARA QUE UNA REVOLUCIÓN
TRIUNFE, TODO EL PUEBLO
DEBE IMPLICARSE.

YA TE IMPLICARÁS MÁS TARDE.

¡SÍ, SÍ!
CUANDO SE
HAYA
ACABADO.

MAMÁ, POR FAVOR.

¡MALDICIÓN!

VENGA,
AHORA VAS A
ACOSTARTE.

POR FAVOR,
POR FAVOR,
POR FAVOR,
POR...

¡DIOS!
¿DÓNDE ESTÁS?

PERO AQUELLA NOCHE NO VOLVIÓ...

MIS PADRES SE MANIFESTABAN TODOS LOS DÍAS.

ABAJO EL REY

AQUELLO EMPEZÓ A DEGENERAR. EL EJÉRCITO DISPARABA CONTRA ELLOS...

...Y ELLOS LES LANZABAN PIEDRAS.

A FUERZA DE MANIFESTARSE Y DE LANZAR PIEDRAS, LLEGABAN POR LA NOCHE CON AGUJETAS HASTA EN LA CABEZA.

EH, MAMÁ, PAPÁ, ¿JUGA- MOS AL MONOPOLY?

¡CARIÑO, ESTA- MOS CANSADOS!

NO ES EL MOMENTO.

¡AL MONOPOLY! ¡IMAGÍNATELO! ¡JA, JA, JA!

¡NUNCA, NUNCA, NUNCA ES EL MOMENTO!

PARA EMPEZAR, AMO AL REY. ¡DIOS LO ELIGIÓ!

¿QUIÉN TE HA DICHO ESO?

LA MAESTRA Y EL MISMO DIOS.

SIÉNTATE EN MIS RODILLAS. INTENTARÉ EXPLICÁRTELO TODO.

BIEN, EXPLÍCASELO TODO. YO ME VOY A ACOSTAR.

EL REY NO FUE ELEGIDO POR DIOS.

¡CLARO QUE SÍ! ESTÁ ESCRITO EN LA PRIMERA PÁGINA DEL LIBRO DE LECTURA.

ESO ES LO QUE DICEN...

...LA VERDAD ES QUE HACE 50 AÑOS, EL PADRE DEL SHA, QUE ERA SOLDADO, ORGANIZÓ UN GOLPE DE ESTADO PARA DERROCAR AL EMPERADOR E INSTAURAR UNA REPÚBLICA.

SI DIOS QUIERE, DENTRO DE 19 DÍAS ESTAREMOS EN LA CAPITAL.

¡DIOS LO QUERRÁ, REZA, DIOS LO QUERRÁ!

Y SI NO QUIERE... ¿QUIÉN VA A DETENERNOS?

HAY QUE DECIR QUE ERA LA ÉPOCA DE LAS REPÚBLICAS EN LA REGIÓN.
AUNQUE CADA UNO LAS INTERPRETABA A SU MANERA.

GANDHI EN LA INDIA.

ES PRECISO QUE LOS HINDÚES Y LOS MUSULMANES HAGAN LAS PACES PARA VENCER A LOS INGLESES.

ATATÜRK EN TURQUÍA.

NOSOTROS, LOS TURCOS, SOMOS OCCIDENTALES LAICOS. LA PRUEBA: TENGO LOS OJOS VERDES.

ASÍ QUE EL PADRE DEL SHA QUERÍA HACER LO MISMO.

PERO NO TENÍA LA EDUCACIÓN DE GANDHI, QUE ERA ABOGADO...

...NI LA CAPACIDAD DE LIDERAZGO DE ATATÜRK, QUE ERA GENERAL.

ERA UN PEQUEÑO OFICIAL ANALFABETO.

UNA GANGA PARA LOS INGLESES, QUE EJERCÍAN UNA GRAN INFLUENCIA. NO TARDARON EN ENTERARSE DE SUS PLANES.

¡EL PAÍS ES RICO!

Y LOS BOLCHEVI-QUES ESTÁN CERCA.

¿CÓMO SE LLAMA ESE SOLDADO?

¡REZA! ¡TENEMOS QUE IR A VERLO!

¡Y PRONTO! ¡PERSIA DUERME SOBRE PETRÓLEO!

VAYA, REZA, ¿PULIENDO LAS BOTAS?

CUANDO SEAS EMPERADOR, TE LAS PULIRÁ UN MINISTRO.

¡EMPERADOR! ¿YO?

¡POR SUPUESTO, AMIGO! ¡ES MUCHO MEJOR QUE PRESIDENTE!

¡PERO YA HAY UN EMPERADOR! YO QUIERO FUNDAR UNA REPÚBLICA.

ESTOY DE ACUERDO, PERO EL CLERO SE OPONE, Y NO SE EQUIVOCA. ¡UN GRAN PAÍS COMO EL TUYO NECESITA UN SÍMBOLO DIVINO!

LO TENDRÁS TODO. EL PODER, EL TRONO, PULIDORES DE BOTAS...

¡Y MUCHO MÁS! ¡TODO LO QUE QUIERAS EN EFECTIVO!

¿Y QUÉ TENDRÉ QUE HACER?

NADA.

TÚ NOS DAS EL PETRÓLEO Y NOSOTROS NOS OCUPAREMOS DE TODO.

ASÍ FUE COMO SE CONVIRTIÓ EN REY. Y, POR SUPUESTO, SU HIJO, EL SHA, LO SUCEDIÓ. YA LO VES, DIOS NO TIENE NADA QUE VER EN ESTA HISTORIA.

PERO PUEDE QUE DIOS LES AYUDARA.

BUENO, COMO CREO QUE YA TIE-NES EDAD DE ENTENDER CIERTAS COSAS, DEBES SABER...

¿QUÉ DEBO SABER?

...EL EMPERADOR DERROCADO ERA EL PADRE DEL ABUELO.

¿MI ABUE-LO?

¿ENTONCES EL ABUELO ERA PRÍNCIPE?

SÍ, EN FIN, ENTRE OTROS. PERO ÉSA NO ES LA CUESTIÓN.

¿CÓMO QUE ÉSA NO ES LA CUESTIÓN?

Mi abuelo era un príncipe

¡BUENO, VAMOS ALLÁ! EN AQUEL ENTONCES TU ABUELO ERA JOVEN Y EL PADRE DEL SHA LE CONFISCÓ TODOS SUS BIENES.

¡NO OLVIDEN EL ENLOSADO DE LOS BAÑOS!

¡POR FAVOR! ¡SOBRE TODO NO SE PRIVE DE NADA!

Y COMO SU ENTORNO ESTABA FORMADO POR IGNORANTES, TU ABUELO FUE NOMBRADO PRIMER MINISTRO.

DESDE HOY SERÁS MI PRIMER MINISTRO.

¿TE GUSTA, NO? ¡TIENES ESTUDIOS, ESO BASTARÁ!

EEH... GRACIAS.

HABÍA ESTUDIADO EN EUROPA. ERA UN HOMBRE MUY CULTIVADO. HABÍA LEÍDO INCLUSO A MARX.

¡LOS OBREROS! ¿CÓMO PUEDE PENSAR EN QUE EL POPULACHO REINE?

PERO HE AQUÍ QUE, DESHEREDADO DE SU DESTINO DE PRÍNCIPE, EMPEZÓ A CODEARSE CON LOS INTELECTUALES.

LOS BOLCHEVIQUES HACEN MILAGROS.

EL EMPERADOR DE PERSIA NO ES EL REZASHA, SINO EL REY DE INGLATERRA.

CUANDO ERA PRÍNCIPE TODO ESTO ME PARECÍA MUY LEJANO...

PERO HAY QUE SER PRÍNCIPE PARA PERMITIR-SE TOMAR CONCIENCIA, ÉSE ES EL PROBLEMA DE NUESTRO PAÍS.

ENTONCES SE HIZO COMUNISTA.

ME REPUGNA QUE LA GENTE ESTÉ CONDENADA A UN DESTINO OSCURO SÓLO POR SU CLASE SOCIAL. VIVA LENIN.

ASÍ QUE CONOCIÓ LA PRISIÓN CON REGULARIDAD.

ALGUNAS VECES LO METÍAN DURANTE UNAS HORAS EN UNA CELDA LLENA DE AGUA.

ME ACUERDO DE CUANDO ERA PEQUEÑA...

...CADA VEZ QUE LLAMABAN A LA PUERTA, PENSABA QUE VENÍAN A LLEVARSE A MI PADRE A LA CÁRCEL.

¡TOC! ¡TOC! ¡TOC!

LO QUE PASABA UNA VEZ DE CADA DOS.

¡HOLA! ¿TU MAMÁ ESTÁ EN CASA?

EEH... ¡NO! ¿POR QUÉ?

¿TU PADRE ESTÁ EN CASA?

¡NO!

ENTONCES ÍBAMOS A VISITARLO CON LA ABUELA.

¡PAPÁ! ¿PUEDES SUBIRME A CABALLO?

¡DÉJALO YA! ESTÁ CANSADO.

CLARO QUE PUEDO.

¡JU!
¡JU! ¡JU!
¡JU! ¡JU!

¡¡¡POBRE!!! LA CÁRCEL ACABÓ CON SU SALUD. TENÍA REUMA.

PADECIÓ DOLORES POR TODAS PARTES DURANTE TODA SU VIDA.

VAMOS, VAMOS, ESO YA ES PASADO.

¿QUIERES ECHAR UNA PARTIDA AL MONOPOLY?

¿PUEDO BAÑARME?

SI QUIERES PODEMOS JUGAR DESPUÉS DEL BAÑO.

¡NO! QUIERO DARME UN BAÑO MUY LARGO.

ESA NOCHE ESTUVE MUCHO RATO EN LA BAÑERA. QUERÍA SABER CÓMO ERA UNA CELDA LLENA DE AGUA.

¿PERO QUÉ HACES?

SALÍ CON LAS MANOS COMPLETAMENTE ARRUGADAS, COMO UN ABUELO.

# PERSÉPOLIS

UN DÍA, AL VOLVER DE LA ESCUELA.

¡HOLA, MAMÁ!

¡HOLA! VE A LA HABITACIÓN DE INVITADOS. ¡HAY UNA SORPRESA PARA TI!

¡ABUELA!

¿YA TE MARCHAS?

¡CLARO QUE NO! ME ESTOY CAMBIANDO.

¡MAMÁ ME HA DICHO QUE EL ABUELO ESTUVO EN LA CÁRCEL!

HUM... ¿CÓMO TE HA IDO EN LA ESCUELA?

¡TUVO QUE SER MUY DURO PARA TI!

¡AY, ESTA ESPALDA!

¿QUIERES QUE TE AYUDE?

NO, ESTÁ BIEN... COMO DICES, FUE MUY DURO. DURO PARA MÍ Y TAMBIÉN PARA TU MADRE Y TUS TÍOS.

EL PADRE DEL SHA NOS LO QUITÓ TODO. CONOCIMOS LA POBREZA.

¿QUÉ? ¿TAMBIÉN FUISTEIS POBRES?

PUES SÍ, TAN POBRES QUE NO TENÍAMOS NI PAN PARA COMER, Y ME DABA TANTA VERGÜENZA QUE YO HACÍA COMO SI COCINASE PARA QUE LOS VECINOS NO SE DIERAN CUENTA DE NADA...

¡HUM! ¡MAMÁ NOS ESTÁ PREPARANDO ALGO!

¡CRÉETELO! ESTÁ HIRVIENDO AGUA, COMO SIEMPRE.

PARA SUBSISTIR TRABAJABA DE COSTURERA Y CON LOS RETALES CONFECCIONABA LA ROPA PARA TODA LA FAMILIA.

¡MIRA QUÉ GUAPOS ESTAMOS EN ESTA FOTO!

¿POR QUÉ NO ESTÁ EL ABUELO? ¿ESTABA EN LA CÁRCEL?

SÍ, EL PADRE DEL SHA FUE MUY DURO, PERO SU HIJO FUE DIEZ VECES PEOR...

¡AÚN PEOR!

SABES, MI NIÑA, DESDE LA NOCHE DE LOS TIEMPOS SE HAN SUCEDIDO LAS DINASTÍAS, PERO LOS REYES SIEMPRE MANTENÍAN SUS PROMESAS. EL SHA NO RESPETÓ NI UNA SOLA; RECUERDO EL DÍA EN QUE FUE CORONADO. DIJO:

SOY LA LUZ DE LOS ARIOS. HARÉ DE ESTE PAÍS EL MÁS MODERNO DE TODOS LOS TIEMPOS. NUESTRO PUEBLO RECUPERARÁ **SU ESPLENDOR.**

FUE INCLUSO A LA TUMBA DE CIRO EL GRANDE, QUIEN REINÓ EN EL MUNDO ANTIGUO.

CIRO, DESCANSA EN PAZ. NOSOTROS TE VELAMOS.

SE EMPLEÓ TODO EL DINERO DEL PAÍS EN CELEBRAR LAS RIDÍCULAS FIESTAS DE CONMEMORACIÓN DE LOS 2.500 AÑOS DE DINASTÍA Y OTRAS FUTILIDADES... TODO PARA IMPRESIONAR A LOS JEFES DE ESTADO, PORQUE EL PUEBLO SE BURLABA DE AQUELLO.

ESTOY TAN CONTENTA DE QUE POR FIN HAYA LLEGADO LA REVOLUCIÓN, PORQUE EL SHA...

¡BUENO, TENGO HAMBRE!

TE HE COMPRADO UNOS LIBROS. ENTENDERÁS POR QUÉ LA GENTE SE HA REBELADO.

¡NO VA A HABLARME DEL ABUELO!

34

¡TU HIJA DICE QUE TIENE HAMBRE!

¡BIEN, TENDRÁ QUE ESPERAR A SU PADRE!

¡ʌʌʌʌ ʌ ʌʌʌʌʌ ʌʌʌ ʌʌ FOTOS!

¡ʌʌʌ ʌʌ ʌ!

VENDRÁ.

¿QUIÉN?

MI PADRE HABÍA IDO A HACER FOTOS DE LA MANIFESTACIÓN, PERO ESTABA TARDANDO MUCHO.

HACÍA FOTOS TODOS LOS DÍAS. ESTABA ESTRICTAMENTE PROHIBIDO. UNA VEZ FUE DETENIDO PERO SE SALVÓ *IN EXTREMIS...*

ASÍ QUE LO ESPERAMOS DURANTE HORAS... HABÍA EL MISMO SILENCIO QUE ANTES DE UNA TORMENTA...

PENSÉ QUE MI PADRE ESTABA MUERTO, QUE LE HABÍAN DISPARADO.

HOY HE IDO FRENTE AL HOSPITAL RAY CON LA MÁQUINA.

HA SALIDO GENTE CARGANDO EL CUERPO DE UN HOMBRE JOVEN AL QUE HABÍA MATADO EL EJÉRCITO. LO ACLAMABAN COMO A UN MÁRTIR. LA MUCHEDUMBRE SE HA UNIDO PARA LLEVARLO AL CEMENTERIO DE BEHESHTE ZAHRA.

JUSTO DESPUÉS HA SALIDO OTRO CADÁVER, EL DE UN ANCIANO, EN UNA CAMILLA. LA GENTE QUE NO SE HABÍA MARCHADO CON EL PRIMERO SE HA ABALANZADO SOBRE EL VIEJO LANZANDO ESLÓGANES REVOLUCIONARIOS Y LO HA CARGADO A HOMBROS COMO SI FUERA UN HÉROE...

AHÍ TENEMOS OTRO MÁRTIR.

YO SEGUÍA HACIENDO FOTOS CUANDO HE VISTO A MI LADO A UNA SEÑORA MAYOR. HE COMPRENDIDO QUE ERA LA VIUDA DE LA VÍCTIMA. LA HABÍA VISTO SALIR DEL HOSPITAL JUNTO AL CUERPO.

¡DEJADLO EN PAZ! ¡¡DEJADLO!!

¿QUÉ? ¿QUÉ PASA?

¡DEJADLO EN PAZ!

¿QUIÉN ES USTED?

¡SU VIUDA!

¿ES USTED MONÁRQUICA?

NO... PERO MI MARIDO HA MUERTO DE UN CÁNCER...

¿QUÉ?

¿DE QUÉ?

¿QUÉ HA DICHO?

¡REY ASESINO! ¡SE CREE MUY LISTO! ¡UN DÍA VAMOS A COGERTE Y A QUEMARTE EN LA HOGUERA! ¡TE ELIMINAREMOS! ¡TE ROMPEREMOS LOS HUESOS!

¡NO PASA NADA! ¡ES UN HÉROE!

PERO LO MEJOR ESTÁ POR LLEGAR...

...PORQUE LA VIUDA HA EMPEZADO A MANIFESTARSE CON ELLOS.

REY ASESINO...

¡JA, JA, JA!

¡ES DEMASIADO!

¡¡¡AL MENOS, SI ME MUERO AHORA ME HARÁN MÁRTIR!!! ¡JA, JA, JA! ¡ABUELA MÁRTIR!

ALGO SE ME ESCAPABA.

CAVÁDER, CÁNCER, MUERTO, ASESINO...

¿RISAS?

JA JA JA JA JA JA

ENTONCES ME DI CUENTA DE QUE NO SABÍA NADA. LEÍ TODOS LOS LIBROS QUE PUDE.

LOS MOTIVOS DE LA REVOLUCIÓN

# LA CARTA

NUNCA HABÍA LEÍDO TANTO COMO EN AQUELLA ÉPOCA.

MI AUTOR PREFERIDO ERA ALI ASHRAF DARVICHIAN, UNA ESPECIE DE DICKENS DE NUESTRO PAÍS. FUI CON MI MADRE A UNA SESIÓN DE DEDICATORIAS CLANDESTINA.

PARA MI EMIGO KOUROSH.

¿POR QUÉ HABLA ASÍ?

¡ES SU ACENTO KURDO!

CONTABA HISTORIAS TRISTES PERO VERDADERAS: REZA, QUE TENÍA 10 AÑOS CUANDO SE CONVIRTIÓ EN PORTADOR...

...LEILA, QUE TEJÍA TAPICES A LOS 5 AÑOS...

...HASSANE, QUE LIMPIABA LOS PARABRISAS DE LOS COCHES A LOS 3 AÑOS...

¡BAJA, PEQUEÑO ESTÚPIDO! ¡BAJA!

¡POR FIN COMPRENDÍ POR QUÉ ME DABA VERGÜENZA SENTARME EN EL CADILLAC DE MI PADRE!

"EL MOTIVO DE MI VERGÜENZA Y DE LA REVOLUCIÓN ES EL MISMO: LA DIFERENCIA DE CLASE SOCIAL."

PERO, AHORA QUE LO PIENSO... ¡¡¡TENEMOS UNA CRIADA EN CASA!!!

ELLA

SE LLAMABA MEHRI.

TENÍA 8 AÑOS CUANDO TUVO QUE DEJAR LA CASA DE SUS PADRES PARA VENIR A TRABAJAR A LA CASA DE LOS MÍOS. EXACTAMENTE COMO REZA, LEILA Y HASSANE.

¡TENEMOS DEMASIADOS HIJOS, SEÑOR! 14 Ó 15 CON ELLA.

EN SU CASA COMERÁ BIEN.

NOSOTROS LA CUIDAREMOS.

TENÍA 10 AÑOS CUANDO NACÍ YO. SE OCUPABA DE MÍ...

...ME LLEVABA A JUGAR...

...Y SIEMPRE SE ACABABA MIS PLATOS.

TAMBIÉN ME EXPLICABA HISTORIAS DE LOBOS QUE ME ATERRORIZABAN.

¡Y SE ACERCÓ! ¡Y SE ACERCÓ!

EN RESUMEN, NOS ENTENDÍAMOS BIEN...

40

AL PRINCIPIO DE LA REVOLUCIÓN, EN 1978, SE ENAMORÓ DEL HIJO DEL VECINO DE ENFRENTE. ENTONCES TENÍA 16 AÑOS.

¿PUEDES AYUDARME A ATÁRMELOS?

TODAS LAS NOCHES SE MIRABAN DESDE LA VENTANA DE MI HABITACIÓN.

HASTA EL DÍA EN QUE ÉL LE DIO UNA CARTA.

COMO LA MAYORÍA DE LA GENTE DE CAMPO, NO SABÍA LEER NI ESCRIBIR...

¿PUEDES LEERME ESTA CARTA?

¿Y QUÉ ME DAS A CAMBIO?

MI MADRE HABÍA INTENTADO ENSEÑARLE, PERO ELLA PARECÍA QUE NO ESTABA MUY DOTADA.

VAMOS A REPETIR. ¿"M" COMO...?

¡BERENJENA!

ASÍ QUE ERA YO LA QUE LE ESCRIBÍA LAS CARTAS. UNA POR SEMANA DURANTE SEIS MESES.

MI QUERIDO HOSSEIN, TE ECHO MUCHO DE MENOS. HACE TRES DÍAS QUE NO TE VEO EN LA VENTANA. LE HABLO MUCHO DE TI A MI HERMANA.

¿A CUÁL?

¡PUES A TI!

YO ME APLICABA MUCHO.

MEHRI TENÍA UNA HERMANA DE VERDAD, UN AÑO MENOR QUE ELLA, QUE TRABAJABA EN CASA DE MI TÍO.

SABES... TENGO UN NOVIO.

¡AH, SÍ! ¿QUIÉN?

¡ES ÉSE!... EL QUE ESTÁ DELANTE DE LA TELE. ¿ES GUAPO, NO?

¡NO ESTÁ MAL!

AL CABO DE UNAS CUANTAS VISITAS, ELLA TAMBIÉN SE ENAMORÓ DE ÉL.

LOS CELOS LA CEGARON Y LE CONTÓ LA HISTORIA DE MEHRI A MI TÍO, QUE SE LA CONTÓ A LA ABUELA, QUE SE LA CONTÓ A MI MADRE. ASÍ ACABÓ LLEGANDO A OÍDOS DE MI PADRE...

...QUE DECIDIÓ ACLARAR EL ASUNTO.

¿QUIÉN ES?

SOY EL VECINO. QUERÍA HABLAR UN MOMENTO CON SU HIJO.

BUENO, IRÉ DIRECTO AL GRANO: SÉ QUE MEHRI LE HACE CREER QUE ES MI HIJA. EN REALIDAD ES MI CRIADA.

¡AH, VAYA!

BEE GEES

¿AÚN QUIE-
RE SEGUIR
VIÉNDOLA?

EEH...

BEE
GEES

¡SIN DUDARLO, HOSSEIN LE DEVOLVIÓ A MI PADRE
TODAS LAS CARTAS QUE HABÍA RECIBIDO!

PERO... ¡SI
ÉSTA ES
LA LETRA
DE MARJI!

¡DIME! ¿QUÉ
ES ESTO?

SON CARTAS.

¿POR QUÉ NO NOS HAS DICHO NADA?

TIENES QUE ENTENDER QUE
ES UN AMOR IMPOSIBLE.

¿Y POR QUÉ?

PORQUE EN ESTE PAÍS ESTAMOS
OBLIGADOS A CODEARNOS CON LA
GENTE DE NUESTRA CLASE SOCIAL.

¡OOOH! ¡¡¿¿PERO ACASO
ES CULPA SUYA HABER
NACIDO DONDE HA
NACIDO??!!!

¡PAPÁ! ¿TÚ ESTÁS A
FAVOR O EN CONTRA
DE LAS CLASES
SOCIALES?

CUANDO ENTRÉ EN SU HABITACIÓN, ESTABA LLORANDO...
NO PERTENECÍAMOS A LA MISMA CLASE, PERO AL
MENOS ESTÁBAMOS EN LA MISMA CAMA.

HABÍA TOMADO UNA DECISIÓN; POR FIN HABÍA COMPRENDIDO LOS MOTIVOS DE LA REVOLUCIÓN.

MAÑANA VAMOS A LA MANIFESTACIÓN.

¡NO TENEMOS PERMISO!

¡NO TE PREOCUPES! ¡IREMOS DE TODAS FORMAS!

ASÍ QUE AL DÍA SIGUIENTE...

¡PORTAOS BIEN!

MEHRI, NO TE OLVIDES DE HACERLE EL POLLO.

SÍ, SEÑORA.

¡HASTA LUEGO!

POR UNA VEZ NO HA INSISTIDO EN VENIR CON NOSOTROS.

AHÍ ESTÁ LA MANIFESTACIÓN...

ESTUVIMOS GRITANDO DE LA MAÑANA A LA NOCHE...

¡ES TARDE, TENEMOS QUE VOLVER!

¡SÍ!

¡VIVA LA REPÚBLICA!

¡ABAJO EL SHA!

¡MALDITA SEA! ¡¿PERO DÓNDE OS HABÍAIS METIDO?!

NOS MANIFESTAMOS JUSTO EL PEOR DÍA: "EL VIERNES NEGRO". AQUEL DÍA HUBO TAL CANTIDAD DE MUERTOS EN OTRO BARRIO DE LA CIUDAD QUE CORRIÓ EL RUMOR DE QUE LOS RESPONSABLES DE AQUELLA CARNICERÍA HABÍAN SIDO LOS SOLDADOS ISRAELÍES.

PERO LOS QUE PEGARON FUERTE DE VERDAD FUERON LOS NUESTROS.

# LA FIESTA

TRAS EL "VIERNES NEGRO" SE SUCEDIERON LAS MASACRES. HUBO MUCHOS MUERTOS.

EL FIN DEL SHA ESTABA PRÓXIMO...

...UN DÍA HIZO UN DISCURSO POR LA TELE.

HE COMPRENDIDO VUESTRA REVUELTA...

...TODOS JUNTOS INTEN-
TAREMOS AVANZAR
HACIA LA DEMOCRACIA...

¡CLARO! ¡DESPUÉS DE TODO
LO QUE NOS HA HECHO!

¡¡CALLA!!

Y EFECTIVAMENTE, LO INTENTÓ: EN UNOS MESES PROBÓ A UNA DECENA DE PRIMEROS MINISTROS.

¿UN FRANCMASÓN? ¡NO NOS CONVIENE!

¡TÚ LES RECUERDAS DEMASIADO A MI PADRE!

¡DEMASIADO DELGADO!

¡DEMASIADO BAJO!

¡TUERTO!

¡¡¡PFFF!!!

CUANTO MÁS INTENTABA DEMOCRATIZARSE, MÁS ESTATUAS SUYAS CAÍAN...

¡ESTIRAD MÁS POR LA IZQUIERDA!

...MÁS IMÁGENES SUYAS SE QUEMABAN.

EL PUEBLO SÓLO QUERÍA UNA COSA: ¡QUE SE MARCHARA! ASÍ QUE FINALMENTE...

¡FUERA!

¡FUERA!

¡FUERA!

¡NO LO OLVIDAREMOS NUNCA!

EL PRESIDENTE DE LOS ESTADOS UNIDOS, JIMMY CARTER, SE HA NEGADO A ACOGER COMO EXILIADOS AL SHA Y A SU FAMILIA...

PARECE QUE CARTER SE HA OLVIDADO DE SUS AMIGOS. A ÉSE LO ÚNICO QUE LE INTERESA ES EL PETRÓLEO. ¡NADA MÁS!

!

LOS RECIBIRÁ EN SU PAÍS ANOUAR EL-SADATE...

¿QUIÉN ES ÉSE?

EL PRESIDENTE DE EGIPTO.

¿Y POR QUÉ ACOGE AL SHA?

SON AMIGOS DESDE HACE MUCHO. LOS DOS HAN TRAICIONADO A LOS PAÍSES DE LA ZONA HACIENDO UN... PACTO CON ISRAEL.

?

DE TODAS FORMAS, MIENTRAS HAYA PETRÓLEO EN ORIENTE MEDIO, NO CONOCEREMOS LA PAZ...

BUENO, HABLEMOS DE OTRAS COSAS. ¡DISFRUTEMOS DE LA LIBERTAD!

¡AHORA QUE EL DIABLO SE HA MARCHADO!

¿PUEDE SER QUE SADATE HAYA RECIBIDO AL SHA PORQUE SU PRIMERA MUJER ERA EGIPCIA?

¡OOH, NO! LA POLÍTICA NO SE MEZCLA CON LOS SENTIMIENTOS.

DESPUÉS DE TODA AQUELLA ALEGRÍA LLEGÓ UNA GRAN DESGRACIA: LAS ESCUELAS QUE HABÍAN CERRADO LAS PUERTAS A LA VISTA DE LOS ACONTECIMIENTOS VOLVIERON A ABRIRLAS Y...

¡CHICOS! ¡ARRANCAD LAS FOTOS DEL SHA DE VUESTROS LIBROS!

¡PERO SI ELLA SIEMPRE NOS HABÍA DICHO QUE AL SHA LO HABÍA ELEGIDO DIOS!

¡SEÑORITA! ¡¡¡ELLA DICE QUE DIOS ESCOGIÓ AL SHA!!!

¡SATRAPI! NO ESTÁ BIEN DECIR ESAS COSAS. ¡¡¡DE CARA A LA PARED!!!

ESTOS FENÓMENOS EXTRAÑOS SE MULTIPLICARON...

BUENOS DÍAS, VECINOS.

HOLA.

¡BUENOS DÍAS! ¡TANTAS MANIFESTA-CIONES HAN SIDO AGOTA-DORAS! PERO LO HEMOS CONSEGUIDO.

¡MIREN! UNA BALA LE ROZÓ EL PÓMULO A MI MUJER... ¡LA LIBERTAD TIENE UN PRECIO!

¡OH!

¡QUÉ CARA! SIEMPRE HA TENIDO ESA MAN-CHA. ¡MENOS MAL QUE SOMOS VECINOS, SI NO NOS HABRÍA HECHO CREER QUE ERA UNA MÁRTIR RESUCITADA!

¡QUÉ IMPORTA!

EL COMBATE SE HABÍA ACABADO PARA LOS PADRES, PERO NO PARA NOSOTROS.

MI PADRE DICE QUE EL PADRE DE RAMINE ERA DEL SAVAK.* ¡HA MATADO A UN MILLÓN DE PERSONAS!

¿UN MILLÓN?

*SERVICIO SECRETO DEL RÉGIMEN DEL SHA.

EN NOMBRE DEL MILLÓN DE MUERTOS, VAMOS A DARLE UNA BUENA LECCIÓN A RAMINE. TENGO UNA IDEA...

MI IDEA ERA PONERNOS UNOS CLAVOS ENTRE LOS DEDOS, COMO SI FUERAN UN PUÑO AMERICANO, Y ATACAR A RAMINE.

¡RAMINE! ¡RAMINE! ¡SAL DE TU ESCONDITE! ¡NO SEAS GALLINA!

PERO MI MADRE APARECIÓ EN MEDIO DE LA EUFORIA...

¡HOLA CHICOS! ¿QUÉ ESTÁIS HACIENDO?

¡¡¡MARTI HA ENCONTRADO UNOS CLAVOS!!!

¡LE PARTIREMOS LA CABEZA A RAMINE!

¡SU PADRE HA MATADO A UN MILLÓN DE PERSONAS!

¿ASÍ QUE QUIERES DARLE UNA PALIZA A RAMINE? SUBE AL COCHE, TENGO UNA SOLUCIÓN MEJOR...

¿AH, SÍ? ¿CUÁL?

¿DE DÓNDE HAS SACADO LOS CLAVOS?

¿EH? ¡DE LA CAJA DE HERRAMIENTAS DE PAPÁ!

¿QUÉ TE PARECERÍA QUE TE CLAVARA A LA PARED POR LAS OREJAS?

¡UAUH! ESO DEBE DE DOLER MUCHO...

¡BUENO, POR ESTA VEZ PASA! ¡PERO SOBRE TODO NO VUELVAS A HACERLO!

PERO MAMÁ, EL PADRE DE RAMINE HA MATADO...

LO SÉ.

¡ES SU PADRE! ¡ÉL NO TIENE NADA QUE VER!

ADEMÁS, HACER JUSTICIA NO ES COSA TUYA NI MÍA. DIRÍA, INCLUSO, QUE HAY QUE SABER PERDONAR.

¡TU PADRE ES UN ASESINO, PERO TÚ NO TIENES NADA QUE VER! ¡ASÍ QUE TE PERDONO!

¡NO ES NINGÚN ASESINO! ¡HA MATADO COMUNISTAS Y LOS COMUNISTAS SON EL DIABLO!

MAMÁ, HE HABLADO CON RAMINE. DICE QUE SU PADRE HA HECHO BIEN MATANDO A LOS COMUNISTAS.

¡DIOS MÍO! SÓLO REPITE LO QUE LE HAN DICHO. YA LO ENTENDERÁ...

¡HAY QUE SABER PERDONAR!

¡HAY QUE SABER PERDONAR!

TENÍA LA SENSACIÓN DE SER UNA PERSONA MUY BUENA.

# LOS HÉROES

UNOS DÍAS MÁS TARDE, LOS PRISIONEROS POLÍTICOS FUERON LIBERADOS. 3.000 PERSONAS EN TOTAL...

NOSOTROS CONOCÍAMOS A DOS.

SIAMAK JARI

NACIDO EL 20/02/45

EN LURISTÁN

PROFESIÓN: PERIODISTA

DELITO: HABER ESCRITO ARTÍCULOS SUBVERSIVOS EN KEYHAN

FECHA DE ENCARCELAMIENTO: JULIO DE 1973

LIBERADO EN MARZO DE 1979

CONVICCIÓN POLÍTICA: COMUNISTA

MOHSEN CHAKIBA

NACIDO EL 22/11/47

PROFESIÓN: REVOLUCIONARIO

DELITO: REVOLUCIONARIO

FECHA DE ENCARCELAMIENTO: ABRIL DE 1971

LIBERADO EN MARZO DE 1979

CONVICCIÓN POLÍTICA: COMUNISTA

HABÍA OÍDO HABLAR DE SIAMAK INCLUSO ANTES DE LA REVOLUCIÓN. ERA EL MARIDO DE LA MEJOR AMIGA DE MI MADRE.

¿DESDE CUÁNDO NO TIENES NOTICIAS SUYAS?

¿¿DIEZ MESES??

¡PÁSATE HOY A VERME CON LALY! LUEGO HABLAMOS.

LALY ERA LA HIJA DE SIAMAK.

¿DÓNDE ESTÁ TU PADRE?

¡DE VIAJE!

¿SABES QUE CUANDO DICEN QUE ALGUIEN LLEVA MUCHO TIEMPO DE VIAJE SIGNIFICA QUE ESTÁ MUERTO?

¡AL MENOS ASÍ FUE CON MI ABUELO!

BUUUUAA...

A VECES ES DURO ACEPTAR LA VERDAD.

BUUUAA... MARJI DICE QUE... QUE PAPÁ... PAPÁ ESTÁ... ¡ESTÁ MUERTO!

¡PUES CLARO QUE NO!

¡A TU CUARTO, Y QUE NO VUELVA A VERTE EN TODO EL DÍA!

NADIE ACEPTA LA VERDAD.

PERO DESPUÉS DE LA REVOLUCIÓN ENTENDÍ QUE PODÍAS EQUIVOCARTE.

QUERIDA, HOY ES UN GRAN DÍA. HEMOS INVITADO AL PAPÁ DE LALY Y A MOHSEN. LOS DOS ACABAN DE SALIR DE LA CÁRCEL.

¿EL PAPÁ DE LALY?

¿QUÉ ASPECTO TIENE EL PADRE DE LALY?

PRONTO LO VERÁS.

¡DING, DONG!

¡SIAMAK!

ME HACE TAN FELIZ VERTE OTRA VEZ ENTRE NOSOTROS... NO TENGO PALABRAS...

¡LO SÉ, NO DIGAS NADA!

¡AH, TAJI! ¡SIEMPRE TAN GUAPA!

¡Y TÚ SIEMPRE TAN ENCANTADOR!

Y ÉSTA DEBE DE SER MARJI. ¡JODER! ¡LA ÚLTIMA VEZ QUE LA VI SÓLO TENÍA 3 AÑOS!

EL TIEMPO ES IRRECUPERABLE. CUANDO ME ARRESTARON LALY APENAS HABLABA Y MÍRALA AHORA, HECHA TODA UNA SEÑORITA.

PUES SÍ...

SÍ...

¡DING, DONG!

¿QUIERES JUGAR?

¡NO!

DEBE DE SER MOHSEN.

¡ME GOLPEARON TANTO CON UNOS CABLES ELÉCTRICOS ENORMES QUE AHORA PARECE CUALQUIER COSA MENOS UN PIE!

POR NO HABLAR DE LAS COLILLAS ENCENDIDAS QUE NOS PONÍAN EN LA ESPALDA Y EN LOS MUSLOS...

MIS PADRES ESTABAN TAN AFECTADOS...

...QUE SE OLVIDARON DE AHORRARME AQUELLA EXPERIENCIA...

¿NO TIENES NOTICIAS DE AHMADI?

AHMADI... AHMADI FUE ASESINADO. COMO ERA MIEMBRO DE LA GUERRILLA, LE HICIERON PASAR UN CALVARIO. LLEVABA CIANURO ENCIMA POR SI LO DETENÍAN, PERO LO PILLARON POR SORPRESA. DESGRACIADAMENTE, NO PUDO UTILIZARLO... TUVO QUE PADECER LAS PEORES TORTURAS...

¡TE GUSTA! ¿VERDAD?

¡¡CONFIESA!! ¿DÓNDE ESTÁN LOS DEMÁS?

...LE QUEMARON CON UNA PLANCHA ARDIENDO...

NUNCA HABRÍA PENSADO QUE AQUEL APARATO SE USARA PARA TORTURAR.

...ACABARON DESCUARTIZÁNDOLO.

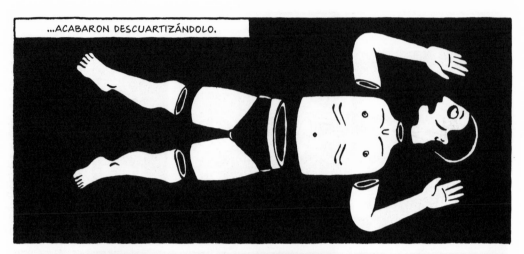

IBA A MI CLASE EN LA POLITÉCNICA.

¡MENOS MAL QUE NO MATARON A TU PADRE EN LA CÁRCEL!

PERO CONFIESA QUE NO ME EQUIVOCABA DEL TODO CUANDO TE DIJE QUE NO ESTABA DE VIAJE.

PUEDE, ¡PERO MI PADRE ES UN HÉROE!

¡¡¡HAY QUE ACABAR CON ESOS ASESINOS!!!

EN MI CASO, MI PADRE NO ERA NINGÚN HÉROE, MI MADRE QUERÍA MATAR A ALGUIEN... ASÍ QUE ME FUI A JUGAR A LA CALLE.

AQUELLAS HISTORIAS ME DIERON NUEVAS IDEAS PARA JUEGOS.

EL QUE PIERDA SERÁ TORTURADO.

¡VALE!

¿Y QUÉ TIPO DE TORTURA?

YO TAMBIÉN TENGO IMAGINA-CIÓN... EL BIGOTE ARDIENDO CONSISTE EN TIRAR DE LOS DOS LADOS DEL LABIO SUPERIOR...

...EL BRAZO TORCIDO...

...LLENAR LA BOCA CON GUSANOS.

AL LLEGAR LA NOCHE TENÍA UN DIABÓLICO SENTIMIENTO DE PODER...

...PERO NO DURÓ MUCHO. RESULTABA AGOBIANTE.

NO LLORES, QUERIDA, PAGARÁN POR LO QUE HICIERON.

¡NO ES ESO! ¡¡PENSABA QUE DEBÍAMOS PERDONAR!!

LA GENTE MALA ES PELIGROSA, PERO TAMBIÉN LO ES PERDONARLES. NO TE PREOCUPES, EN ESTE MUNDO HAY JUSTICIA.

NO SABÍA LO QUE ERA LA JUSTICIA. AHORA QUE LA REVOLUCIÓN HABÍA ACABADO DEFINITIVAMENTE, YO ABANDONABA EL MATERIALISMO DIALÉCTICO DE MIS CÓMICS. EL ÚNICO SITIO EN EL QUE ME SENTÍA SEGURA ERA ENTRE LOS BRAZOS DE MI AMIGO.

# MOSCÚ

ASÍ QUE MI PADRE NO ERA UN HÉROE.

¿VA TODO BIEN, MARJI?

PSÉ...

SI AL MENOS HUBIERA ESTADO EN LA CÁRCEL...

A MI PADRE LE HAN CORTADO UNA PIERNA, ¡PERO NO HA CONFESADO!... DESPUÉS LE HAN CORTADO UN BRAZO...

¡DELIRA!

PERO UN DÍA DESCUBRÍ, POR FORTUNA, LA HISTORIA DE ANOUCHE, MI TÍO...

ERA EL ÚNICO AL QUE NO CONOCÍA, ¡Y POR UN BUEN MOTIVO! HABÍA ESTADO EN LA CÁRCEL. POR PRIMERA VEZ DESPUÉS DE TREINTA AÑOS MI ABUELA ESTABA CON SUS SEIS HIJOS...

...Y TENÍAMOS UN HÉROE EN LA FAMILIA... NI QUE DECIR TIENE QUE LO AMÉ DE INMEDIATO.

¿POR QUÉ NO VIENES A VIVIR CON NOSOTROS?

¡QUÉ AMABLE ERES! ESTA NOCHE DORMIRÉ AQUÍ Y TE EXPLICARÉ UNA HISTORIA.

¿ESTÁS CASADO? ¿TIENES HIJOS? ¿CUÁNTOS AÑOS TIENES?

¡¡DESPUÉS, MARJI!! ¡¡DESPUÉS!!

NO LO MOLESTES MUCHO, ESTÁ CANSADO.

VENGA, BUENAS NOCHES.

ESTÁ BIEN, DEJADNOS.

BUENO, EMPIEZO: TENÍA 18 AÑOS CUANDO MI TÍO FEREYDOUNE Y SUS AMIGOS PROCLAMARON LA INDEPENDENCIA DE LA PROVINCIA IRANÍ DE AZERBAIYÁN...

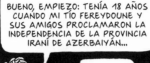

¡QUÉ VALIENTE!

...FEREYDOUNE SE NOMBRÓ MINISTRO DE JUSTICIA DE AQUELLA NUEVA Y PEQUEÑA REPÚBLICA.

SEÑORES, LA JUSTICIA ES LA BASE DE LA DEMOCRACIA. LOS HOMBRES DEBEN SER IGUALES ANTE LOS OJOS DE LA LEY.

LE SEGUÍ PORQUE YO TENÍA LAS MISMAS IDEAS. TU ABUELO, POR CONTRA, SE MANTUVO FIEL AL SHA.

¡MI HIJO ES UN TRAIDOR, ESO ES! ¡VETE, VETE CON EL CRETINO DE MI HERMANO!

¡ACABARÉIS TODOS FUSILADOS! ¿ME OYES? ¡FUSILADOS!

ME CONVERTÍ EN EL SECRETARIO DE FEREYDOUNE. FUE UNA ÉPOCA REPLETA DE SUEÑOS Y DE ENTUSIASMO.

¡AZERBAIYÁN SÓLO ES EL PRINCIPIO! ¡¡¡VAMOS A LIBERAR IRÁN PROVINCIA A PROVINCIA, TROCITO A TROCITO!!!

YA LO SÉ, TÍO.

UNA NOCHE TUVE UNA PESADILLA TERRIBLE: MUERTOS, SANGRE...

A LA MAÑANA SIGUIENTE QUISE VER A FEREYDOUNE. ESTABA PREOCUPADO, CUANDO DE REPENTE...

¡MIERDA! ¡LOS SOLDADOS DEL SHA!

¡DIOS MÍO! ¡FEREYDOUNE!

QUERÍA HACER ALGO, PERO... NO PUDE... LO ARRESTARON Y YO ME DI A LA FUGA.

¡MENUDA HISTORIA!

CAMINÉ DURANTE DÍAS Y DÍAS SOBRE LA NIEVE, BAJO LA TORMENTA. ATRAVESÉ LAS MONTAÑAS DE ALBORZ PARA REFUGIARME EN CASA DE MIS PADRES, EN ASTARA...

...TENÍA HAMBRE Y FRÍO, PERO CONTINUÉ...

¡CUANDO LLEGUÉ ESTABA PRÁCTICAMENTE MUERTO!

¡BOUM! ¡BOUM! ¡BOUM!

¡DIOS MÍO! ¡¡¡ANOUCHE!!!

¿QUÉ? ¿QUÉ PASA? ¿QUIÉN VIENE A MOLESTARNOS A ESTAS HORAS?

¡DATE PRISA! ¡ES NUESTRO HIJO ANOUCHE! ¡¡SE HA DESMAYADO!!

¿QUÉ HACE AQUÍ? ¿POR QUÉ NO SE HA QUEDADO EN CASA DE SU QUERIDO TÍO?

¡SIEMPRE DICES LA PALABRA JUSTA EN EL MEJOR MOMENTO! AHORA, AYÚDAME.

¡ESTÁ BIEN, ESTÁ BIEN! ¡CÁLMATE!

¡OH! DIOS, MÍO... HIJO MÍO, MI QUERIDO HIJO...

¡¡ES UN POCO TARDE PARA DEMOSTRARLE TU AFECTO!!

PERO LA POLICÍA DEL SHA ME ESTABA BUSCANDO. NO ESTABA SEGURO EN SU CASA. ASÍ QUE DECIDÍ EXILIARME.

CRUCÉ EL RÍO ARAS A NADO Y LLEGUÉ A LA U.R.S.S.

¡CARAMBA! ¡EL PADRE DE LALY NO ESTUVO CON LOS RUSOS!

¿Y QUÉ LE PASÓ A TU TÍO FEREYDOUNE?

SE ENFRENTÓ A SU DESTINO...

...ME ENTERÉ DE QUE ÉL SABÍA QUE EL EJÉRCITO DEL SHA IBA A ARRESTARLO. HABRÍA PODIDO ESCAPAR COMO HICIERON LA MAYOR PARTE DE SUS AMIGOS. PERO DECIDIÓ QUEDARSE.

ESTÁ TODO PERDIDO. ¡SOY SUYO, SEÑORES!

EN AQUELLA ÉPOCA TENÍA UNA AMIGUITA QUE SE HABÍA UNIDO A ÉL. UNA CHICA DE BUENA FAMILIA.

¡FEREYDOUNE, TIENES VISITA!

¡OH! AMOR MÍO.

QUERIDA, NO TENÍAS QUE VENIR, ESTO TE HACE DAÑO..

¡HAZME UN HIJO!

?

¡AQUÍ! ¿AHORA?

¡SÍ! HE PAGADO AL GUARDIA, NOS DEJARÁ TRANQUILOS.

¡¡¡VAN A FUSILARME MAÑANA!!!

YA LO SÉ... ¡QUIERO UN RECUERDO TUYO!

SABES LO QUE SIGNIFICA SER MADRE SIN ESTAR CASADA EN ESTE PAÍS. SERÁS REPUDIADA. LA GENTE TE HARÁ PASAR UN INFIERNO.

¡ME DA IGUAL! HAZME UN HIJO.

...AQUELLA NOCHE SE QUEDÓ EMBARAZADA Y POCO DESPUÉS SE FUE A SUIZA. SÉ QUE TUVO UN HIJO. SEGÚN DICEN, SE PARECE MUCHO A SU PADRE.

¿MARJI? ¿ESTÁS BIEN?

EEH... ¿TIENES MÁS HISTORIAS COMO ÉSTA?

¿? SÍ...

TE PREPARARÉ UN CHOCOLATE.

¿Y QUÉ HICISTE EN LA U.R.S.S.?

PRIMERO FUI A LENINGRADO, DESPUÉS A MOSCÚ. ALLÍ ESTUVE ESTUDIANDO. ME DOCTORÉ EN MARXISMO LENINISMO.

¿MATERIALISMO DIALÉCTICO?

¿

¿QUÉ? ¿LO CONOCES?

LO HE LEÍDO EN UN CÓMIC.

¿

POCO DESPUÉS ME CASÉ Y TUVE DOS HIJAS. MIRA...

¿POR QUÉ LE FALTA LA CARA A LA MUJER?

ERA MI MUJER. NOS DIVORCIAMOS...

SÍ, ¿PERO POR QUÉ TIENE LA CARA BORRADA?

LOS RUSOS NO SON COMO NOSOTROS...

¿QUÉ? ¿NO TIENEN CARA?

¡NO TIENEN CORAZÓN! NO SABEN AMAR...

?

...EN FIN, DESPUÉS DE LA SEPARACIÓN ME SENTÍA MUY SOLO. EL PAÍS, MIS PADRES, MIS HERMANOS, LO ECHABA DE MENOS TODO. A MENUDO SOÑABA CON ELLOS.

DECIDÍ VOLVER. CONSEGUÍ UNOS PAPELES FALSOS Y ME DISFRACÉ.

NO DEBÍA DE SER MUY CREÍBLE. ME PILLARON RÁPIDAMENTE.

¡USTED, EL BAR-BUDO CON GAFAS!

¡ALTO!

ENTONCES ME ENCERRARON DURANTE NUEVE AÑOS.

¡NUEVE AÑOS!

¡MEJOR QUE EL PADRE DE LALY!

¿Y TE TORTURARON SALVAJE-MENTE COMO A SIAMAK, EL PADRE DE LALY?

¿ESO TE HA CONTADO TU PADRE?

NO, SE LO DIJO A MAMÁ Y YO LO OÍ.

LO QUE ME HIZO PADECER MI MUJER FUE MUCHO PEOR.

SI TE EXPLICO TODO ESTO ES PORQUE ES IMPORTANTE QUE LO SEPAS. LA MEMORIA DE LA FAMILIA NO DEBE PERDERSE. AUNQUE NO SEA FÁCIL PARA TI, AUNQUE NO LO ENTIENDAS TODO.

¡OH! NO TE PREOCUPES, ¡¡¡NO LO OLVIDARÉ NUNCA!!!

¡Y AHORA HAY QUE ACOSTARSE!

¿QUÉ? ¿YA SE HA ACABADO?

TOMA, TE REGALO ESTE CISNE QUE HICE EN LA CÁRCEL. ESTÁ HECHO CON MIGA DE PAN.

¿EN LA CÁRCEL?

FELICES SUEÑOS.

EN MI FAMILIA TENEMOS MUCHOS HÉROES. YA MI ABUELO ESTUVO EN PRISIÓN. Y MI TÍO ANOUCHE: ¡NUEVE AÑOS! TAMBIÉN ESTUVO EN LA U.R.S.S. MI TÍO ABUELO FEREYDOUNE PROCLAMÓ UN ESTADO DEMOCRÁTICO, DESPUÉS FUE...

¡DELIRA!

# LAS OVEJAS

MIENTRAS ANOUCHE ESTUVO EN CASA, VIVÍ UN PERÍODO APASIONANTE. ASISTÍ A CONVERSACIONES POLÍTICAS DE PRIMER ORDEN...

ES COMPLETAMENTE INCREÍBLE. ¡LA REVOLUCIÓN ES UNA REVOLUCIÓN DE IZQUIERDAS Y LA REPÚBLICA QUIERE LLAMARSE ISLÁMICA!

NO TIENE IMPORTANCIA. TODO SALDRÁ BIEN. EN UN PAÍS MEDIO ANALFABETO NO SE PUEDE AGRUPAR A LA GENTE ALREDEDOR DE MARX. LO ÚNICO QUE PUEDE UNIRLA ES EL NACIONALISMO O LA MORAL RELIGIOSA...

PERO LOS RELIGIOSOS NO CONOCEN LA CIENCIA DE GOBERNAR. SE VOLVERÁN A SUS MEZQUITAS. ¡EL PROLETARIADO REINARÁ! ¡¡¡TIENE QUE SER ASÍ!!! ADEMÁS, ESO ES LO QUE EXPLICA LENIN EN "EL ESTADO Y LA REVOLUCIÓN".

EN OCASIONES, INCLUSO, LES EXPLICABA MI OPINIÓN...

¡EN LA TELE DICEN QUE EL 99,99% DE LA GENTE HA VOTADO A FAVOR DE LA REPÚBLICA ISLÁMICA!

¿LO ESTÁS OYENDO, ANOUCHE? ¿TE DAS CUENTA DE LA IGNORANCIA DEL PUEBLO!? ELECCIONES AMAÑADAS Y SE CREEN LOS RESULTADOS: ¡¡99,99%!! YO, POR MI PARTE, NO CONOZCO A NADIE QUE HAYA VOTADO POR LA REPÚBLICA ISLÁMICA. ¿DE DÓNDE SE SACAN ESA CIFRA? ¡¡¡DEL CULO, CLARO!!!

¡PERO EBI, SÓLO ES UNA NIÑA QUE REPITE LO QUE HA OÍDO!

¡PERO NO HE SIDO YO! ¡¡HA SIDO LA TELE!! ¡¡¡BUAAAA!!!

¡EH! ¿JUGAMOS?

¡SE VA A LOS ESTADOS UNIDOS!

¿A LOS ESTADOS UNIDOS? ¿POR QUÉ?

MIS PADRES DICEN QUE NO SE PUEDE VIVIR BAJO UN RÉGIMEN ISLÁMICO, QUE HAY QUE IRSE.

PERO LOS RELIGIOSOS SON MUY TONTOS, ACABARÁN MARCHÁNDOSE.

¡SÍ!

MI PAPÁ DICE QUE NADIE SE DA CUENTA DEL VERDADERO PELIGRO.

¿ENTONCES CUÁNDO TE VAS?

¡DENTRO DE UN MES, MÁS O MENOS!

¡OH!

ME PARECE QUE AQUEL CHICO ME GUSTABA MUCHO...

¡PERO ESTADOS UNIDOS ES FANTÁSTICO! ¡¡¡AL FIN VERÁS A BRUCE LEE EN PERSONA!!!

SÍ... PUEDE QUE SÍ.

BRUCE LEE ESTÁ MUERTO.

EN REALIDAD, LO AMABA MUCHÍSIMO...

...¡Y AQUELLO LO FASTIDIABA TODO!...

DESPUÉS DE QUE SE FUERA MI AMIGO, UNA BUENA PARTE DE MI FAMILIA TAMBIÉN DEJÓ EL PAÍS.

EMBARQUE INMEDIATO VUELO 6702 DESTINO LOS ÁNGELES PUERTA 26 IMMEDIATE BOARDING FLIGHT 6702 TO LOS ANGELES GATE 26

A LO MEJOR NOSOTROS TAMBIÉN TENDRÍAMOS QUE MARCHARNOS...

¿PARA CONVERTIRME EN TAXISTA Y TÚ EN MUJER DE LA LIMPIEZA?

MI AMIGO KAVEH TAMBIÉN SE HA IDO A LOS EE.UU.

NO TE PREOCUPES. TODOS LOS QUE SE VAN, VOLVERÁN. SÓLO LE TIENEN MIEDO AL CAMBIO.

¡OJALÁ!

¡ANOUCHE, TENGO MUCHO MIEDO!

¡NO, HERMANITA! SIEMPRE ES ASÍ EN LAS REVOLUCIONES. NO ES MÁS QUE UN PERÍODO DE TRANSICIÓN...

¡DRING! ¡DRING!

¡PAPÁ! ¡¡TELÉFONO, PARA TI!!

¿QUÉ?

¿QUÉ PASA?

¿QUÉ LE PASA?

¡PAPÁ!

¿TU MADRE HA MUERTO?

ES MOHSEN.

LO HAN ENCONTRADO MUERTO, AHOGADO...

...EN SU BAÑERA.

¿QUÉ?

¿DÓNDE?

¡ASESINOS! ¡ASESINOS!

MI MADRE TENÍA RAZÓN AL CREER QUE ERA UN ASESINATO... CUANDO ENCONTRARON EL CUERPO, SÓLO TENÍA LA CABEZA DENTRO DEL AGUA.

¡TODO SALDRÁ BIEN!

DESPUÉS DE MOHSEN, LE LLEGÓ EL TURNO A SIAMAK.

¿ES ÉSTA LA CASA DE SIAMAK JARI?

¡SÍ!

¡SOMOS LOS EJECUTORES DE LA JUSTICIA DIVINA!

SU HERMANA FUE EJECUTADA EN LUGAR DE ÉL.

¿SABES DÓNDE ESTÁN AHORA SIAMAK Y SU FAMILIA?

SÉ LO MISMO QUE TÚ, PERO SEGURO QUE ESTÁN ESCONDIDOS EN ALGÚN SITIO.

¿Y LALY?

DESPUÉS SUPIMOS QUE HABÍAN CRUZADO LA FRONTERA ESCONDIDOS ENTRE UN REBAÑO DE OVEJAS.

TODO SALDRÁ BIEN...

ASÍ, TODOS LOS REVOLUCIONARIOS DEL AYER SE CONVIRTIERON EN ENEMIGOS DE LA REPÚBLICA.

¿NO TENÍA QUE VENIR A BUSCARME ANOCHE?

...

¿QUÉ? ¿NO TENÍA QUE VENIR ÉL?

TENGO QUE DECIRTE ALGO...

¿SÍ?

¡HA VUELTO A MOSCÚ!

¿QUÉ?

¡OH! ¡NO! OTRA VEZ LA VIEJA HISTORIA DEL VIAJE...

TUVO QUE IRSE MUY DEPRISA... SU MUJER LO LLAMÓ. ME DIJO QUE LE DESPIDIERA DE TI...

NO SE HABLA CON SU MUJER.

¡CARIÑO! ¿HAS TENIDO UN BUEN DÍA EN LA ESCUELA?

DEBES DE TENER HAMBRE.

¿DÓNDE ESTÁ ANOUCHE?

¿NO QUIERES COMER UN POCO?

NO TENGO HAMBRE.

¿POR QUÉ NO SE HA ESPERADO PARA DESPEDIRSE DE MÍ?

TENÍA PRISA, MUCHA PRISA...

CREO QUE TENE-
MOS QUE HABLAR.

¡DIOS, HAZ QUE NO
ESTÉ MUERTO!

BUENO, HAN ARRESTADO A ANOUCHE.

LO SABÍA...

PAPÁ.

SÍ, MI BEBÉ.

¿QUIERES
HACER
ALGO POR
ÉL?

¡SÍ!

ANOUCHE
SÓLO TIENE
DERECHO A
UNA VISITA
Y QUIERE
VERTE A TI.

¿CREES
QUE VOY
BIEN
VESTIDA?

¡CLARO QUE SÍ!

YA CASI HEMOS LLEGADO.

¡BONITO VESTIDO! ¡¡QUÉ NIÑA MÁS GUAPA!!

10 MINUTOS.

¿SABES QUE PARA MÍ ES UN HONOR QUE VENGAS A VISITARME?

ERES LA HIJA QUE SIEMPRE ME HUBIERA GUSTADO TENER.

¡PERO YA LO VERÁS! ¡UN DÍA EL PROLETARIADO REINARÁ!

¡TOMA! TE HE HECHO OTRO CISNE DE MIGA DE PAN. ES EL TÍO DEL OTRO.

ESTRELLA DE MI VIDA...

AQUÉL FUE MI ÚLTIMO ENCUENTRO CON MI ADORADO ANOUCHE...

ASÍ QUE ME QUEDÉ SIN PUNTO DE REFERENCIA... ¿PODÍA PASAR ALGO PEOR?

¡MARJI, CORRE AL SÓTANO! ¡¡¡NOS ESTÁN BOMBARDEANDO!!!

ERA EL PRINCIPIO DE LA GUERRA...

# Libro 2

¡OH, MIERDA!

¡¡HAN OCUPADO LA EMBAJADA DE ESTADOS UNIDOS!!

¿QUIÉN?

ESTUDIANTES ISLAMISTAS. ¡¡HAN TOMADO COMO REHENES A TODOS LOS AMERICANOS!!

¡VAYA!

LA LLAMAN "EL NIDO DE ESPÍAS". ¡JA, JA! NI QUE ESTO FUERA JAMES BOND.

¡NO PARECE QUE TE INTERESE!

ME TRAE SIN CUIDADO.

DE TODAS FORMAS, LOS AMERICANOS SON UNOS IMBÉCILES.

PUEDE, PERO AHORA NADIE PODRÁ IR A ESTADOS UNIDOS.

¿¿POR QUÉ??

MUY SENCILLO. ¡NO HAY EMBAJADA, NO HAY VISADOS!

UN GRAN SUEÑO SE DESMORONABA. NUNCA TENDRÍA DERECHO A IR A LOS ESTADOS UNIDOS.

KAVEH, HOY HAN CERRADO LA EMBAJADA DE EE.UU. YA NO PODRÉ IR A VERTE...

EL SUEÑO NO ERAN LOS ESTADOS UNIDOS, SINO MI COMPAÑERO KAVEH, QUE SE HABÍA INSTALADO ALLÍ HACÍA UN AÑO.

UNOS DÍAS MÁS TARDE...

SEGÚN LA DECISIÓN DEL MINISTERIO DE EDUCACIÓN, LAS UNIVERSIDADES SE CERRARÁN EL PRÓXIMO MES...

¡OH, NO!

EL SISTEMA EDUCATIVO, ASÍ COMO EL TEMARIO DE LOS LIBROS ESCOLARES Y UNIVERSITARIOS SON DECADENTES. DEBEMOS REVISAR TODO ESO PARA QUE NUESTROS JÓVENES NO SE ALEJEN DEL CAMINO DEL ISLAM.

¡POR SUPUESTO, POR SUPUESTO!

POR ESO CERRAREMOS LAS UNIVERSIDADES DURANTE UN TIEMPO LIMITADO. ES MEJOR NO TENER ESTUDIANTES QUE EDUCAR A FUTUROS IMPERIALISTAS.

LAS UNIVERSIDADES ESTUVIERON CERRADAS DURANTE DOS AÑOS.

YA LO VERÁS, ACABARÁN OBLIGÁNDONOS A LLEVAR EL VELO Y A IR EN CAMELLO. ¡DIOS MÍO, QUÉ POLÍTICA MÁS RETRÓGRADA!

¿EN CAMELLO?

SE ACABARON LAS UNIVERSIDADES... Y YO QUE QUERÍA SER QUÍMICA. QUERÍA SER COMO MARIE CURIE.

QUERÍA SER UNA MUJER SABIA Y EMANCIPADA. QUERÍA COGER UN CÁNCER EN NOMBRE DE LA CIENCIA.

HE DESCUBIERTO EL ÚLTIMO ELEMENTO RADIACTIVO.

OTRO SUEÑO QUE VOLABA.

¡MALDICIÓN! A LA EDAD QUE MARIE CURIE FUE A ESTUDIAR A FRANCIA, YO YA TENDRÉ DIEZ HIJOS, SEGURO...

UNA TARDE...

EL COCHE DE MAMÁ SE HA ESTROPEADO, TENEMOS QUE IR A BUSCARLA.

¡EBI!

¡MAMÁ!

DOS TIPOS... DOS BARBUDOS... DOS CABRONES BARBUDOS... ME HAN... ME HAN...

TRANQUILA, QUERIDA, TRANQUILA. ¿TE HAN QUÉ?

¡MAMÁ!

ME HAN INSULTADO. ¡HAN DICHO QUE A LAS MUJERES COMO YO HABRÍA QUE LLEVARLAS AL PAREDÓN Y ECHARLAS A LOS GUSANOS!

...QUE SI NO QUERÍA QUE ESO ME PASARA, SÓLO TENÍA QUE PONERME EL VELO...

¡¡¡OLVIDA A ESOS BÁRBAROS!!! VAMOS...

MI MADRE ESTUVO UNOS DÍAS MALA POR CULPA DE AQUEL INCIDENTE.

¿MAMÁ, QUIERES ALGO?

ASÍ QUE PARA PROTEGER A LAS MUJERES DE POSIBLES VIOLADORES, SE DECLARÓ OBLIGATORIO EL USO DEL VELO.

LOS CABELLOS DE LAS MUJERES CONTIENEN DESTELLOS QUE EXCITAN A LOS HOMBRES. ¡LAS MUJERES DEBEN OCULTARLOS! SI NO LLEVAR EL VELO ES UNA PRUEBA DE CIVILIZACIÓN, LOS ANIMALES SON MÁS CIVILIZADOS QUE NOSOTROS.

¡FANTÁSTICO! ¡¡TOMAN A TODOS LOS HOMBRES POR OBSESOS SEXUALES!!

CLARO. ¡COMO ELLOS!

RÁPIDAMENTE, LA MANERA DE VESTIR SE CONVIRTIÓ EN UNA CUESTIÓN IDEOLÓGICA. HABÍA DOS TIPOS DE MUJERES.

LA MUJER INTEGRISTA

LA MUJER MODERNA

MOSTRABAN SU OPOSICIÓN AL RÉGIMEN DEJANDO ALGUNOS MECHONES AL DESCUBIERTO.

HABÍA DOS TIPOS DE HOMBRES.

EL HOMBRE INTEGRISTA

EL HOMBRE PROGRESISTA

BARBA

CAMISA POR ENCIMA DEL PANTALÓN

AFEITADO, CON O SIN BIGOTE

CAMISA POR DENTRO DEL PANTALÓN

EN EL ISLAM NO SE ACONSEJA AFEITARSE.

HAY QUE PRECISAR QUE SI LAS MUJERES ESTABAN OBLIGADAS, BAJO PENA DE PRISIÓN, A PONERSE EL VELO, LOS HOMBRES TENÍAN FORMALMENTE PROHIBIDO LLEVAR CORBATA (SÍMBOLO DE OCCIDENTE). Y SI LOS CABELLOS DE LAS MUJERES EXCITABAN A LOS HOMBRES, TAMBIÉN LOS BRAZOS DESNUDOS DE LOS HOMBRES EXCITABAN A LAS MUJERES: ASÍ QUE LES ESTABA PROHIBIDO LLEVAR CAMISAS DE MANGA CORTA.

AL MENOS, HABÍA CIERTA JUSTICIA.

PERO NO SÓLO HABÍA CAMBIADO EL GOBIERNO. LA GENTE TAMBIÉN CAMBIABA.

¡LA HAS VISTO! HACE MENOS DE UN AÑO ANDABA ENSEÑANDO LAS PIERNAS CON SU MINIFALDA, Y AHORA LA SEÑORA LLEVA CHADOR. POR CONVENIENCIA.

EL BARBUDO DE SU MARIDO, QUE SE EMBORRACHABA TODAS LAS NOCHES, AHORA SE LE LLENA LA BOCA DE REPROCHES NADA MÁS OÍR LA PALABRA ALCOHOL.

¡SU HIJA DICE QUE REZA TODOS LOS DÍAS!

SI ALGUNA VEZ TE PREGUNTA QUÉ HACES DURANTE EL DÍA, DILE QUE REZAS. ¿¿ENTENDIDO??

SÍ...

AL PRINCIPIO ERA UN POCO DURO, PERO APRENDÍ A MENTIR MUY DEPRISA.

YO HAGO MIS ORACIONES CINCO VECES AL DÍA.

PUES YO DIEZ U ONCE VECES... HASTA DOCE.

A PESAR DE TODO, LA REVOLU-
CIÓN AÚN HERVÍA EN LA SANGRE
DE LA GENTE. HUBO ALGUNAS
MANIFESTACIONES EN CONTRA.

MAÑANA HAY UNA
CONCENTRACIÓN CON-
TRA EL INTEGRISMO.

¡YO TAM-
BIÉN VOY!

¡NO! ES PELIGROSO.

¡ELLA TAM-
BIÉN VIENE!

¡COMO MUJER, ES AHORA
CUANDO DEBE APRENDER A
DEFENDER SUS DERECHOS!

DESDE LA REVOLUCIÓN DE 1979,
HABÍA CRECIDO (UN AÑO) Y
MAMÁ HABÍA CAMBIADO.

ASÍ QUE FUI CON ELLOS.
REPARTÍA PANFLETOS...

¡BOMBAS, COHETES Y CAÑONES NO
CAMBIARÁN NUESTRAS OPINIONES!

...CUANDO DE REPENTE LA COSA SE PUSO FEA.

¡A PALOS OS LAS
CAMBIAREMOS!

POR PRIMERA VEZ EN MI VIDA VI LA
VIOLENCIA CON MIS PROPIOS OJOS.

¡PAPÁ!

FUE NUESTRA ÚLTIMA MANIFESTACIÓN.

¡SÁLVESE QUIEN
PUEDA!

LA SITUACIÓN SE AGRAVABA DÍA A DÍA. EN SEPTIEMBRE DE 1980, MIS PADRES ORGANIZARON UN VIAJE PARA LOS TRES, COMO SI SINTIERAN QUE DENTRO DE POCO YA NO IBA A SER POSIBLE HACER AQUELLO. EL TIEMPO LES DIO LA RAZÓN... ASÍ QUE NOS FUIMOS TRES SEMANAS A ESPAÑA Y A ITALIA...

...FUE MARAVILLOSO.

JUSTO ANTES DE MARCHAR, EN LA HABITACIÓN DEL HOTEL DE MADRID.

¡MIRAD ESTO!

EN LA TELE SALÍA EL MAPA DE IRÁN CON UNA MASA NEGRA QUE AVANZABA POCO A POCO SOBRE EL PAÍS.

AFGANISTÁN

IRAQ

IRÁN

KUWAIT

GOLFO PÉRSICO

PAKISTÁN

¿QUÉ ES ESO?

¡QUÉ LÁSTIMA QUE NO ENTENDAMOS EL ESPAÑOL!

A LO MEJOR ESTÁN HABLANDO DE LA CONTAMINACIÓN. ¡TEHERÁN ES LA CUARTA CIUDAD MÁS CONTAMINADA DEL MUNDO!

ME PARECE QUE NO HABLAN DE LA CAPITAL, SINO DE TODO EL PAÍS.

AL DÍA SIGUIENTE, MI ABUELA VINO A BUSCARNOS AL AEROPUERTO.

¡YAYA! ¡TE HE COMPRADO UN VESTIDO NEGRO!

PARECÍA PREOCUPADA.

¿VA TODO BIEN, MAMÁ?

SÍ...

¡AH! VOY A QUITARME ESTE PAÑUELO. DA MUCHO CALOR.

ME ALEGRO DE ESTAR DE VUELTA. ¡NO SE ESTÁ EN NINGUNA PARTE COMO EN CASA!

¡SÍ! PERO PRONTO YA NO TENDREMOS CASA...

¿POR QUÉ DICES ESO?

¿NO OS HABÉIS ENTERADO?

¿ENTERADO DE QUÉ?

¡ESTAMOS EN GUERRA!

¡¿QUÉ?!

...LO ANUNCIARON OFICIALMENTE HACE DOS DÍAS, PERO EN REALIDAD EMPEZÓ HACE UN MES... ...LOS INTEGRISTAS IRANÍES HICIERON QUE SUS ALIADOS CHIITAS DE IRAQ SE SUBLEVARAN CONTRA SADDAM. CON EL TIEMPO QUE LLEVA ESE TIPO QUERIENDO INVADIRNOS, ESTO LE HA DADO EL PRETEXTO PERFECTO PARA ATACARNOS. ES LA SEGUNDA INVASIÓN ÁRABE... EN DEFINITIVA, UNA MIERDA.

¡LA SEGUNDA INVASIÓN EN MIL CUATROCIENTOS AÑOS! ¡EL CORAZÓN ME DIO UN VUELCO! ESTABA DISPUESTA A DEFENDER MI PAÍS CONTRA AQUELLOS ÁRABES QUE NO DEJABAN DE AGREDIRNOS.

¡¡QUERÍA LUCHAR!!

# LOS F-14

UNOS DÍAS DESPUÉS DEL VIAJE Y JUSTO ANTES DE LA VUELTA AL COLE, ESTABA EN EL DESPACHO DE MI PADRE.

MECANOGRAFÍE ESTO Y HAGA TRES COPIAS.

DE ACUERDO.

¡BOUM!

¡A CUBIERTO!

ERA LA PRIMERA VEZ QUE VEÍA AVIONES CAZA...

¡BIEN! NUESTRO EJÉRCITO HACE MANIOBRAS.

NO CREO, DEBEN DE SER IRAQUÍES.

¿QUÉ? ¡¡¿POR QUÉ LO DICES?!!

¡PORQUE NO SE PARECEN A NUESTROS F-14!

AQUELLO ERA MUY DOLOROSO PERO PAPÁ ERA INGENIERO. EL ESPECIALISTA ERA ÉL.

IRAQUÍES O IRANÍES, LOS AVIONES VOLABAN A RAS DE SUELO. CUANDO LLEGARON AL HORIZONTE SUBIERON RÁPIDAMENTE FRENTE A LAS MONTAÑAS.

¡DEPRISA! ¡LA RADIO!

¡AQUÍ ESTÁ, PAPÁ!

LOS MIGS IRAQUÍES HAN BOMBARDEADO TEHERÁN...

¡AH! ¡ESOS CABRONES!

¡DESGRACIADOS!

¡VAMOS A CASA, DEPRISA! ¡¡¡TU MADRE DEBE DE ESTAR MUY ASUSTADA!!!

¡PAPÁ! ¿TE ACUERDAS DE LO QUE TE ENSEÑARON EN EL SERVICIO MILITAR? ¿VAS A IR A LA GUERRA? ¿VAS A COMBATIR? HAY QUE DARLES UNA BUENA LECCIÓN A ESOS IRAQUÍES, ¿VERDAD?

¿PERO QUÉ DICES? CLARO QUE NO VOY A COMBATIR... ¡NO VEO POR QUÉ TENDRÍA QUE COMBATIR!

¡OH! ¿CÓMO PUEDES DECIR ESO? LOS IRAQUÍES SIEMPRE HAN SIDO NUESTROS ENEMIGOS. ¡QUIEREN INVADIRNOS!

Y ENCIMA CONDUCEN COMO CERDOS...

¡A LOS ÁRABES NUNCA LES HAN GUSTADO LOS PERSAS, TODO EL MUNDO LO SABE. YA NOS ATACARON HACE 1.400 AÑOS. NOS IMPUSIERON SU RELIGIÓN.

¡OH! ¡ESTOY HARTO DE ESA HISTORIA! LA ÚNICA INVASIÓN ISLÁMICA ES LA DE NUESTRO PROPIO GOBIERNO.

¡TAJI!

¡MAMÁ!

¡¡¿TAJI?!!

AMOR MÍO.

MAMÁ.

¡LOS IRAQUÍES NOS HAN BOMBARDEADO!

¿AH, SÍ? ¡¿CUÁNDO?!

¡HOY!

¡BUENO! ¡TENGO QUE SECARME!

LA GUERRA SIEMPRE TE COGE DESPREVENIDO.

¡¡HAY QUE BOMBARDEAR BAGDAD!!

¡QUITA LOS PIES DE ENCIMA DE LA MESA, ES DE MALA EDUCACIÓN!

BOMBARDEAR BAGDAD... PARA ESO HAY QUE TENER PILOTOS. DESPUÉS DEL GOLPE DE ESTADO FALLIDO DE LOS GENERALES, ESTÁN TODOS EN CHIRONA O EJECUTADOS...

?

¿DE QUÉ VA ESTA NUEVA HISTORIA? ¿QUÉ GOLPE DE ESTADO? ¿QUÉ PILOTOS ENCARCELADOS?

YO CONOCÍA A UN PILOTO DE CAZA, EL PADRE DE MI COMPAÑERA PARDISSE.

¡NUNCA ME HABÍA DICHO QUE SU PADRE ESTUVIERA EN LA CÁRCEL! AUNQUE... EL AÑO PASADO FALTÓ A CLASE MÁS DE UN MES.

¡EL CABRÓN DE SADDAM HA ESPERADO A QUE ESTUVIÉRAMOS DÉBILES PARA ATACARNOS!

EL PADRE DE PARDISSE ENTEZAMI ES PILOTO DE GUERRA, IRÁ A BOMBARDEAR BAGDAD.

ENTEZAMI... ENTEZAMI... FORMABA PARTE DE LOS SUBLEVADOS. ¡PRIMERO TENDRÁ QUE SALIR DE LA CÁRCEL!

ME VOY A MI CUARTO.

¡ES TERRIBLE! MI PADRE ES UN DERROTISTA. NO TIENE SENTIMIENTO PATRIÓTICO...

DE REPENTE, SONÓ EL HIMNO NACIONAL DE IRÁN POR LA TELE. NUESTRA MARSELLESA...

♪ OH, IRÁN ♪ NUESTRO PAÍS DE ORO. TU TIERRA ES LA CUNA ♪ DEL ARTE

EL NUEVO RÉGIMEN LO HABÍA PROHIBIDO Y SUSTITUIDO POR EL HIMNO ISLÁMICO...

HACÍA MÁS DE UN AÑO QUE NO LO OÍAMOS...

♪ QUE SE ALEJEN DE TI LAS MALAS INTENCIO-NES DE TUS ENEMIGOS...♪

ESTÁBAMOS CONMOVIDOS...

BIENVENIDOS AL NOTICIARIO DE LAS OCHO. CIENTO CUARENTA AVIONES F-14 IRANÍES HAN BOMBARDEADO BAGDAD ESTA TARDE.

¡VAYA, ¿HAS VISTO COMO NUESTRO EJÉRCITO TAMBIÉN ES FUERTE?!

NO HAY QUE FIARSE DE SUS INFORMACIONES. A LAS OCHO DAN TAMBIÉN LAS NOTICIAS DE LA B.B.C. POR LA RADIO. ¿DÓNDE ESTÁ LA RADIO?

¡TÚ LO CUES-TIONAS TODO! ¡AQUÍ TIENES TU RADIO!

KRR... KRR...
KRR... KRR...

HOY CIENTO CUARENTA BOMBARDEROS IRANÍES HAN MASACRADO BAGDAD...

¡JA, JA!

¡CHÚPATE ÉSA, SADDAM!

¡QUE SE FASTIDIEN!

ME HABÍA HECHO UNA IDEA EQUIVOCADA DE ÉL: PAPÁ AMABA SU PAÍS TANTO COMO YO.

EL PRESIDENTE BANISADR HA PEDIDO LA LIBERACIÓN DE LOS PILOTOS DE GUERRA QUE FUERON ENCARCELADOS DESPUÉS DEL ALZAMIENTO FALLIDO. ÉSTOS HAN ACEPTADO BOMBARDEAR IRAQ A CAMBIO DE LA DIFUSIÓN DEL HIMNO NACIONAL...

MI PADRE TENÍA RAZÓN, COMO DE COSTUMBRE...

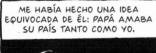

...EL RESTO DE LAS NOTICIAS NO FUERON TAN GRATAS...

LAS BAJAS IRANÍES HAN SIDO CONSIDERABLES... APROXIMADAMENTE LA MITAD DE LOS AVIONES NO HA REGRESADO A SUS BASES.

¡ESPERO QUE EL PAPÁ DE PARDISSE NO HAYA MUERTO!

LLÁMALA.

NO TENGO SU NÚMERO DE TELÉFONO.

TUVE QUE ESPERAR DOS SEMANAS PARA SABERLO.

¡EH! PARDISSE.

LO COMPRENDÍ DE INMEDIATO, PERO NO ME ATREVÍ A PREGUNTAR.

EN CLASE, LA MAESTRA NOS PIDIÓ QUE HICIÉRAMOS UNA REDACCIÓN SOBRE LA GUERRA.

ES UN TEMA MUY DIFÍCIL, PERO NOS CONCIERNE A TODOS. PENSADLO BIEN.

YO NO NECESITABA PENSARLO. TENÍA IDEAS MUY PROFUNDAS AL RESPECTO.

¿TIENES ALGO QUE DECIR?

¡OH! MUCHAS COSAS...

ESCRIBÍ CUATRO PÁGINAS EN LAS QUE DESARROLLÉ EL PUNTO DE VISTA HISTÓRICO DEL ACONTECIMIENTO: "SIMILITUDES ENTRE LA CONQUISTA ÁRABE Y LA GUERRA IRÁN-IRAQ".

ESTABA MUY ORGULLOSA DE MÍ MISMA.

...ESTA GUERRA ES LA MISMA QUE LA DE HACE 1.400 AÑOS...

AUNQUE LA MAESTRA NO PARECÍA MUY ENTUSIASMADA.

NO ESTÁ MAL. BUENO, PARDISSE ENTEZAMI, A LA PIZARRA.

...PARDISSE HIZO LA REDACCIÓN MÁS BONITA. ERA UNA CARTA DIRIGIDA A SU PADRE EN LA QUE LE PROMETÍA QUE SE IBA A OCUPAR DE SU MADRE Y DE SU HERMANO PEQUEÑO.

DESCANSA EN PAZ, PAPÁ.

EN EL RECREO INTENTÉ CONSOLARLA...

TU PADRE SE COMPORTÓ COMO UN AUTÉNTICO HÉROE. ¡TIENES QUE ESTAR ORGULLOSA DE ÉL!

PREFERIRÍA QUE ESTUVIERA VIVO Y ENCARCELADO QUE MUERTO COMO UN HÉROE.

ES LO QUE ME CONTESTÓ, PALABRA POR PALABRA.

# LAS JOYAS

LA GUERRA HABÍA EMPEZADO. AL POCO, EN LOS SUPERMERCADOS NO QUEDABA CASI NADA.

NO SÉ SI VALE LA PENA COGER UN CARRITO.

¡¡YO LO HE VISTO PRIMERA!!

¡¡DEVUÉLVEMELO!!

¡BASTA YA!

?

?

¿QUIÉN LE MANDA METERSE?

¿QUÉ LE PASA A ÉSTA?

DÉJALO, MAMÁ.

BASTARÁ CON QUE LAS TIENDAS CIERREN UN DÍA PARA QUE OS COMÁIS ENTRE VOSOTROS. ¡ESTO SÍ QUE ES GENTE CIVILIZADA! ¡SI CADA UNO SE QUEDARA SÓLO CON LO QUE NECESITA HABRÍA PARA TODOS!

AL SALIR DEL SUPERMERCADO...

¿CUÁNTOS PAQUETES DE ARROZ HEMOS COMPRADO?

DOS.

HUM... IREMOS A LA TIENDA DE AL LADO A POR MÁS. ¡NUNCA SE SABE!

?

TAMPOCO QUEDABA GRAN COSA EN LAS GASOLINERAS.

¿TIENES BIDONES?

¿BIDONES? ¿PARA QUÉ?

¡¡TÚ QUÉ CREES!! ¡¡¡PARA PONERLOS AL BAÑO MARÍA!!!

¡NO LE HABLES ASÍ A MI MADRE!

TODAS LAS MAÑANAS HAGO SESENTA KILÓMETROS PARA QUE TENGÁIS UNA VIDA TRANQUILA. ¿CÓMO LO VOY A HACER SIN COCHE? ¡POR ESO NECESITO LOS BIDONES! ¡PARA LA GASOLINA, ENTIENDES! ¡¡¡EL COCHE VA CON GASOLINA!!!

OH, PERDÓNAME, CARIÑO. LLEVO TODO EL DÍA CORRIENDO. TENGO LOS NERVIOS DE PUNTA. VENGA, VOY A LLENAR EL DEPÓSITO Y DESPUÉS BUSCAMOS UN RESTAURANTE.

SUPONGO QUE ESTARÁS ORGULLOSO.

DESPUÉS DE LA RECONCILIACIÓN ACOMPAÑAMOS A MI PADRE.

ESPERAMOS HASTA LAS DOS DE LA MAÑANA. LO DEL RESTAURANTE SE FASTIDIÓ.

NO LLENAMOS LOS BIDONES DE GASOLINA. SI NO, NO HABRÁ BASTANTE PARA TODO EL MUNDO.

SÓLO FALTABA ESO, ¿PERO SABE QUÉ ESTÁ PASANDO? LA PRENSA NACIONAL NO DICE NADA.

CLARO QUE NO DICEN NADA. ¡¡ES UN CAOS!! ...¡¡IRAQ HA BOM-BARDEADO LA REFINERÍA PETROLÍFERA DE ABADÁN!

¡DIOS MÍO, MALI!

AY, AY, AY, AY.

MALI ERA UNA AMIGA DE LA INFANCIA DE MI MADRE. VIVÍA EN ABADÁN CON SU MARIDO Y SUS DOS HIJOS.

¡DEPRISA! ¡EL TELÉFONO!

RRING... RRING... RRING...

¡¡NO CONTESTAN!!

YA LO HE PROBADO, PERO ESTÁ SORDA.

¿HAS PROBADO EN CASA DE SU MADRE? ¡TIENE QUE SABER ALGO!

DESPUÉS DE ABADÁN, LAS CIUDADES FRONTERIZAS SE CONVIRTIERON EN EL OBJETIVO DE LAS BOMBAS. LA MAYOR PARTE DE LOS HABITANTES DE AQUELLAS REGIONES TUVIERON QUE HUIR HACIA EL NORTE, LEJOS DE LOS MISILES IRAQUÍES.

BUENO, OS HE PREPARADO LA CAMA. ESTÁIS EN VUESTRA CASA. LOS NIÑOS DORMIRÁN EN LA HABITACIÓN DE MARJI.

¡OH! ¡GRACIAS, TAJI!

¡SÍ, GRACIAS!

VOSOTROS DOS, SEGUIDME.

¿NO TIENES JUGUETES?

NO. YA SOY MAYOR. TENGO LIBROS; SI QUERÉIS PUEDO LEEROS UN CUENTO.

¡EN CASA TENEMOS TODOS LOS STAR WARS!

¡YO TENGO UN DARTH VADER!

¡QUÉ SUERTE!

¿TE GUSTA STAR WARS?

ME GUSTA LA PRINCESA LEIA.

¡¿LEILA?!

¡UOOH! ES MALA...

BUENO, ES HORA DE ACOSTARSE. BUENAS NOCHES, CHICOS.

...

...

TUVIERON QUE VENDER LAS JOYAS Y EMPEZAR DE CERO. MALI Y SU FAMILIA VIVIERON EN CASA DURANTE UN MES. LA MADRE DE MALI ERA SECA Y DESAGRADABLE (Y SORDA). EN CASA ESTABAN CONTENTOS. UN DÍA FUIMOS JUNTOS AL SUPERMERCADO.

¡QUÉ PESADOS SON!

¡QUIERO ESO!

¡QUIERO ESA CAJA!

VAYA, QUE-DAN JUDÍAS PINTAS. ESTA NOCHE PODE-MOS HACER CHILE.

¡Y QUÉ ME DICES DE LA AEROFAGIA!

¿QUÉ ES AEROFAGIA?

¡SON PEDOS!

??!

!

¡JA, JA, JA! ¡JA, JA!

¡JA, JA, JA!

¡JA, JA, JA, JA!

¡CACA!

DESDE QUE LLEGARON LOS REFUGIADOS A TEHERÁN, NO HAY NADA.

¡AH! ¡ES VERDAD!

101

NOS LO QUI-TAN TODO.

MI VECINA DICE QUE HA OÍDO QUE SUS MUJERES SE PROSTITUYEN. ¡NO TIENEN DIGNIDAD!

¡DENTRO DE POCO, ADEMÁS DE LA COMIDA, TENDREMOS QUE VIGILAR A NUESTROS MARIDOS! ¡¡CON TODAS ESAS ZORRAS!!

PERO YA SE SABE: "¡LAS MUJERES DEL SUR SON TODAS UNAS PUTAS!"

¿?

¡LO QUE DICEN ES ESCANDALOSO!

QUÉ HUMILLANTE...

PEDOS...

UNA COSA ES QUE TE ATAQUEN LOS IRAQUÍES, QUE PIERDAS EN UN ABRIR Y CERRAR DE OJOS LO QUE TE HA COSTADO TODA UNA VIDA CONSTRUIR... PERO QUE LOS TUYOS TE RECHACEN, ¡ESO ES INSOPOR-TABLE!

SENTÍ COMO UN TERRIBLE SENTIMIENTO DE VERGÜENZA...

¿?

...Y DE COMPASIÓN.

# LA LLAVE

EL EJÉRCITO IRANÍ HABÍA CONQUISTADO LA CIUDAD DE KHORAMSHAHR. SU EQUIPAMIENTO ERA DE CALIDAD, PERO NOSOTROS TENÍAMOS LA CANTIDAD. COMPARADO CON IRAQ, IRÁN ERA UNA AUTÉNTICA CANTERA HUMANA. EL NÚMERO DE NUESTROS MÁRTIRES DE GUERRA ASÍ LO DEMOSTRABA.

MÁRTIRES DE HOY

¿ME AYUDAS A SECARME EL PELO?

¿HAS VISTO TODOS ESTOS MUERTOS?

¿CÓMO NO IBA A VERLOS? ¡HACEN TODO LO POSIBLE PARA QUE LOS VEAMOS! ¡LAS CALLES ESTÁN LLENAS DE CÁMARAS NUPCIALES!

SEGÚN LA TRADICIÓN CHIITA, SE PONE UNA CÁMARA NUPCIAL PARA LOS HOMBRES MUERTOS ANTES DEL MATRIMONIO, PARA HACERLES VIVIR SIMBÓLICAMENTE LA RELACIÓN CARNAL ANTES DE LLEGAR AL CIELO.

SE SUPONE QUE MUCHOS DE ELLOS ERAN VÍRGENES.

VUUUUUUUU

¿MAMÁ, NO TE IMPORTAN LOS MUERTOS?

¡CLARO QUE ME IMPORTAN! ¡PERO NOSOTROS SEGUIMOS VIVOS!

EN ESTE PAÍS SIEMPRE HA HABIDO MÁRTIRES. ASÍ QUE, COMO DECÍA MI PADRE: "¡CUANDO VIENE UNA GRAN OLA, AGACHA LA CABEZA Y DÉJALA PASAR!"

ESTO ES MUY PERSA. LA FILO-SOFÍA DE LOS RESIGNADOS.

ESTABA DE ACUERDO CON MI MADRE. YO TAMBIÉN TENÍA GANAS DE PENSAR SÓLO EN LA VIDA. AUNQUE NO ERA FÁCIL: EN LA ESCUELA NOS PONÍAN DOS VECES AL DÍA EN FILA PARA LLORAR POR LAS VÍCTIMAS DE LA GUERRA. LA DIRECCIÓN DE LA ESCUELA PONÍA MÚSICA TRISTE Y NOSOTRAS NOS GOLPEÁBAMOS EN EL PECHO.

ME ACUERDO DE MI INICIACIÓN. FUE EN LA VUELTA A CLASE DE QUINTO.

BIENVENIDAS, HIJAS DE IRÁN. ¡LA GUERRA NOS HA ROBADO A LOS MEJORES CHICOS DE ESTE PAÍS!

LOS ALTAVOCES EMPEZARON A CANTAR.

TUTURUTUTU EH, LAS TROPAS DE... PREPARAOS, PREPARAOS

¡VENGA, CHICAS, EN EL CORAZÓN!

¡PAF! ¡PAF!

ASÍ QUE EMPEZAMOS EL CURSO A CORO.

BUENO, NO ERA TAN TRAUMATIZANTE COMO PUEDE IMAGINARSE. YA LO HABÍAMOS VISTO ANTES.

GOLPEARSE ERA UNO DE LOS RITUALES DEL PAÍS. DURANTE ALGUNAS CEREMONIAS RELIGIOSAS HABÍA GENTE QUE SE MORTIFICABA BRUTALMENTE.

EN OCASIONES, HASTA CON CADENAS.

AQUELLO PODÍA LLEGAR MUY LEJOS.

A VECES SE CONSIDERABA UNA PRUEBA DE VIRILIDAD.

AL CABO DE POCO, YA NADIE SE TOMABA EN SERIO LAS SESIONES DE SUPLICIO, YO LA PRIMERA: ME PONÍA DELANTE Y HACÍA EL PAYASO.

¡LOS MÁRTIRES! ¡LOS MÁRTIRES!

¡¡MATADME!!

¡SATRAPI! ¿QUÉ HACES EN EL SUELO?

ESTOY SUFRIENDO, ¿NO SE NOTA?

CUALQUIER PRETEXTO ERA BUENO PARA REÍRSE: CUANDO NOS OBLIGABAN A TEJER CAPIROTES PARA LOS COMBATIENTES...

¡PARAD! ¡¡O LLAMO A LA DIRECTORA!!

...CUANDO TENÍAMOS QUE DECORAR LA CLASE PARA EL ANIVERSARIO DE LA REVOLUCIÓN...

¿QUÉ SON ESAS GUIRNALDAS?

¿PAPEL HIGIÉNICO?

¡VALÉIS MENOS QUE ESOS ADORNOS! ¡¡NO VALÉIS NADA!! ¡¿ME OÍS?! ¡¡¡NADA!!!...

CACA.

¿QUIÉN HA DICHO ESO? ¿QUIÉN HA SIDO? ¡QUE TENGA EL VALOR DE LEVANTARSE! ¡SI NO OS CASTIGARÉ A TODAS! ¿BIEN? ¡¡¿¿QUIÉN HA SIDO??!!

ÉRAMOS MUY SOLIDARIAS.

¡ESTÁIS TODAS EXPULSADAS UNA SEMANA!

CREO QUE ÉRAMOS MUY REBELDES PORQUE NUESTRA GENERACIÓN HABÍA CONOCIDO LA ESCUELA LAICA. POR SUPUESTO, NO TARDARON EN CONVOCAR A NUESTROS PADRES.

SUS HIJOS NO RESPETAN NADA, ¡NO TIENEN MODERACIÓN! ¡LA BASE DE LA EDUCACIÓN ESTÁ EN LA FAMILIA!

ALTO AHÍ. ¡¿ESTÁ DICIENDO QUE NO SABEMOS EDUCAR A NUESTROS HIJOS?!

SEÑORA, ESTAMOS EN GUERRA. HAY MUCHOS NIÑOS QUE NO VAN A LA ESCUELA. ¡LOS SUYOS SON AFORTUNADOS! ¡ASÍ QUE DEBEN SER OBEDIENTES!

¿OBEDIENTES? ¡¿PARA GOLPEARSE DOS VECES DIARIAS?!

¿PARA IR TAPADAS DE LOS PIES A LA CABEZA?

¡¿PARA NO PODER JUGAR COMO LOS NIÑOS DE SU EDAD?!

¡OH!

¡DE TODAS FORMAS ES LO QUE HAY! ¡¡O RESPETAN LA LEY, O LAS EXPULSAREMOS!!

Y QUE LLEVEN EL VELO BIEN PUESTO...

SI LOS PELOS SON TAN EXCITANTES COMO DICE, ¡¿POR QUÉ NO SE DEPILA EL BIGOTE?!

ESO LO DIJO MI PADRE.

SI A LAS CHICAS NOS OBLIGABAN A HACER CAPIROTES PARA LOS COMBATIENTES, A LOS CHICOS LOS PREPARABAN PARA CONVERTIRSE EN SOLDADOS.

BUENOS DÍAS, SEÑORA NASSRINE. ¿SE ENCUENTRA BIEN?

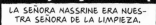

LA SEÑORA NASSRINE ERA NUESTRA SEÑORA DE LA LIMPIEZA.

¿BUENO? ¿QUÉ HA PASADO?

¿VA TODO BIEN?

NO, MI HIJO NO VA BIEN.

¿VE ESTO?

SÍ, ES UNA LLAVE DORADA DE PLÁSTICO.

SE LA HAN DADO A MI HIJO EN LA ESCUELA. LES HAN DICHO QUE SI COMBATEN Y TIENEN LA SUERTE DE MORIR, ENTRARÁN EN EL PARAÍSO CON ESTA LLAVE.

¡DIOS MÍO!

VENGA, LLORE, DESAHÓGUESE.

VOY A PREPARARLE UN TÉ.

HE SUFRIDO MUCHO. HE CRIADO A MIS CINCO HIJOS CON EL SUDOR DE MI FRENTE. Y AHORA ESOS SEÑORES QUIEREN QUITARME AL MAYOR CON ESTA LLAVE...

TODA LA VIDA HE SIDO FIEL A LA RELIGIÓN. PARA ESTO... YA NO QUIERO CREER EN NADA...

¿Y EL CHICO QUÉ DICE?

LE HAN CONTADO QUE EN EL PARAÍSO HAY COMIDA EN ABUNDANCIA, MUJERES, CASAS DE ORO Y DIAMANTES...

¿MUJERES?

¡SÍ! TIENE CATORCE AÑOS. ESO LE INTERESA.

TRÁIGALO. HABLARÉ CON ÉL.

BUENO, ME VOY AL COLE.

POR EL CAMINO PENSÉ EN MI PRIMO PEYMAN. TAMBIÉN TENÍA CATORCE AÑOS.

AL VOLVER DE CLASE.

ESCUCHA, HIJO, ¡TODO ESO SON CUENTOS! ¿QUÉ INFIERNO? ¿QUÉ PARAÍSO?

¡HOLA!

¡NO TE ATIBORRES Y ESCUCHA!

PIENSA EN CUANDO SEAS MAYOR. IRÁS A LA UNIVERSIDAD. SERÁS ALGUIEN.

¡ME CASARÉ CON ELLA!

¡IDIOTA!

¡CÁLMESE! ¡NO ES PARA TANTO!

¡PAF!

ME VOY A MI CUARTO.

¿HOLA, PEYMAN?... ¿QUÉ?... ¿LA SEMANA QUE VIENE HAY UNA FIESTA?... VOY A PREGUNTARLE A MAMÁ.

¿OYE, EN LA ESCUELA TE HAN DADO LAS LLAVES DEL PARAÍSO?

¿¡LAS LLAVES DE QUÉ?!

¡MAMÁ, PEYMAN ME HA INVITADO A UNA FIESTA! ¿PUEDO IR?

DING DONG

¡OOOOH! ¡¡CHAHAB!!

¡HOLA!

¡HOLA!

CHAHAB ERA OTRO PRIMO MÍO. NO TUVO TANTA SUERTE. LA GUERRA HABÍA ESTALLADO CUANDO ESTABA HACIENDO EL SERVICIO MILITAR. LO MANDARON AL FRENTE INMEDIATAMENTE.

ESTOY DE PERMISO.

PASA, PASA, VOY A HACER-TE UN TÉ.

ACABO DE HABLAR CON LA MUJER DE LA LIMPIEZA. ¡¡¿DICE QUE RECLUTAN SOLDA-DOS QUE AÚN SON NIÑOS?!!

ES TERRIBLE. TODOS LOS DÍAS VEO LLEGAR COCHES REPLETOS DE CHIQUILLOS DE REFUERZO.

JODER... ¿HAS VISTO ESO?

SE NOTA QUE VIENEN DE LUGARES DESFAVORECIDOS... LES PROMETEN EL ORO Y EL MORO EN EL MÁS ALLÁ, LOS PONEN A CANTAR PARA QUE ENTREN EN TRANCE...

...¡ES UNA LOCURA! LOS FANATIZAN Y LOS LANZAN A LA BATALLA. ES UNA CARNICERÍA...

LA LLAVE DEL PARAÍSO ERA PARA LOS POBRES. CON LA PROMESA DE UNA VIDA MEJOR, MILES DE JÓVENES SALTABAN POR LOS AIRES CON LA LLAVE AL CUELLO EN LOS CAMPOS MINADOS.

EL HIJO DE LA SEÑORA NASSRINE SE LIBRÓ, PERO EN SU BARRIO MUCHOS CHICOS CORRIERON ESTA SUERTE.

EN AQUELLA ÉPOCA, FUI A MI PRIMER GUATEQUE. MI MADRE NO SÓLO ME DEJÓ IR, SINO QUE ADEMÁS ME TEJIÓ UN JERSEY LLENO DE AGUJEROS Y ME HIZO UN COLLAR CON CADENAS Y CLAVOS. ERA LA ÉPOCA PUNK.

TENÍA UNA PINTA GENIAL.

111

# EL VINO

DESPUÉS DE LAS CIUDADES FRONTERIZAS, EL OBJETIVO DE LAS BOMBAS FUE TEHERÁN. CON LA AYUDA DE LOS VECINOS DEL INMUEBLE, ACONDICIONAMOS LOS SÓTANOS. CADA VEZ QUE SONABAN LAS SIRENAS BAJÁBAMOS CORRIENDO...

APAGA EL CIGARRO, DICEN QUE ESA LUCECITA ROJA ES LO QUE MEJOR SE VE DESDE EL CIELO.

¡VAYA! ¡PERO SI ESTAMOS EN EL SÓTANO!

LOS SÓTANOS NO ERAN LO ÚNICO. EL INTERIOR DE LAS CASAS TAMBIÉN CAMBIABA. PERO NO ERA SÓLO POR CULPA DE LOS AVIONES IRAQUÍES.

MAMÁ, ¿QUÉ HACES?

LA CINTA ADHESIVA ES PARA EVITAR QUE ESTALLEN LOS CRISTALES DURANTE LOS BOMBARDEOS Y LAS CORTINAS NEGRAS, PARA QUE NO NOS VEAN LOS VECINOS.

¿QUÉ VECINOS?

¡LOS DE ENFRENTE! SON FERVIENTES SIMPATIZANTES DEL RÉGIMEN. ¡BASTA QUE VEAN LO QUE PASA EN CASA PARA QUE NOS DENUNCIEN!

¿CONOCES AL PADRE DE TINOUCHE?

¿TINOUCHE? ¡SÍ! ¿QUÉ PASA?

LA OTRA NOCHE LE VISITARON DOS PATRULLAS DE GUARDIANES DE LA REVOLUCIÓN.

NOS HAN AVISADO DE QUE PIENSA HACER UNA FIESTA. ¡YA SABE QUE ESTÁ FORMALMENTE PROHIBIDO!

EEH...

...EN SU CASA ENCONTRARON DISCOS, CINTAS DE VÍDEO, UN JUEGO DE CARTAS, UN AJEDREZ, EN FIN, TODO LO QUE ESTÁ PROHIBIDO...

¡VENGA, SUBE, RÁPIDO!

¡PERDÓN, SEÑOR!

¡CÁLLATE, ZORRA!

...LE CAYERON SETENTA Y CINCO LATIGAZOS.

SU MUJER LLORÓ TANTO QUE AL FINAL LO SOLTARON A CAMBIO DE UNA GRAN CANTIDAD DE DINERO. PERO NO PUEDE NI CAMINAR... ENTIENDES POR QUÉ PONGO LAS CORTINAS. CON LAS FIESTAS QUE ORGANIZAMOS LOS JUEVES Y LAS PARTIDAS DE CARTAS DE LOS LUNES, TENEMOS QUE SER PRUDENTES.

ES VERDAD QUE, A PESAR DE LAS AMENAZAS, LA FIESTA CONTINUABA. "PARA QUE ESTO SE HAGA SOPORTABLE PSICOLÓGICAMENTE", DECÍAN UNOS. "SIN FIESTAS MÁS VALE QUE NOS ENTIERREN DIRECTAMENTE", AÑADÍAN OTROS. CON MOTIVO DEL NACIMIENTO DE MI PRIMITO, NOS INVITARON A CASA DE MI TÍO. ESTABA TODO EL MUNDO. HASTA MI ABUELA BAILABA.

¡RAYOS! ¡¡SE ACABÓ LA ELECTRICIDAD!!

¡¡¡CUIDADO DÓNDE PISÁIS!!!

¡OOH! ¡SIN MÚSICA!

¡NO OS PREOCUPÉIS! VOY A BUSCAR EL "ZARB".

EL ZARB ES UN TAMBOR. MI PADRE LO TOCA MUY BIEN. ES TODO UN PROFESIONAL.

TENÍAMOS DE TODO. EN FIN, DE TODO LO QUE ESTABA PROHIBIDO. INCLUSO ALCOHOL A RAUDALES.

MI TÍO ERA EL SUMINISTRADOR DE VINO. SE HABÍA CONSTRUIDO UN AUTÉNTICO LABORATORIO DE VINIFICACIÓN EN EL SÓTANO.

LA SEÑORA NASSRINE, QUE TAMBIÉN ERA SU SEÑORA DE LA LIMPIEZA, LE PISABA LAS UVAS.

¡QUE DIOS ME PERDONE! ¡QUE DIOS ME PERDONE!

DE REPENTE, LAS SIRENAS VOLVIERON A AULLAR...

...IGUAL QUE MI TÍA.

¡VALE, VALE, TRANQUILA!

¡AAAH...!

ME ENCONTRÉ CON EL NIÑO EN BRAZOS.

RECIÉN NACIDO Y SU MADRE YA LO ABANDONABA.

DESDE ESE DÍA TENGO MIS DUDAS ACERCA DE ESO QUE LLAMAN "INSTINTO MATERNAL".

DESPUÉS DE LAS ALARMAS, VOLVIMOS A CASA.

¡ESTÁ COMPLETAMENTE LOCA! ¿HAS VISTO CÓMO HA SOLTADO AL BEBÉ? ¡ES VERDADERAMENTE INCREÍBLE!

MI POBRE HERMANO NO ES MUY AFORTUNADO.

¡ALTO!

¡ALTO!

¡VENGA, BAJA!

CARNET DE IDENTIDAD, LICENCIA DEL COCHE, PERMISO DE CONDUCIR.

OK, OK.

HAZ AAAAAAAAH.

AAAH...

¡¡¿Y ENCIMA HAS BEBIDO?!!

¡POR SUPUESTO QUE NO!

¡¡¿ME TOMAS EL PELO?!!!... ¡BASTA CON VER LA CORBATA! ¡GUSANO OCCIDENTALIZADO!

YA BASTA, MUCHACHO. HACE VEINTE AÑOS QUE TRABAJO PARA ESTE PAÍS, ¿CÓMO TE ATREVES A HABLARME ASÍ?

PERDÓNELE.

¡CÁLLATE!

PERDÓNELE. ESCUCHE... PODRÍA SER SU MADRE. ¿CUÁNTOS AÑOS TIENE? ¿DIECISÉIS?... TENEMOS UNA HIJA DE DOCE... PERDÓNELE...

¡SUERTE TIENES DE TU MUJER, SI NO YA ESTARÍAS EN EL INFIERNO!

¡GRACIAS! ¡MIL GRACIAS!

Y PRETENDES QUE CREA QUE NO HAS BEBIDO. VENGA, SUBE. VAMOS A COMPROBAR SI TIENES BOTELLAS EN CASA.

¡YAYA! ¡MARJI! CUANDO LLEGUEMOS, SUBID VOSOTRAS PRIMERO. INTENTARÉ RETENERLO. VACIAD TODAS LAS BOTELLAS DE ALCOHOL.

¿CÓMO?

NO TE PREOCUPES, HIJA. ¡GRACIAS A TU DIFUNTO PADRE, YA ESTOY ACOSTUMBRADA! SIEMPRE TENÍA QUE ANDAR ESCONDIENDO SUS OCTAVILLAS.

ASÍ QUE NOS SIGUIERON HASTA CASA.

A LO MEJOR NO ES NECESARIO SUBIR A MI CASA. EL VECINO DEL RELLANO ES MAYOR Y SUFRE DEL CORAZÓN. SI HACEMOS RUIDO PUEDE MORIR...

¡VENGA, MARCHAOS!

¡EH! ¿DÓNDE VAIS VOSOTRAS DOS?

SOY DIABÉTICA, HIJO. SI NO BEBO UN POCO DE JARABE ME DESMAYARÉ.

¿DIABÉTICA? ¡COMO MI MADRE!

¿ENTONCES LO ENTIENDE? ¡ES URGENTE!

VAYA.

FUE UN MILAGRO.

¡VENGA! ¡DATE PRISA! ¡NO SÉ CUÁNTO TIEMPO PODRÁ RETENERLO TU PADRE!

¡RÁPIDO! ¡RÁPIDO!

Y EL TOQUE FINAL.

¡CLIC!

¡YA LLEGAN!

BUENO, ¿DÓNDE ESTÁ EL OTRO?

¡VAYA INDIVIDUO! ¡SUS CREENCIAS NO TIENEN NADA DE IDEOLÓGICAS! ¡¡BASTA CON UNOS POCOS BILLETES PARA OLVIDARLO TODO!!

¿LO HABÉIS TIRADO TODO?

SÍ.

¿TODO?

TODO.

¡DIOS MÍO!... NECESITO UN RECONSTITUYENTE...

# EL CIGARRILLO

DESPUÉS DE DOS AÑOS, LA GUERRA SE HABÍA INSTALADO. NOS HABÍAMOS ACOSTUMBRADO. YO HABÍA CRECIDO Y TENÍA INCLUSO AMIGAS MAYORES QUE YO.

AYER, EN LAS NOTICIAS, DIJERON QUE NUESTROS AVIONES HABÍAN DESTRUIDO TRECE AVIONES IRAQUÍES. JUSTO DESPUÉS, EN LA B.B.C., OÍ QUE HABÍAN SIDO LOS IRAQUÍES LOS QUE HABÍAN ABATIDO DOS AVIONES NUESTROS.

ESTÁ CLARO. TODOS LOS DÍAS ANUNCIAN QUE HEMOS DESTRUIDO DIEZ AVIONES Y CINCO TANQUES IRAQUÍES. DESDE QUE ESTALLÓ LA GUERRA, ESO HACE UN TOTAL DE SEIS MIL AVIONES Y TRES MIL TANQUES. NI LOS AMERICANOS TIENEN TANTO ARMAMENTO.

¡ES VERDAD! SE LO CONTARÉ A MI PADRE.

?

RINGGG...

EH, ES EL TIMBRE, ¿NO TENÉIS CLASE?

NO, TENEMOS DEPORTE PERO NO VAMOS. PREFERIMOS IR A COMER HAMBURGUESAS.

¿HAMBURGUESAS?

TAMBIÉN HACEN SALCHICHAS.

BASTABA UN POCO DE DINERO.

¡SÍ! EN EL "KANSAS" DE LA AVENIDA JORDÁN.

NO ME MIRES ASÍ, VAMOS A HACER PELLAS.

¡¡¡¿¿PELLAS??!!!

¡JA, JA, JA! !!

¡JA, JA, JA!

SI QUERÍA SER AMIGA DE CHICAS DE CATORCE AÑOS, TENÍA QUE SER ATREVIDA.

NO ERA NINGUNA GALLINA. ASÍ QUE ME FUI CON ELLAS.

DESPUÉS DE LA PARTICIPACIÓN NO AUTORIZADA EN LA MANIFESTACIÓN DEL 79, FUE LA SEGUNDA VEZ QUE INFRINGÍ LA LEY.

LA AVENIDA JORDÁN ERA EL LUGAR DE ENCUENTRO PARA LOS ADOLESCENTES DEL NORTE DE TEHERÁN (LOS BARRIOS ACOMODADOS). EL KANSAS ERA SU TEMPLO.

ALGUNOS LUGARES PÚBLICOS HABÍAN SOBREVIVIDO A LA REPRESIÓN DEL RÉGIMEN, PUEDE QUE PARA DEJARNOS ALGÚN ESPACIO DE LIBERTAD O POR PURA IGNORANCIA. PERSONALMENTE, ME INCLINO POR LA SEGUNDA TEORÍA: NI SIQUIERA DEBÍAN DE SABER QUÉ SIGNIFICABA "KANSAS".

¿HAS VISTO QUÉ PELOS? ¡PARECE ROD STEWART!

¡SÍ, SI LO PILLAN LO RAPARÁN AL CERO!

KANS

...A PESAR DE TODO, LOS JÓVENES SEGUÍAN LA MODA A RIESGO DE SER ARRESTADOS.

A MIS AMIGAS NO LES INTERESABAN LAS HAMBURGUESAS...

oca ola
WC

CON ALGUNAS SEÑALES, HICIERON ENTENDER A AQUELLOS CHICOS QUE PODÍAN SEGUIRNOS.

BUENO, SEGUIRLAS. YO ERA DEMASIADO PEQUEÑA PARA QUE SE INTERESARAN POR MÍ.

WOOINN

...SONARON LAS SIRENAS.

¡¿PERO QUÉ HACES?!

¡AL SUELO!

NOS HABÍAN ENSEÑADO QUE SI ESTÁBAMOS EN LA CALLE MIENTRAS SE PRODUCÍA UN BOMBARDEO, DEBÍAMOS TUMBARNOS JUNTO A UN BORDILLO PARA PROTEGERNOS.

¡JA! ¡QUÉ GALLINA!

MI MADRE ESTROPEÓ AQUELLA BELLA JORNADA.

¿CÓMO HA IDO LA ESCUELA?

¡BIEN! ¿POR QUÉ?

¿CÓMO TE ATREVES A MIRARME A LOS OJOS Y MENTIRME?

¡NO MIENTO!

¿ENTONCES LA QUE SE HA SALTADO LA CLASE HE SIDO YO?

¿QUÉ CLASE?

¡O ME DICES LA VERDAD AHORA MISMO O TENDRÁS EL DOBLE DE CASTIGO!

MI MADRE USABA LOS MISMOS MÉTODOS QUE LOS TORTURADORES.

¡PERO SI SÓLO ERA LA CLASE DE RELIGIÓN!

¡ME DA IGUAL! ¡NO FALTES A CLASE!

¡ADEMÁS, SIGUES MINTIÉNDOME! ME HAN LLAMADO DE LA ESCUELA. ¡ESTA TARDE TENÍAS LENGUA!

DIJE RELIGIÓN PARA ATENUAR LA CÓLERA DE MI MADRE. PERO NO FUNCIONÓ.

ESTA VEZ TE HE ENCUBIERTO, ¡PERO ES LA ÚLTIMA! ES AHORA CUANDO DEBES APRENDER. ¡TIENES TODA LA VIDA PARA DIVERTIRTE! ¿¿QUÉ QUIERES LLEGAR A SER?? ¡¡EN ESTE PAÍS TIENES QUE SABERLO TODO MEJOR QUE NADIE PARA SOBREVIVIR!!

¿TÚ CONOCISTE A PAPÁ A LOS CATORCE AÑOS, VERDAD?

¡AÚN NO TIENES CATORCE AÑOS!

¡PERO TENGO DOCE!

?

¡DICTADOR! ¡¡ERES EL GUARDIÁN DE LA REVOLUCIÓN DE CASA!!

UN POCO MÁS TARDE...

EL EJÉRCITO IRANÍ HA RECUPERADO LA CIUDAD DE KHORAMSHAHR.

ES LA CUARTA VEZ EN UN MES.

Y AUNQUE SEA VERDAD, ¿DE QUÉ VA A SERVIRNOS?

¿PUEDO BAJAR AL SÓTANO, SEÑORA?

¡SÍ, SEÑORITA!

EL SÓTANO AMUEBLADO ERA MI REFUGIO.

CLIC

LA HISTORIA DE LA RECUPERACIÓN DE LA CIUDAD DE KHORAMSHAHR SE CONFIRMÓ. TODOS CREÍMOS QUE LA GUERRA POR FIN SE IBA A ACABAR.

ADEMÁS, IRAQ NOS LO PROPUSO Y ARABIA SAUDITA SE COMPROMETÍA A PAGAR TODOS LOS DESTROZOS DE LA GUERRA PARA REINSTAURAR LA PAZ EN LA REGIÓN.

PERO NUESTRO GOBIERNO SE OPUSO.

DECLARARON:

¡RECHAZAMOS ESTA PAZ IMPUESTA!

¡CONQUISTAREMOS KARBALA!*

*CIUDAD SANTA CHIITA IRAQUÍ.

ASÍ QUE NOS HUNDIMOS AÚN MÁS EN LA GUERRA...

HABÍA ESLÓGANES BÉLICOS EN TODAS LAS PAREDES.

EL QUE MÁS ME MARCÓ POR SU IMAGINERÍA SANGRIENTA FUE: "MORIR COMO MÁRTIR ES INYECTAR SANGRE EN LAS VENAS DE LA SOCIEDAD".

LÓGICAMENTE, EL RÉGIMEN SE ENDURECIÓ...

EN NOMBRE DE LA GUERRA, SE ELIMINÓ AL ENEMIGO INTERIOR.

LOS OPOSITORES AL RÉGIMEN FUERON ARRESTADOS SISTEMÁTICAMENTE.

Y EJECUTADOS EN MASA.

POR MI PARTE, CONCLUÍ MI ACTO DE REBELIÓN CONTRA LA DICTADURA DE MI MADRE FUMÁNDOME EL CIGARRO QUE LE HABÍA QUITADO A MI TÍO DOS MESES ANTES.

¡COFFF! ¡COFFF! ¡¡¡COFFF!!!

NO ESTABA MUY BUENO, PERO NO ERA EL MOMENTO DE CEDER.

AQUEL PRIMER CIGARRO ME SACABA DEFINITIVAMENTE DE LA INFANCIA.

YA ERA MAYOR.

 # EL PASAPORTE

JULIO DE 1982. ESTÁBAMOS EN CASA DE MI TÍA. LA GUERRA INTERNA SE HABÍA IMPUESTO SOBRE LA GUERRA CONTRA IRAQ. TODA PERSONA QUE MOSTRARA RETICENCIA ANTE EL RÉGIMEN ERA PERSEGUIDA...

AL PARECER HAY MUCHOS OPOSITORES EN NUESTRO BARRIO. SE OYEN FUSILAMIENTOS TODOS LOS DÍAS.

¡TAHER, DEJA DE FUMAR!

LOS CIGARRILLOS NO ME HACEN DAÑO COMPARADO CON EL ESTRÉS QUE ME PROVOCA CADA DISPARO QUE OIGO.

DESDE QUE MANDÓ A SU HIJO PEQUEÑO A HOLANDA, MI TÍO TAHER HABÍA SUFRIDO DOS INFARTOS. TENÍA TERMINANTEMENTE PROHIBIDO FUMAR.

EL CARNICERO ME HA CONTADO QUE VIO CÓMO EJECUTABAN A DOS CHAVALES EN PLENA CALLE, SIN JUZGARLOS. ¡QUÉ VERGÜENZA!

CUANDO LO PIENSO, ME ALEGRO DE QUE MI HIJO ESTÉ SEGURO EN EL EXTRANJERO. PERO CON LAS FRONTERAS CERRADAS, ME PREGUNTO SI VOLVERÉ A VERLO ALGÚN DÍA...

LAS FRONTERAS ESTUVIERON CERRADAS DURANTE TRES AÑOS, ENTRE 1980 Y 1983.

LE HE DICHO A MI SEÑORA DIEZ VECES: "¡VAMOS CON ÉL!", PERO NO HA QUERIDO. ¡EL PAÍS POR AQUÍ Y LA FAMILIA POR ALLÁ!

¡EN FIN! YA TENGO CINCUENTA Y NUEVE AÑOS. ESOS POBRES JÓVENES DE VEINTE AÑOS A LOS QUE ELIMINAN, ESO ME MATA... ¡ME MATA!

MI TÍO TAHER ESTABA TAN TRISTE QUE RESULTABA CONMOVEDOR. NADIE SE ATREVIÓ A DECIR NI UNA PALABRA.

UNOS DÍAS MÁS TARDE.

¿EN QUÉ PIENSAS?

EN TAHER. LA MARCHA DE SU HIJO LO HA MATADO. NUNCA LO HABÍA VISTO ASÍ.

¿TE LO IMAGINAS? UN NIÑO SOLO, CON TRECE, CATORCE AÑOS, EN UN PAÍS CON UN IDIOMA EXTRAÑO.

BAH... ¡A LOS CATORCE AÑOS YA NO NECESITAS A TUS PADRES!

¿QUÉ? ¿ES VERDAD, NO? HASTA UNA CIERTA EDAD NECESITAMOS A NUESTROS PADRES. DESPUÉS SON ELLOS LOS QUE NOS NECESITAN.

?

SERÍA MEJOR QUE NO TE PUSIERAS ESE ESMALTE DE UÑAS ROJO. ¡PUEDEN DETENERTE!

ME METERÉ LAS MANOS EN LOS BOLSILLOS.

QUÉ TESTARUDA, ¿EH?

¿A QUIÉN SE PARECERÁ?

A VECES ME DA MIEDO SU FRANQUEZA.

ESO LE SERÁ ÚTIL MÁS ADELANTE. YA LO VERÁS.

TENGO SUERTE DE HABERME CASADO CONTIGO. ERES EL HOMBRE MÁS AMABLE DE LA TIERRA. NO ERES UN MACHISTA.

NO SE PUEDE SER MACHISTA CON LA MUJER QUE AMAS...

RRING... RRING...

¡SIEMPRE LLAMAN EN EL MEJOR MOMENTO!

¡¡¿DIOS MÍO, OTRA VEZ?!!

¿QUÉ?

MI TÍO TAHER ACABABA DE TENER SU TERCER INFARTO. FUIMOS AL HOSPITAL INMEDIATAMENTE...

FRENTE AL HOSPITAL NOS TOPAMOS CON LOS CAMIONES DE LA MEDIA LUNA ROJA QUE PEDÍAN SANGRE PARA LOS HERIDOS DE GUERRA. HABÍA MUCHÍSIMOS.

¡DONAD SANGRE! ¡DONAD SANGRE!

¡DONAD SAN-GRE!

ESTABA ENFADADA E INCÓMODA A LA VEZ.

AQUELLOS SENTIMIENTOS CRECIERON DENTRO DEL HOSPITAL.

BUSCO LA HABITACIÓN DEL SEÑOR TALISCHI.

TALISCHI... LA 342, 3ER PISO, ASCENSOR AL FONDO DEL PASILLO A LA DERECHA.

342

342

SHHT.

HAN LANZADO UNA GRANADA... QUERÍAN ARRESTAR A UNOS COMUNISTAS QUE SE ESCONDÍAN CERCA DE NUESTRA CASA Y HAN LANZADO UNA GRANADA... TAHER NO HA PODIDO SOPORTARLO... CUANDO HE LLEGADO AL SALÓN ESTABA TENDIDO EN EL SUELO...

342

TIENEN QUE OPERARLO A CORAZÓN ABIERTO, PERO NO HAY MEDIOS. DICEN QUE HAY QUE ENVIARLO A INGLATERRA.

PARA ESO LE HACE FALTA UN PERMISO. ME HAN DADO ESTE NOMBRE. ES EL DIRECTOR ADMINISTRATIVO DEL HOSPITAL. SI ÉL QUIERE, TAHER TENDRÁ UN PASAPORTE PARA IR ALLÍ.

LAS FRONTERAS ESTABAN CERRADAS, SÓLO LAS PERSONAS GRAVEMENTE ENFERMAS PODÍAN DEJAR EL PAÍS CON UN PERMISO DEL MINISTERIO DE SANIDAD.

ES EN EL 4° PISO, PUERTA 406.

SÓLO DEJARON ENTRAR A MI TÍA. SE LLEVÓ UNA SORPRESA. EL DIRECTOR ERA SU ANTIGUO LIMPIACRISTALES PERO ELLA DISIMULÓ, PARA NO HERIRLO.

MI MARIDO HA TENIDO UN INFARTO POR TERCERA VEZ. TIENEN QUE OPERARLO EN EL EXTRANJERO.

MMM...

HAREMOS LO QUE PODAMOS. SI DIOS QUIERE, SE CURARÁ. ¡TODO DEPENDE DE DIOS!

¡NECESITO SU AUTORIZACIÓN PARA QUE OBTENGA UN PASAPORTE!

DIOS LO QUIERA.

¡ESE ESTÚPIDO LIMPIACRISTALES SE HA DEJADO BARBA Y SE HA PUESTO UN COSTARD Y AHORA ES DIRECTOR! ¡EL DESTINO DE MI MARIDO DEPENDE DE UN LIMPIACRISTALES! ¡AHORA ES TAN RELIGIOSO QUE NI SIQUIERA MIRA A LAS MUJERES A LOS OJOS! ¡¡¡POBRE IDIOTA!!!

DESPUÉS DEL DIRECTOR, FUIMOS A VER AL JEFE DEL SERVICIO, EL DOCTOR FATHI.

SEÑORA, HAREMOS LO QUE PODAMOS. PADECEMOS UNA DRAMÁTICA FALTA DE MEDIOS.

FÍJESE EN ESTA SALA. ¡SON TODOS VÍCTIMAS DE LOS BOMBARDEOS QUÍMICOS!

LOS ALEMANES VENDEN BOMBAS QUÍMICAS A IRÁN Y A IRAQ. DESPUÉS LOS HERIDOS SON ENVIADOS A ALEMANIA PARA CURARLOS. COMO AUTÉNTICAS COBAYAS HUMANAS.

¡¿POR QUÉ ME CUENTA ESO?! ¡ME TRAE SIN CUIDADO! ¡QUIERO QUE MI MARIDO SE CURE!

CÁLME-SE.

TRANQUILA, QUERIDA, TODO SE ARREGLARÁ. NO TE PREOCUPES.

¡AHORA MISMO VOLVEMOS!

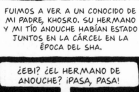

FUIMOS A VER A UN CONOCIDO DE MI PADRE, KHOSRO. SU HERMANO Y MI TÍO ANOUCHE HABÍAN ESTADO JUNTOS EN LA CÁRCEL EN LA ÉPOCA DEL SHA.

¿EBI? ¿EL HERMANO DE ANOUCHE? ¡PASA, PASA!

DESDE QUE ME CERRARON LA EDITORIAL, HAGO PASAPORTES FALSOS. SE VENDEN BIEN. ¿QUIERES UNO?

NO, YO NO, MI CUÑADO.

DESPUÉS DE SU LIBERACIÓN, MI HERMANO PARTICIPÓ EN LAS MANIFESTACIONES CONTRARREVOLUCIONARIAS. ME DIJO QUE VIO CON SUS PROPIOS OJOS QUE EL JEFE DE LOS NUEVOS VERDUGOS ERA SU ANTIGUO TORTURADOR BAJO EL SHA. ME DIJO: "KHOSRO, ESTO ES EL FIN". LE HICE UN PASAPORTE FALSO. AHORA ES UN REFUGIADO POLÍTICO EN SUECIA.

FÍJATE EBI, ¡UN MES PARA FABRICAR SÓLO EL SELLO!

¿CUÁNTO TIEMPO NECESITAS PARA HACER UN PASAPORTE?

UNA SEMANA.

ÑIIC...

PUEDES ENTRAR. SON AMIGOS.

ES NILOUFAR. LA HERMANA DE MI ANTIGUO RECADERO. LA ESTÁN BUSCANDO POR TODAS PARTES PORQUE ES COMUNISTA. LE HE PRESTADO MI SÓTANO.

TIENE LA EDAD DE MI HIJA MANDANA, DIECIOCHO AÑOS.

KHOSRO TENÍA UNA HIJA QUE HABÍA ABANDONADO EL PAÍS CON SU MADRE JUSTO DESPUÉS DE LA REVOLUCIÓN.

YA HAN REGISTRADO LAS CASAS DE TODOS LOS MIEMBROS DE SU FAMILIA. SÓLO AQUÍ ESTÁ SEGURA.

DESPUÉS DE NEGOCIAR, KHOSRO ACEPTÓ HACER UN PASAPORTE EN CINCO DÍAS A CAMBIO DEL EQUIVALENTE A CIENTO CINCUENTA EUROS. VOLVIMOS AL HOSPITAL UN POCO MÁS TRANQUILOS.

¿QUÉ TAL?

HE IDO A VER A KHOSRO. LE HARÁ UN PASAPORTE A TAHER PARA EL MIÉRCOLES.

HA RECUPERADO EL CONOCIMIENTO. QUIERE VEROS.

¡YA LO VEIS! ¡ESTO NO ME LO HAN HECHO LOS CIGARRILLOS! PUTA GRANADA...

DÉJALO, NO TE PONGAS NERVIOSO. HABLA DE OTRA COSA.

LA PEQUEÑA MARTI, MIRAD CÓMO CRECE. ALGÚN DÍA SE IRÁ, Y OS DARÉIS CUENTA DE LO DURO QUE ES PERDERLOS...

SÓLO TENGO UN DESEO. VOLVER A VER A MI HIJO.

DOS DÍAS DESPUÉS DESCUBRIERON A NILOUFAR, LA COMUNISTA DE DIECIOCHO AÑOS...

ARRESTADA...

Y EJECUTADA.

KHOSRO ENCONTRÓ SU CASA PATAS ARRIBA...

SE ESCAPÓ POR LAS MONTAÑAS DE TURQUÍA...

Y SE EXILIÓ A SUECIA, CON SU HERMANO.

NO PUDO HACER EL PASAPORTE.

TRES SEMANAS DESPUÉS DE ESTOS ACONTECIMIENTOS, ENTERRAMOS A MI TÍO TAHER, EL MISMO DÍA QUE LE DABAN UN PASAPORTE AUTÉNTICO...

...NO VOLVIÓ A VER A SU HIJO...

# KIM WILDE

UN AÑO DESPUÉS DE LA MUERTE DE MI TÍO, SE REABRIERON LAS FRON-
TERAS. MIS PADRES SE APRESURARON A CONSEGUIR UNOS PASAPORTES.

LA VERDAD ES QUE NO PARECÍA
MUY CONTENTA. ADEMÁS, NO SE
LA RECONOCÍA.

FÍJATE, EN LA ÚLTIMA PÁGINA PONE: "ESTÁ ESTRICTAMENTE PROHIBIDO VIAJAR A LA PALESTINA OCUPADA CON ESTE DOCUMENTO".

¡AY, AY! CUANDO ME VEO EN FOTO CON ESTE PAÑUELO EN LA CABEZA...

¿PUEDO VERLO?

NAME: CHALKON TAJI
DATE OF BIRTH 12.03.1947
IRAN

¡CUANDO TENGA MI PASAPORTE HAREMOS UN GRAN VIAJE!

ES QUE...

NECESITAMOS ESTAR LOS DOS SOLOS, TRES O CUATRO DÍAS.

¿ADÓN-DE VAIS?

A TURQUÍA.

BAH... ¡TURQUÍA NO VALE NADA! SÓLO VAN LOS HORTERAS. YA QUE VIAJÁIS PODRÍAIS IR MÁS LEJOS. ¡A EUROPA O A LOS ESTADOS UNIDOS, POR EJEMPLO!

SI QUIERES QUE TE TRAIGAMOS UN REGALO, DÍNOSLO.

¿Y QUÉ ME VAIS A TRAER DE TURQUÍA? ¿UNOS SHAWARMAS?

MARJI, TODO LO QUE TE PARECE MODERNO AQUÍ VIENE DE ALLÍ.

DURANTE LA GUERRA, IRÁN NO IMPORTABA NADA DE OCCIDENTE.

UNA CHAQUETA TEJANA, CHOCOLATE, UN PÓSTER, NO, DOS, UNO DE KIM WILDE Y OTRO DE IRON MAIDEN...

¿IRON MAIDEN? ¿ESOS CUATRO ANIMALES?

NO SON UNOS ANIMALES. ME GUSTAN MUCHO.

¿TE GUSTAN?

¡ME ENCANTAN!

¿LOS HAS VISTO?

¡ESTOY TAN CONTENTA DE QUE HAYAMOS PODIDO ENCONTRAR EXACTAMENTE LO QUE QUERÍA!

¡POR SUPUESTO! ¡LOS CHAVALES LO TIENEN TAN DURO EN IRÁN! ¡POBRECITOS!

OYE, ¿DE VERDAD TE GUSTA IRON MAIDEN?

¡EN ABSOLUTO!

¡QUÉ HIPÓCRITA!

¡ME PREGUNTO CÓMO PODREMOS PASARLOS POR LA ADUANA!

HACE RATO QUE LO PIENSO. LA VERDAD ES QUE SON ENORMES.

EN CUANTO LLEGARON AL HOTEL, SE PUSIERON A BUSCAR LA MANERA.

¡PODRÍAMOS DOBLARLOS Y ESCONDERLOS EN EL FONDO DE LA MALETA!

¿DOBLARLOS? QUEDARÁN MARCAS. Y NO LE GUSTARÁ.

PODRÍAMOS LLEVARLOS DEBAJO DEL BRAZO Y HACER COMO SI NADA.

¡QUÉ CONFIANZA!

ENTONCES MI MADRE TUVO UNA IDEA INGENIOSA...

QUÍTATE EL ABRIGO.

ARRANCÓ EL FORRO...

DESPUÉS COSIÓ LOS DOS PÓSTERS
DETRÁS DEL FORRO...

QUE VOLVIÓ A COSER AL ABRIGO.

DE REGRESO, EN EL AEROPUERTO MEHRABAD DE TEHERÁN.

CAMINO COMO FRANKENSTEIN.

CLARO QUE NO, ESTÁS MUY NATURAL.

PONGAN LAS MALETAS SOBRE LA MESA.

¡TRANQUILA!

¿BUENO, QUÉ LLEVAN? ¿ALCOHOL, JUEGOS DE CARTAS, MÚSICA, PELÍCULAS, AJEDREZ, REVISTAS...?

¡NADA! ¡SÓLO OBJETOS PERSONALES!

¿ESTÁN SEGUROS DE QUE NO LLEVAN NADA PROHIBIDO?

NO.

¡NO, NO!

YA SABEN QUE SI ENCUENTRO ALGO PROHIBIDO LES...

PERO BUENO, SEÑOR, ¿ES QUE PARECEMOS CONTRABANDISTAS?

...

...¡VENGA, CIERREN LAS MALETAS Y MÁRCHENSE!

CUSTOM گمرک

EXIT خروج →

?

¡MAMÁ! ¡PAPÁ!

DE VUELTA EN CASA.

TOMA, ESTO ES PARA TI. ES EL ÚLTIMO MODELO DE NIKE.

ESTO TAMBIÉN.

UAUUH... ¡MICHAEL JACKSON!

LA CHAQUETA TEJANA.

¡QUÉ GUAY!

¿Y LOS PÓSTERS?

¡EBI! ¡TRAE TU ABRIGO!

?

¡FÍJATE BIEN!

¡¡OS HABÍA PEDIDO PÓSTERS, NO FOTOS!!

¡ESPERA, IMPACIENTE!

¡¡QUÉ BIEN!!

¡PAPÁ! ¡ERES UN GENIO!

DALE LAS GRACIAS A TU MADRE; FUE IDEA SUYA.

!!

¡GRACIAS, MAMÁ! ¿QUÉ TAL POR TURQUÍA?

¡BIEN! HACÍA UN POCO DE FRÍO, PERO HA ESTADO BIEN...

ADORABA TURQUÍA.

COLGUÉ LOS PÓSTERS EN MI HABITACIÓN.

ME PUSE MIS NIKE 1983...

...MI CHAQUETA TEJANA CON LA CHAPA DE MICHAEL JACKSON Y EL PAÑUELO, POR SUPUESTO, PARA SALIR.

¿QUÉ, CÓMO ME VES?

¡BIEN, QUÉ GUAPA!

BUENO, ME VOY.

¿ADÓNDE VAS?

A COMPRAR CASETES.

¿DÓNDE?

A LA AVENIDA GANDHI, AQUÍ AL LADO...

¡VUELVE EN UNA HORA!

VUELVO DENTRO DE DOS HORAS.

PARA SER UNA MADRE IRANÍ, MI MADRE ERA MUY PERMISIVA. APARTE DE MÍ, SÓLO CONOCÍA A DOS O TRES CHICAS MÁS QUE PUDIERAN SALIR A LA CALLE SOLAS A LOS TRECE AÑOS.

EL PROBLEMA DE LA COMIDA SE HABÍA RESUELTO DESDE HACÍA UN AÑO GRACIAS AL CRECIMIENTO DEL MERCADO NEGRO. SIN EMBARGO, ENCONTRAR CASETES ERA UN POCO MÁS COMPLICADO. SE PODÍAN COMPRAR EN LA AVENIDA GANDHI.

ESTIVI VONDER

ABBA, BEE JEES

YAZOO

JULIO IGLESIAS

PINK FLOYD

JICKAEL MACKSON

CINTAS DE VÍDEO, DE MÚSICA, CARTAS, PINTALABIOS, ESMALTE DE UÑAS, AJEDREZ, PEGAMENTO, CHOCOLATE...

COMPRÉ UN CASETE DE KIM WILDE Y UNO DE CAMEL.

¿CUÁNTO?

CIENTO DIEZ TUMANES.

♪ WE ARE THE KIDS IN AMERICA UUH... ♪

¡UN MOMENTO!

ERAN LAS GUARDIANAS DE LA REVOLUCIÓN. A PARTIR DE 1982, ESTA CATEGORÍA SE UNIÓ A LA DE LOS HOMBRES PARA ARRESTAR A LAS MUJERES QUE NO LLEVABAN EL VELO CORRECTAMENTE (COMO YO, POR EJEMPLO).

SU TAREA ERA RECONDUCIRNOS POR EL BUEN CAMINO EXPLICÁNDONOS LOS DEBERES DE LA MUJER MUSULMANA.

¿QUÉ SON ESAS ZAPATILLAS DE PUNK?

¿QUÉ ZAPATILLAS DE PUNK?

¡ÉSAS!

¡PERO SI SON DEPORTIVAS!

¡CÁLLATE! SON PUNK.

ES EVIDENTE QUE NO HABÍA VISTO NUNCA A UN PUNK.

¡TENÍA QUE MENTIR! NO ME QUEDABA OTRA ALTERNATIVA.

LLEVO ESTAS ZAPATILLAS PORQUE JUEGO A BALONCESTO.

ESTOY EN EL EQUIPO DE LA ESCUELA.

SÍ, SÍ... ¡SÓLO HAY QUE VER TU ALTURA!

¡¿Y TAMBIÉN JUEGAS A BALONCESTO CON ESTA CHAQUETA?!

¿QUÉ ESTOY VIENDO? ¿MICHAEL JACKSON? ¿UN SÍMBOLO DE LA DECADENCIA?

ES MALCOLM X, EL JEFE DE LOS NEGROS MUSULMANES AMERICANOS.

¿ME TOMAS EL PELO? ¡ES MICHAEL JACKSON!

¿QUIÉN ES ÉSE? ¡NO LO CONOZCO!

POR AQUEL ENTONCES, MICHAEL JACKSON TODAVÍA ERA NEGRO.

¡BÁJATE EL PAÑUELO, PUTITA!

¡¿NO TE DA VERGÜENZA LLEVAR UNOS TEJANOS AJUSTADOS COMO ÉSTOS?!

¡¡SE HAN ENCOGIDO!!

VENGA, MONTA EN EL COCHE. VAMOS A LLEVARTE AL COMITÉ.

EL COMITÉ ERA LA COMISARÍA DE LOS GUARDIANES DE LA REVOLUCIÓN.

EN EL COMITÉ PODÍAN NO AVISAR A MIS PADRES, PODÍAN RETENERME UNAS HORAS O UNOS DÍAS, PODÍAN AZOTARME; EN DEFINITIVA, PODÍA PASARME CUALQUIER COSA. TENÍA QUE ACTUAR.

¡PERDÓN, SEÑORA! NO VOLVERÉ A HACERLO...

¡SUBE AL COCHE!

¡SEÑORA! MI MADRE ESTÁ MUERTA. SE OCUPA DE MÍ UNA MADRASTRA MUY MALA. SI NO VUELVO A CASA AHORA MISMO ME MATARÁ...

¡ME QUEMARÁ CON LA PLANCHA!

OBLIGARÁ A MI PADRE A METERME EN UN ORFANATO.

NO SÉ SI ME CREYÓ O SI LO DISIMULÓ PERO, DE MILAGRO, ME DEJÓ MARCHAR.

EN CASA...

¡MARJI! ¿QUÉ PASA? ¿HAS ESTADO LLORANDO?

NO, MAMÁ. ESTOY CANSADA. ME VOY A MI CUARTO.

NO PODÍA CONTARLE LA VERDAD A MI MADRE. NO ME HABRÍA DEJADO SALIR SOLA NUNCA MÁS.

DE TODAS FORMAS, SALÍ DE AQUÉLLA BASTANTE BIEN. LAS GUARDIANAS DE LA REVOLUCIÓN NO ME ENCONTRARON LOS CASETES.

♫ WE ARE THE KIDS IN AMERICA UUUU♪

CADA UNO SE RELAJA COMO PUEDE.

# EL SABBAT

PARA QUE NO OLVIDÁRAMOS QUE ESTÁBAMOS EN GUERRA, IRAQ OPTÓ POR UNA NUEVA ESTRATEGIA...

AL PARECER QUIEREN ATACARNOS CON MISILES BALÍSTICOS.

¿QUÉ DICES? NO ESTAMOS EN GUERRA CON LA UNIÓN SOVIÉTICA. NO CREO QUE LOS IRAQUÍES TENGAN ESE TIPO DE ARMAS.

DESDE LA FRONTERA IRAQUÍ A TEHERÁN HAY MILES DE KILÓMETROS. ¡LOS MISILES CAPACES DE RECORRER ESA DISTANCIA CUESTAN UNA FORTUNA!

¡SON RUMORES QUE CORREN!

LOS IRANÍES SOMOS CAMPEONES MUNDIALES DEL COTILLEO.

¡TIENE RAZÓN! ¡NOS ENCANTA EXAGERARLO TODO!

PUES EN TU CASO, PARECE LO CONTRARIO.

¿POR QUÉ LO DICES?

BUENO, HASTA CUANDO VES ALGO CON TUS PROPIOS OJOS, NECESITAS QUE LA B.B.C. LO CONFIRME.

¡ES LA INCREDULIDAD QUE SURGE DE MI OPTIMISMO NATURAL!

EL OPTIMISMO DE MI PADRE FUE REEMPLAZADO MUY PRONTO POR EL PESIMISMO DE MI MADRE. PORQUE, EN EFECTO, LOS IRAQUÍES POSEÍAN MISILES CONOCIDOS COMO "SKUD". TEHERÁN SE CONVIRTIÓ EN SU OBJETIVO.

DESDE QUE SONABAN LAS SIRENAS, TENÍAMOS TRES MINUTOS PARA SABER SI LLEGABA EL FIN.

¿NO VAMOS AL SÓTANO?

¡¡ES INÚTIL!!

CON EL DAÑO QUE CAUSAN, SI NOS CAE UNO ENCIMA, LO MISMO DA QUE ESTEMOS EN EL SÓTANO QUE EN CASA.

ESOS TRES MINUTOS DE ESPERA SE NOS HACÍAN ETERNOS. POR PRIMERA VEZ TOMÉ CONCIENCIA DEL PELIGRO QUE CORRÍAMOS.

¡¡BOUM!!

¡NO QUIERO MORIR!

NO PASARÁ NADA, QUERIDA. ¡TE LO PROMETO!

CON TEHERÁN DESPROTEGIDA LLEGÓ EL ÉXODO. LA CIUDAD ESTABA DESIERTA. NOSOTROS NOS QUEDAMOS, PERO NO POR FATALISMO. PARA MIS PADRES, SI HABÍA UN FUTURO, ÉSTE PASABA POR MI EDUCACIÓN FRANCESA Y SÓLO PODÍA RECIBIRLA EN TEHERÁN.

OTROS HABITANTES MENOS INCONSCIENTES BUSCARON REFUGIO EN LOS SUBTERRÁNEOS DE LOS GRANDES HOTELES, FAMOSOS POR SU SEGURIDAD. AL PARECER, SU ESTRUCTURA DE CEMENTO ARMADO PODÍA RESISTIR CUALQUIER BOMBA.

COMO NUESTROS VECINOS, LOS BABA-LEVY. ERAN DE LOS POCOS JUDÍOS QUE NO HABÍAN DEJADO IRÁN DESPUÉS DE LA REVOLUCIÓN. EL SEÑOR BABA-LEVY DECÍA QUE SUS ANCESTROS ESTABAN AQUÍ DESDE HACÍA TRES MIL AÑOS Y QUE ÉSTA ERA SU CASA.

...SU HIJA NEDA ERA UNA CHICA UN POCO TACITURNA, A LA QUE NO LE GUSTABA MUCHO JUGAR, AUNQUE DE VEZ EN CUANDO ELLA Y YO HABLÁBAMOS DE AMOR.

...ALGÚN DÍA VENDRÁ UN PRÍNCIPE RUBIO CON LOS OJOS AZULES Y ME LLEVARÁ A SU CASTILLO...

¡SÍ! ¡Y A MÍ TAMBIÉN!

BUENO, LA VIDA SEGUÍA...

...Y UN DÍA COMO LOS DEMÁS:

¿MAMÁ, ME DAS DINERO? QUIERO COMPRARME UN TEJANO Y UNAS ALPARGATAS.

¿CUÁNTO QUIERES?

MIL, MIL DOSCIENTOS TUMANES.

¿MIL TUMANES?

PUES SÍ. ES LO QUE CUESTAN.

¡VAYA!

NUESTRO DINERO HABÍA PERDIDO TODO SU VALOR. POR EJEMPLO, UN DÓLAR, QUE VALÍA 7 TUMANES EN TIEMPOS DEL SHA, CUATRO AÑOS MÁS TARDE HABÍA SUBIDO HASTA LOS 110 TUMANES. AQUEL CAMBIO ERA TAN BRUTAL PARA MI MADRE QUE LE COSTABA ACEPTARLO.

FUI CON MI AMIGA SHADI.

¿BUENO, CÓMO ME QUEDA?

¡TE ESTÁ ESTUPENDO!

BIEN, ME QUEDO EL TEJANO Y ESTOS PENDIENTES.

¡YO QUIERO ESTE ANILLO!

ESTÁBAMOS EN PLENA EUFORIA DE COMPRAS CUANDO, DE REPENTE...

¡¡¡BOUM!!!

ACABA DE CAER UN MISIL EN EL BARRIO DE TAVANIR.

¿QUÉ?

TAVANIR ERA MI BARRIO.

¡EL TEJANO!

CREO QUE SI ME HUBIERAN CRONOMETRADO HABRÍA SUPERADO EL RÉCORD DEL MUNDO DE VELOCIDAD.

¡TAXI!

VENGA, DESE PRISA...

UNA MULTITUD SE AGOLPABA DELANTE DE NUESTRA CALLE. ¡LA BOMBA HABÍA CAÍDO EN MI CALLE!

SEÑORA, ¿EN QUÉ EDIFICIO HA CAÍDO?

CREO QUE HA SIDO AL FINAL DE LA CALLE.

AL FINAL DE LA CALLE ESTABA NUESTRO EDIFICIO Y EL DE LOS BABA-LEVY.

DÉJENME PASAR.

HABÍA UN 50% DE POSIBILIDADES DE QUE FUERA NUESTRA CASA.

POR FAVOR, DÉJENME PASAR.

¡NO PUEDES PASAR DE AQUÍ!

...YO VIVO AHÍ...

Y ME DEJÓ PASAR...

NO ME ATREVÍA A LEVANTAR LA VISTA. ME MIRÉ LAS PIERNAS. ME FLAQUEABAN.
NO AVANZABA, COMO SI ESTUVIERA EN UNA PESADILLA.

OJALÁ ESTÉN VIVOS, OJALÁ
ESTÉN VIVOS, OJALÁ...

MARJI.

MARJI.

MAMÁ.

¿ESTÁS BIEN? ¿PAPÁ
ESTÁ BIEN? ¿LA
ABUELA ESTÁ BIEN?

¡ESTAMOS
TODOS
BIEN! EN
CASA SÓLO
ESTABA
YO.

MI MAMÁ.

...

¿DÓNDE HA CAÍDO?

EN CASA DE LOS BABA-LEVY.

¡NO ESTARÍAN EN CASA, AL MENOS!

...

¿NO ESTABAN, VERDAD?

LA VERDAD ES QUE NO LO SÉ. SABES, HOY ES SÁBADO.

SÍ, YA LO SÉ. ¿Y QUÉ?

PARA LOS JUDÍOS, EL SÁBADO ES EL SABBAT. ES SU DÍA DE RECOGERSE EN CASA.

...¿PIENSAS QUE...?

BUENO, NO SON MUY PRACTICANTES. ¡CREO QUE TIENES RAZÓN! SEGURO QUE SE HAN QUEDADO EN EL HILTON.

SABES, LAS CINTAS ADHESIVAS QUE PEGUÉ EN LAS VENTANAS HAN FUNCIONADO. ¡SE HAN ROTO TODOS LOS CRISTALES PERO NO HAY NI UN SOLO TROZO DENTRO DE CASA!

NOTÉ QUE MI MADRE INTENTABA CAMBIAR DE TEMA.

CUANDO PASAMOS FRENTE A LA CASA DESTRUIDA DE LOS BABA-LEVY, NOTÉ QUE TIRABA DE MÍ DISIMULADA-
MENTE. ALGO ME DECÍA QUE LOS BABA-LEVY ESTABAN EN CASA. ALGO ME LLAMÓ LA ATENCIÓN.

VI UN BRAZALETE DE TURQUESAS, EL DE NEDA.
SE LO HABÍA REGALADO SU TÍA CUANDO CUMPLIÓ
CATORCE AÑOS...

EL BRAZALETE AÚN ESTABA UNIDO A... NO LO SÉ...

NO EXISTE GRITO EN EL MUNDO QUE HUBIERA PODIDO
ALIVIAR EL SUFRIMIENTO Y LA CÓLERA QUE SENTÍA.

DESPUÉS DE LA MUERTE DE NEDA BABA-LEVY, MI VIDA DIO UN GIRO. EN 1984, TENÍA CATORCE AÑOS, ERA REBELDE Y YA NADA ME DABA MIEDO.

¡OS HE REPETIDO MIL VECES QUE ESTÁ PROHIBIDO POR COMPLETO LLEVAR JOYAS Y TEJANOS!

¿QUÉ HACES CON ESA PULSERA? ¡DÁMELA AHORA MISMO!

¡JAMÁS EN LA VIDA! ES UN REGALO DE MI MADRE.

HABÍA COMPRENDIDO QUE HAY QUE GRITAR SIEMPRE MÁS ALTO QUE TU AGRESOR.

SI MAÑANA TE VUELVO A VER LLEVANDO JOYAS...

¡PUES VALE!

AL DÍA SIGUIENTE...

ENSÉÑAME LA MUÑECA.

¿PARA QUÉ?

¡¡HE DICHO QUE ME LA ENSEÑES!!

¡CON TODAS LAS JOYAS QUE NOS ROBA SEGURO QUE SE SACA UNA PASTA!

¿QUÉ HA PASADO?

¡MARJI HA PEGADO A LA DIRECTORA!

¡ESTÁ PERDIDA!

¡PERDÓN! ¡NO QUERÍA HACERLO!

¡SATRAPI! ¡ESTÁS EXPULSADA!

DESPUÉS DE LA EXPULSIÓN, NOS COSTÓ HORRORES ENCONTRAR UNA ESCUELA QUE ME ACEPTARA. GOLPEAR A UNA DIRECTORA ERA UN AUTÉNTICO CRIMEN PERO GRACIAS A MI TÍA, QUE CONOCÍA A ALTOS FUNCIONARIOS DE LA EDUCACIÓN NACIONAL, PUDE ENTRAR EN OTRA INSTITUCIÓN Y ALLÍ...

DESDE QUE SE INSTAURÓ LA REPÚBLICA ISLÁMICA, YA NO HAY PRESOS POLÍTICOS.

¡SEÑORA!

MI TÍO FUE ENCARCELADO DURANTE EL RÉGIMEN DEL SHA, ¡PERO LE EJECUTARON POR ORDEN DEL RÉGIMEN ISLÁMICO!

PRETENDE HACERNOS CREER QUE NO HAY PRESOS POLÍTICOS, CUANDO DE LOS TRES MIL DETENIDOS QUE HABÍA EN TIEMPOS DEL SHA SE HA PASADO A TRESCIENTOS MIL CON SU RÉGIMEN.

¿CÓMO SE ATREVE A MENTIRNOS DE ESA MANERA?

¡OH, SATRAPI!

¡CLAP!
¡CLAP!
¡CLAP!
¡CLAP!
¡CLAP!
¡CLAP!
¡CLAP!
¡CLAP!

EVIDENTEMENTE, AQUELLA MISMA TARDE, MI PADRE RECIBIÓ UNA LLAMADA.

SÍ, POR SUPUESTO... SÍ...

¿QUIÉN ES?

ES LA DIRECTORA DE LA ESCUELA. SEGÚN PARECE, MARJI HA PUESTO A LA PROFESORA DE RELIGIÓN EN SU SITIO. ES IGUAL QUE SU TÍO.

¿QUIERES QUE ACABE COMO ÉL? ¿EJECUTADA?

¿SABES LO QUE LES HACEN A LAS JOVENCITAS CUANDO LAS ARRESTAN?

¿SABES QUÉ LE PASÓ A NILOUFAR? LA CHICA QUE CONOCISTE EN CASA DE KHOSRO, EL QUE HACÍA PASAPORTES.

SABES QUE, SEGÚN LA LEY, NO SE PUEDE MATAR A UNA VIRGEN...

PUES LA CASAN CON UN GUARDIÁN DE LA REVOLUCIÓN...

...¡QUE LA DESFLORA ANTES DE QUE LA EJECUTEN! ¡¡¿SABES QUÉ SIGNIFICA ESO?!!

SI ALGUIEN TE TOCA UN SOLO PELO... ¡LO MATO!

¿PERO CÓMO SABES TODO ESO? ¡A LO MEJOR SÓLO LA EJECUTARON!

¡NO, TU MADRE TIENE RAZÓN! CUANDO UNA CHICA SE CASA, SEGÚN LA TRADICIÓN, TIENE DERECHO A QUE SU MARIDO LE DE UNA DOTE.

SI LA CHICA MUERE, EL MARIDO DEBE ENTREGAR LA DOTE A LA FAMILIA DE ELLA.

ESO ES LO QUE PASÓ CON NILOUFAR: DESPUÉS DE QUE LA EJECUTARAN, PARA QUE QUEDARA CLARO LO QUE HABÍAN HECHO, LE MANDARON QUINIENTOS TUMANES* DE DOTE A SUS PADRES.

QUINIENTOS TUMANES POR LA VIDA Y LA VIRGINIDAD DE UNA INOCENTE...

NO LO SABÍA.

*EL EQUIVALENTE A 5 EUROS.

ESTUVE TODA LA NOCHE PENSANDO EN AQUELLA FRASE: "MORIR COMO MÁRTIR ES INYECTAR SANGRE EN LAS VENAS DE LA SOCIEDAD". NILOUFAR ERA UNA AUTÉNTICA MÁRTIR, PERO SEGURO QUE SU SANGRE NO HABÍA ALIMENTADO LAS VENAS DE NUESTRA SOCIEDAD.

¿MARJI, PUEDES VENIR DOS MINUTOS?

HOY HE IDO A VER A LA DIRECTORA. ME HA DICHO QUE POR ESTA VEZ NO VA A PASAR NINGÚN INFORME. PERO VISTO TU CARÁCTER Y LA EDUCACIÓN QUE HAS RECIBIDO, HEMOS PENSADO QUE SERÍA MEJOR QUE SALIERAS DE IRÁN.

¿QUÉ?

TU MADRE Y YO HEMOS DECIDIDO ENVIARTE A AUSTRIA.

¿POR QUÉ A AUSTRIA?

PRIMERO PORQUE ES MÁS FÁCIL CONSEGUIR UN VISADO AUSTRÍACO Y SEGUNDO PORQUE MI MEJOR AMIGA VIVE EN VIENA. ¿TE ACUERDAS DE ELLA? ¡ZOZO, LA MAMÁ DE CHIRINE! ¿TE ACUERDAS DE CHIRINE?

SÍ, SÍ... ¡PERO NO HABLO ALEMÁN!

EN VIENA HAY UN LICEO FRANCÉS. ¡UNO DE LOS MEJORES DE EUROPA!

¿Y VOSOTROS QUÉ HARÉIS ALLÍ?

DE MOMENTO, IRÁS TÚ SOLA. TENEMOS QUE ARREGLAR ALGUNOS ASUNTOS. ¡DENTRO DE UNOS CUANTOS MESES IREMOS CONTIGO!

¡PERO SI SÓLO TENGO CATORCE AÑOS! ¿OS FIÁIS DE MÍ?

TIENES CATORCE AÑOS Y SÉ MUY BIEN CÓMO TE HE EDUCADO. SOBRE TODO ME FÍO DE TU EDUCACIÓN.

SABES, ERES LA MISMA QUE PASÓ UNAS VACACIONES SOLA EN FRANCIA.

ANTES DE LA REVOLUCIÓN, MIS PADRES ME ENVIARON A EUROPA A PASAR EL VERANO EN COLONIAS DE VACACIONES. MI MADRE NO QUERÍA QUE CRECIERA COMO UNA HIJA ÚNICA.

SÍ, ES VERDAD, QUÉ BIEN... ¡UN PERIODO DE AUTÉNTICA INDEPENDENCIA!

TE QUEREMOS TANTO QUE QUEREMOS QUE TE MARCHES.

PREFERIMOS QUE ESTÉS FELIZ LEJOS DE NOSOTROS A QUE SEAS DESGRACIADA AQUÍ. Y VISTA LA SITUACIÓN, ESTARÁS MEJOR FUERA.

ENTONCES, ME ENTRARON DUDAS. ¿POR QUÉ ME HABLABAN ASÍ SI IBAN A VENIR CONMIGO?

¡TE QUEREMOS MUCHO!

¡NUNCA TE OLVIDES DE QUIÉN ERES!

NO... NUNCA LO OLVIDARÉ...

ME REPETÍ CIENTOS DE VECES LO QUE ME HABÍAN DICHO. ESTABA PRÁCTICAMENTE SEGURA DE QUE NO IBAN A VENIR A VIENA.

ESTUVE TODA LA NOCHE DESPIERTA. ME PREGUNTABA SI LA LUNA BRILLARÍA IGUAL EN AUSTRIA.

AL DÍA SIGUIENTE RELLENÉ UN BOTE CON LA TIERRA DE NUESTRO JARDÍN. LA TIERRA DE IRÁN.

QUITÉ TODOS MIS PÓSTERS.

Y QUEDÉ CON MIS AMIGAS PARA DESPEDIRME.

¡TOMAD! OS REGALO LO QUE MÁS QUIERO EN EL MUNDO. ASÍ NO ME OLVIDARÉIS.

NO PENSABA QUE ME QUISIERAN TANTO.

ME DI CUENTA DE HASTA QUÉ PUNTO CONFIABAN EN MÍ.

LA VIGILIA DE MI PARTIDA, MI ABUELA VINO A DORMIR A CASA.

¿PUEDO DORMIR CONTIGO?

¡PARA ESO HE VENIDO!

OBSERVÉ A MI ABUELA MIENTRAS SE DESNUDABA. TODAS LAS MAÑANAS RECOGÍA JAZMINES Y SE LOS PONÍA EN EL SUJETADOR, PARA OLER BIEN. CUANDO SE DESABROCHABA LA BLUSA, SE VEÍAN CAER LAS FLORES DE SUS SENOS.

ERA UN ESPECTÁCULO.

ABUELA, ¿CÓMO LO HACES PARA TENER LOS SENOS TAN REDONDOS A TU EDAD?

LOS METO DIEZ MINUTOS CADA UNO EN UN TAZÓN CON AGUA HELADA, POR LA MAÑANA Y POR LA TARDE.

ERA VERDAD QUE LO HACÍA Y YO YA LO SABÍA. SÓLO TENÍA GANAS DE OÍRSELO DECIR.

TE ECHARÉ DE MENOS.

PERO SI IRÉ A VERTE.

TAMBIÉN ME MENTÍA.

ESCUCHA, NO ME GUSTA ECHAR SERMONES, PERO TE VOY A DAR UN CONSEJO QUE TE SERVIRÁ SIEMPRE.

EN LA VIDA ENCONTRARÁS A MUCHOS IMBÉCILES. SI TE HIEREN, PIENSA QUE ES SU ESTUPIDEZ LA QUE LES EMPUJA A HACERTE DAÑO. ASÍ EVITARÁS RESPONDER A SU MALDAD. PORQUE NO HAY NADA PEOR EN EL MUNDO QUE EL RENCOR Y LA VENGANZA... MANTÉN SIEMPRE TU DIGNIDAD, TU INTEGRIDAD Y LA FIDELIDAD A TI MISMA.

PODÍA OLER EL PECHO DE MI ABUELA. OLÍA MUY BIEN. NUNCA OLVIDARÉ AQUEL PERFUME.

A LA MAÑANA SIGUIENTE.

¡DESPERTAD! SON LAS SIETE, TENE-MOS QUE IRNOS.

?

ME MANTENDRÉ SIEMPRE FIEL A MÍ MISMA.

YO NO VOY.

NO OLVIDES NUNCA LO QUE TE HE DICHO.

ABUELA.

¡YA HEMOS LLEGADO!

HABÍA UNA COLA MONSTRUOSA. MUCHA GENTE DEJABA EL PAÍS.

SOBRE TODO JÓVENES. A PARTIR DE LOS TRECE AÑOS SE LES CONSIDERABA FUTUROS SOLDADOS Y NO PODÍAN SALIR DEL PAÍS.

MEHRABAD AIRPORT

TODO IRÁ BIEN, YA LO VERÁS.

NO LLORES. PIENSA EN TU FUTURO.

EUROPA SE ABRE A TUS PIES.

EN CUANTO LLEGUES A VIENA, VE A COMERTE UNA SACHER TORTE. ES UN PASTEL DE CHOCOLATE EXQUISITO.

Y DENTRO DE SEIS MESES IREMOS A VERTE.

MIS DUDAS SE CONFIRMABAN. A LO MEJOR VENÍAN A VISITARME, PERO NUNCA MÁS VOLVERÍAMOS A VIVIR JUNTOS.

YA ERES MAYOR, NADA DE LLOROS.

VENGA, TIENES QUE IRTE. NO OLVIDES QUIÉN ERES Y DE DÓNDE VIENES.

¡OS QUIERO!

NO PODÍA SOPORTAR VERLOS ALLÍ, DETRÁS DE LOS CRISTALES. NO HAY NADA MÁS TRISTE QUE LAS DESPEDIDAS. SON UN POCO COMO LA MUERTE.

MARCHAOS, MARCHAOS.

CIERRA LA MALETA. PUEDES IRTE.

PERO NO...

ME DI LA VUELTA PARA VERLOS POR ÚLTIMA VEZ...

...Y MEJOR ME HUBIERA MARCHADO.

# Libro 3

A MIS PADRES, QUE HAN TENIDO
LA INTELIGENCIA Y EL CORAJE DE
MANTENER SU PROMESA DE NO
PREGUNTARME JAMÁS POR ESTE
PERÍODO DE MI VIDA.

 # LA SOPA

NOVIEMBRE DE 1984. ESTOY EN AUSTRIA. VINE CON LA IDEA DE CAMBIAR EL IRÁN RELIGIOSO POR UNA EUROPA LAICA Y ABIERTA Y PENSANDO QUE ZOZO, LA MEJOR AMIGA DE MI MADRE, ME QUERRÍA COMO A UNA HIJA.

¡PUES MIRA! ME METIÓ EN UNA RESIDENCIA DE MONJAS.

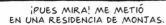

MI HABITACIÓN ERA PEQUEÑA Y POR PRIMERA VEZ EN MI VIDA, TENÍA QUE COMPARTIR MI CUARTO CON OTRA PERSONA.

AÚN NO LA CONOCÍA. SÓLO ME HABÍAN DICHO QUE SE LLAMABA LUCIA.

ME PREGUNTABA CÓMO SERÍA.

EUROPA, LOS ALPES, SUIZA, AUSTRIA... DEDUJE QUE ERA UNA ESPECIE DE HEIDI.

Y ME PARECÍA BIEN. ME GUSTABA MUCHO HEIDI.

LLEVABA ONCE DÍAS EN VIENA. ZOZO Y SU HIJA CHIRINE, A LA QUE CONOCÍ DE PEQUEÑA, VINIERON A BUSCARME AL AEROPUERTO.

CHIRINE ESTABA TAL COMO LA RECORDABA. A SU MADRE, EN CAMBIO, LE NOTABA CIERTA ANTIPATÍA EN LA MIRADA.

NO HAS CAMBIADO MUCHO. BUENO... ¡SÍ! ¡¡AHORA LLEVAS EL PELO LARGO!!

TÚ TAMPOCO. ESTÁS IGUAL.

VA A SER GUAY IR A LA ESCUELA SIN EL VELO, SIN TENER QUE GOLPEARME TODOS LOS DÍAS POR LOS MÁRTIRES DE LA GUERRA...

?

¿HAS VISTO? ESTÁN MUY DE MODA. ES PARA PROTEGER LAS OREJAS DEL FRÍO. ¿QUIERES PROBÁRTELAS?

¡NO, GRACIAS!

ÉSTE ES MI BOLI CON OLOR A FRAMBUESA, PERO TAMBIÉN TENGO DE FRESA Y DE MORA.

¿QUIERES PINTARTE LOS LABIOS? ME ENCANTA ESTE ROSA BRILLANTE. ¡SE LLEVA MUCHO!

UFF

¡QUÉ TRAIDORA! LA GENTE MURIENDO EN NUESTRO PAÍS Y ELLA HABLÁNDOME DE TONTERÍAS.

ESTUVE DIEZ DÍAS CON ELLOS. HABÍA PELEAS A DIARIO.

¡HOLA, CARIÑO! ¡TOMA, PARA TI!

¡INÚTIL! ¡¡TRABAJO TODO EL DÍA COMO UNA LOCA PARA QUE EL SEÑORITO SE GASTE EL DINERO EN FLORES!!

PERO ZOZO, ES NUESTRO ANIVERSARIO DE BODAS.

¡YA ME COMPRARÁS LO QUE QUIERAS CUANDO GANES DINERO! ¡ME TIENES HARTA!

EN TEHERÁN, ZOZO ERA LA SECRETARIA DE SU MARIDO, HOUSHANG...

EN VIENA SE HIZO PELUQUERA.

FUE ELLA QUIEN ME CORTÓ EL PELO.

EN CUANTO A HOUSHANG, EL MARIDO DE ZOZO, ERA DIRECTOR GENERAL EN IRÁN...

EN AUSTRIA, NO ERA NADIE.

DESPUÉS DE VARIAS INVERSIONES DESAFORTUNADAS, HOUSHANG HABÍA PERDIDO TODO SU DINERO. "LO HABÍAN ENGAÑADO." DE TODO ESTO ME ENTERÉ CON SUS DISCUSIONES.

¡TE HE VISTO EN EL CAFÉ CON ESOS DOS SINVERGÜENZAS! ¿ES QUE TIENEN QUE ROBARTE LA ROPA PARA QUE TE DES CUENTA DE SU INGRATITUD?

A MÍ ME DABA VERGÜENZA. NUNCA HABÍA VISTO A MIS PADRES PELEARSE POR CUESTIONES DE DINERO.

PROBABLEMENTE PORQUE MI PADRE NO ERA UN INÚTIL...

Y A LOS DIEZ DÍAS...

MARJANE, HE HABLADO CON TU MADRE.

COMO PUEDES VER, NUESTRO PISO ES DEMASIADO PEQUEÑO. TE HE ENCONTRADO UNA RESIDENCIA EN UN BUEN BARRIO DE VIENA, CERCA DEL RATHAUS.

LO LLEVAN UNAS MONJAS. LA MADRE SUPERIORA Y ALGUNAS HERMANAS HABLAN FRANCÉS.

¿CUÁNDO ME VOY?

AHORA MISMO. HAZ LA MALETA.

YA TENÍA EXPERIENCIA CON LAS MONJAS. EN PRIMARIA IBA A LA ESCUELA JUANA DE ARCO DE TEHERÁN. LAS QUE HABÍA CONOCIDO ERAN MUY FEROCES.

VENDRÁS LOS FINES DE SEMANA. IREMOS A PATINAR SOBRE HIELO.

SÍ, SÍ...

A PESAR DE TODO, ME ALEGRABA DE IRME DE SU CASA. ASÍ ME LIBRARÍA DE ZOZO LA MALA Y DE CHIRINE LA VACÍA.

AL ÚNICO QUE IBA A ECHAR DE MENOS ERA HOUSHANG. LO VEÍA COMO A UN DEFENSOR...

CUÍDATE MUCHO.

SÍ, TÍO HOUSHANG.

...Y ÉL A MÍ COMO A UNA ALIADA.

¡VALE! YA ESTÁ. ¡NOS VAMOS!

Y NOS FUIMOS...

ÉSTA ES TU NUEVA CASA.

ES OBLIGATORIO VOLVER ANTES DE LAS 21:30. A ESA HORA CERRAMOS LA PUERTA.

AQUÍ TIENE, SEÑORITA. COMPARTIRÁ LA HABITACIÓN CON LUCIA. LLEGARÁ DENTRO DE POCO.

YA LO VERÁ, ESTARÁ BIEN CON NOSOTRAS. ¿QUÉ RELIGIÓN PRACTICA?

NINGUNA.

¡OH!

LA COCINA COLECTIVA.

LAS DUCHAS.

PARA COMPRAR SUS COSAS, PUEDE IR A "ALDI", SALIENDO A MANO IZQUIERDA, ¡LINKS!*

¡LINKS!

AHORA TENÍA UNA AUTÉNTICA VIDA DE ADULTA INDEPENDIENTE. TENÍA QUE HACERME LA COMIDA, OCUPARME DE LA COLADA...

...ME FUI CORRIENDO AL SUPERMERCADO PARA HACER LAS COMPRAS COMO UNA MUJER.

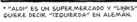

* "ALDI" ES UN SUPERMERCADO Y "LINKS" QUIERE DECIR "IZQUIERDA" EN ALEMÁN.

HACÍA CUATRO AÑOS QUE NO VEÍA UNA TIENDA TAN BIEN SURTIDA.

ME FUI DIRECTAMENTE A LA SECCIÓN DE LEJÍAS PERFUMADAS.

EN IRÁN YA NO SE ENCONTRABAN.

LLENÉ EL CARRO CON TODO TIPO DE PRODUCTOS.

HOY EN DÍA, INCLUSO DESPUÉS DE TANTO TIEMPO, SIEMPRE HAY EN MI CASA UNA DECENA DE CAJAS DE DETERGENTE PERFUMADO.

EN VISTA DE MI LIMITADO PRESUPUESTO, COMPRÉ DOS PAQUETES DE PASTA.

AÚN NO SABÍA QUE IBA A SER MI ÚNICO SUSTENTO DURANTE LOS SIGUIENTES CUATRO AÑOS.

DI UN BILLETE DE CIEN SCHILLINGS. POR SUERTE, ERA SUFICIENTE, SI NO ME HABRÍA MUERTO DE VERGÜENZA.

ACHT UND NEUNZIG DREIZIG BITTE!

LE OFRECÍ UNOS PISTACHOS QUE HABÍA TRAÍDO CONMIGO. REGALO DE MI TÍO. UNA ESPECIALIDAD NACIONAL QUE SE REGALA A MENUDO CUANDO SE VA AL EXTRANJERO. CREEMOS QUE NUESTROS PISTACHOS SON LOS MEJORES DEL MUNDO...

...COMO TANTAS OTRAS COSAS.

LUCIA ME PREPARÓ UNA SOPA KNORR, "CREMA DE CHAMPIÑONES".

NO ME GUSTÓ MUCHO.

MAGST DU FERNSEHEN?

FERNSEHEN?

FERN, FEN, VEN... ¡¡¡VENTANA!!!

¿FERNSEHEN?

NEIN! JI, JI, JI... DAS IST FENSTER!

WARTE MAL!

DAS IST EIN FERNSEHER.

¡AH! ¡LA TELE! BUENO, ES LO MISMO.

¡TELE!

FERNSEHEN! YA! YA! FERNSEHEN!

ESTABA CONTENTA. HABLABA ALEMÁN.

ASÍ QUE FUIMOS A LA SALA DE TELEVISIÓN, EN LA PLANTA BAJA.

HALLO!

ESTABAN VIENDO UNA PELI. PARECÍA QUE TODO EL MUNDO SE DIVERTÍA. ¡MENOS YO! SÓLO OÍA "OCH", "ICH", "MICH", PERO SIN PODER ENTENDER NADA.

¡JA!
¡JA! ¡JA!
¡JA! ¡JA!
¡JA!
!!!
¡JI! ¡JI!
¡JI!

?!

DECIDÍ IRME DISCRETAMENTE.

BYE BYE, LUCIA.

NI SIQUIERA ME RESPONDIÓ.

# EL TIROL

TODAS LAS MAÑANAS ME DESPERTABA EL RUIDO DEL SECADOR DE LUCIA.

ÉSE ERA MI DESPERTAR. A LAS 6:30 EN PUNTO.

¡BUENOS DÍAS!

¡VAYA QUE SÍ!

HALLO!

ME DESPERTABA UN SECADOR PARA IR A UNA ESCUELA EN LA QUE NO TENÍA AMIGOS.

¡HOLA!

¡HOLA!

¡HOLA!

¡HOLA!

¡HOLA!

ERA NORMAL. HABÍA LLEGADO A MITAD DE TRIMESTRE, Y YA SE HABÍAN FORMADO LOS GRUPOS.

ENTONCES LLEGÓ EL PRIMER EXAMEN DE MATES. DESTAQUÉ POR MI BUEN NIVEL.

¡SATRAPI! ¡MUY BIEN! UN TRABAJO EXCELENTE. SÓLO UN PEQUEÑO ERROR QUE LE HA COSTADO MEDIO PUNTO. TIENE UN 19,5.

¡LA HOSTIA!

ESA NOTA ME SIRVIÓ PARA LLAMAR LA ATENCIÓN. ESTABA MUY SOLICITADA CON LOS DEBERES DE MATES.

DESPUÉS ME PUSE A HACER CARICATURAS DE LOS PROFESORES. ERA UNA COSTUMBRE QUE YA TENÍA EN IRÁN.

CON LA DIFERENCIA DE QUE ALLÍ LLEVABAN VELO Y ERAN MUCHO MÁS FÁCILES DE DIBUJAR.

LOS RETRATOS TAMBIÉN ME VALIERON CIERTA SIMPATÍA.

EN AQUELLOS TIEMPOS MIS ERRORES HABLANDO FRANCÉS LLAMABAN BASTANTE LA ATENCIÓN. (HACÍA TRES AÑOS QUE NO PRACTICABA, DESDE QUE EL GOBIERNO ISLÁMICO CERRÓ LAS ESCUELAS BILINGÜES.)

¿CÓMO SE LLAMA ESA COSA EN FORMA DE TRIÁNGULO QUE ES COMO UNA REGLA?*

¿QUÉ COSA?

¿CÓMO QUE QUÉ COSA? ¡YA SABES, EL ZOB!

¡AH, CLARO! SE LLAMA ZOB.

¿UN ZOB?

¿PUEDES PRESTARME TU ZOB?

¡JA, JA, JA, JA!

?!!

EN DEFINITIVA, SOBREVIVÍA.

* QUERÍA DECIR UNA ESCUADRA.

LAS COSAS FUERON CAMBIANDO. AL CABO DE UN TIEMPO, JULIE, LA CHICA TACITURNA DE LA SEGUNDA FILA, SE INTERESÓ POR MÍ. ERA UNA FRANCESA DE DIECIOCHO AÑOS EN UNA CLASE DE TERCERO EN LA QUE LA MEDIA DE EDAD ERA DE CATORCE.

MÁS TARDE ENTENDÍ QUE ERA RESERVADA PORQUE VEÍA AL RESTO DE COMPAÑEROS COMO NIÑOS MALCRIADOS. YO ERA DISTINTA. HABÍA VIVIDO UNA GUERRA.

ME PRESENTÓ A MOMO, QUE ESTABA EN PRIMERO.

ÉSTA ES MARJANE. ES IRANÍ. HA VIVIDO LA GUE- RRA.

¿LA GUERRA?

¡ENCANTADA!

¿HAS VISTO MUCHOS MUERTOS?

EHH... ALGUNOS.

¡LA LECHE!

MOMO BESABA A TODO EL MUNDO DE UNA MANERA MUY PARTICULAR.

MUA...

MUA...

FUE ÉL QUIEN ME BESÓ POR PRIMERA VEZ EN LA BOCA.

A TRAVÉS DE MOMO, CONOCÍ A THIERRY Y OLIVIER, DOS HUÉRFANOS SUIZOS QUE VIVÍAN EN AUSTRIA CON UN TÍO DIPLOMÁTICO.

YO TAMBIÉN SOY UN POCO HUÉRFANA.

¿TUS PADRES ESTÁN MUERTOS?

NO, ESTÁN EN IRÁN.

EL HECHO DE QUE VIVIERA SIN MIS PADRES TAMBIÉN LE GUSTABA A JULIE.

UNA ILUMINADA, UN *PUNK*, DOS HUÉRFANOS Y UNA TERCERMUNDISTA,
¡ESTO SÍ QUE ES UNA PANDILLA! LES INTERESABA MUCHO MI HISTORIA.
¡SOBRE TODO A MOMO! ESTABA FASCINADO POR LA VISIÓN DE LA MUERTE.

SE ACERCABAN LAS VACACIONES DE NAVIDAD. TODO EL MUNDO HABLABA DE SUS PLANES.

CÓMO ME VOY A ABURRIR CON MIS PADRES EN NIZA.

LAS ISLAS FIDJI.

BORA BORA.

CHICAGO.

LA NAVIDAD ES UN INVENTO AMERICANO. EL PAPÁ NOEL VESTIDO DE BLANCO Y ROJO ERA LA MASCOTA DE LA COCA-COLA.

ES UN GRAN NEGOCIO.

BARCELONA.

HONDURAS.

YO VUELVO A FRANCIA PARA VER A MI PADRE.

YO ME QUEDO CON MI ABUELA EN SALZBURGO. ES LA ÚNICA MÍNIMAMENTE POTABLE DE TODA MI FAMILIA.

NOSOTROS NOS VAMOS A CAGAR A LOS ALPES.

SÍ, VAMOS A ESQUIAR. ¡MOLARÁ!

SABÉIS, EN IRÁN NO CELEBRAMOS LA NAVIDAD...

¿VAIS A ESQUIAR? ¡¡CÓMO MOLA!!

NOS DA UN POCO IGUAL.

NUESTRO AÑO NUEVO ES EL 21 DE MARZO, EL ..., ...

SÍ.

ESTARÉ EN ANNECY. SEREMOS VECINOS. QUIZÁ PODAMOS VERNOS.

VIERNES, 22 DE DICIEMBRE DE 1984. LAS CALLES ESTABAN ABARROTADAS. EL FRENESÍ NAVIDEÑO HABÍA CONTAMINADO A TODO EL MUNDO. PENSABA EN THIERRY CUANDO HABLABA DEL "GRAN NEGOCIO".

MI CALLE ESTABA DESIERTA. NO HABÍA TIENDAS.

¿QUÉ VOY A HACER SOLA DURANTE DOS SEMANAS? HASTA LA RESIDENCIA SE QUEDARÁ VACÍA.

AL VOLVER, ME ENCONTRÉ CON LUCIA. SIEMPRE DE GUARDIA.

¿ESTÁS BIEN?

ME PARECE QUE NO. ¡YA SÉ! NO ES FÁCIL PASAR LA NAVIDAD SIN LA FAMILIA.

¿NAVIDAD? NO, NO ES ESO.

MAÑANA ME VOY CON MI TÍA. SUPONGO QUE HABRÁ SITIO EN EL COCHE. SI QUIERES, PUEDES VENIR CON NOSOTRAS.

¿ADÓNDE?

¡AL TIROL!

¿TIROL?

♪ TIRILIA, TIRILIO, TIRILA ♪ ¡JOU! ¡JOU! ♫

¡POR CIERTO! SI VIENES, NO SE TE OCURRA HABLAR DE KLAUS.

MI NOVIO.

¿KLAUS?

¡AH!

LA FAMILIA DE LUCIA ERA CATÓLICA Y MUY, MUY PRACTICANTE.

SI QUIERES QUE NO DIGA NADA, TIENES QUE DEJAR DE DESPERTARME CON EL SECADOR.

¡JAWOHL!

AL DÍA SIGUIENTE VINO A RECOGERNOS LA TÍA DE LUCIA.

VAMOS, MIS NIÑAS.

Y NOS FUIMOS HACIA EL SUROESTE DE AUSTRIA.

LOS PADRES DE LUCÍA ERAN RARÍSIMOS. NO SE PARECÍAN A NADIE QUE CONOCIERA. SU PADRE, DEL TIROL AUSTRÍACO, LLEVABA UN CALZÓN DE PIEL. SU MADRE, DEL TIROL ITALIANO, TENÍA BIGOTE. SÓLO SU HERMANA ME RECORDABA A HEIDI.

DEJPUEJ DE COMEJ, IGUEMOS A LA IGLESIA.

¡AAAHH!

JA!

SU ALEMÁN ERA MUY DIFÍCIL DE ENTENDER.

Y, EFECTIVAMENTE, FUIMOS A LA IGLESIA PARA LA MISA DEL GALLO.

¡ACABÓ A LAS TRES DE LA MAÑANA!

LA FAMILIA DE LUCIA NO HABÍA VISTO NUNCA A UN IRANÍ. ASÍ QUE TODOS LOS DÍAS ME INVITABA ALGÚN TÍO SUYO PARA CONOCERME.

¿ESTÁ BUENO? ¿TE GUSTA?

SÍ.

MI ALEMÁN ERA RUDIMENTARIO Y EL SUYO, ORIGINAL. UN PRIMO SUYO QUE HABÍA PASADO CINCO AÑOS EN EL CANTÓN FRANCÉS DE SUIZA SE ESFORZABA PARA HACER DE TRADUCTOR.

DICE QUE HA COMIDO BIEN.

DICE QUE EL TIROL LE GUSTA MUCHO.

¡EL POSTRE!

DICE QUE LOS TIROLESES SON MUY SIMPÁTICOS.

ELLOS DICEN QUE TÚ TAMBIÉN LES CAES BIEN.

HABLÁBAMOS DE TODO Y DE NADA.

ES FANTÁSTICO TENER AMIGOS INTERNACIONALES.

JAAA.

AL CONTRARIO QUE CON MIS AMIGOS DEL INSTITUTO, LOS TEMAS DE CONVERSACIÓN HABITUALES NO TOCABAN NUNCA NI LA GUERRA NI LA MUERTE.

LLEGÓ EL DÍA DE LA DESPEDIDA.

COMO SABES, SOY EBANISTA. HE HECHO ESTE MARCO ESPECIALMENTE PARA TI.

SCHATZI,* UNA MANZANA ACARAMELADA Y FRUTAS PARA EL VIAJE.

TENÍA UNOS NUEVOS PADRES...

...LUCIA ERA MI HERMANA.

DESPUÉS DE AQUEL VIAJE, NO VOLVÍ A QUEJARME DEL SECADOR.

* CARIÑO

# LA PASTA

BAKUNIN ESTABA EN CONTRA DE MARX.

¿QUIÉN ES BAKUNIN?

¿CÓMO? ¿NO SABES QUIÉN ES BAKUNIN?

...

ERA UN ANARQUISTA.

¡NO! ¡ERA "EL" ANARQUISTA!

EN FIN... DISFRUTEMOS DE LAS VACACIONES.

¿¿MÁS VACACIONES??

?

PARA MÍ, NO IR AL COLEGIO ERA SINÓNIMO DE SOLEDAD, SOBRE TODO DESDE QUE LUCIA SE PASABA TODO EL TIEMPO CON SU NOVIO KLAUS.

¿TIENES ALGÚN PROBLEMA CON LAS VACACIONES?

¡NO! ENTIÉNDEME, EN MI PAÍS, TENEMOS DOS SEMANAS DE FIESTA DESPUÉS DE AÑO NUEVO Y LUEGO HAY QUE ESPERAR HASTA VERANO.

YA TE ACOSTUMBRARÁS. GRACIAS A LA IZQUIERDA, EN EUROPA HAY VACACIONES. NO NOS OBLIGAN A ESTAR SIEMPRE TRABAJANDO.

¿Y ESO?

SI A PRINCIPIOS DE SIGLO HUBIERAN GANADO LOS ANARQUISTAS, ¡NO CURRARÍAMOS NADA! EL HOMBRE NO HA NACIDO PARA TRABAJAR.

ASÍ QUE... ¡RELÁJATE! ¡CULTÍVATE! ¡NO CONOCES NI A BAKUNIN!

CAPULLO...

¿Y TÚ QUÉ? ¿A ESQUIAR?

SÍ... COMO SIEMPRE.

EL CAPULLO DE MOMO NO ESTABA DEL TODO EQUIVOCADO. TENÍA QUE INTEGRARME, Y PARA ESO, NECESITABA INSTRUIRME.

ASÍ QUE TOMÉ UNA DECISIÓN.

¿ADÓNDE VAS DE VACACIONES?

A NINGÚN SITIO. VOY A LEER. ME ENCANTA.

ADEMÁS, ERA UNA BUENA RESPUESTA PARA LA SEMPITERNA PREGUNTA "¿ADÓNDE VAS?", Y ENCIMA ME DABA TONO.

ELLOS SE FUERON A ESQUIAR Y YO ME PUSE A LEER. EMPECÉ POR BAKUNIN. APRENDÍ QUE ERA RUSO, QUE HABÍA SIDO EXCLUIDO DE LA PRIMERA INTERNACIONAL Y QUE RECHAZABA TODA AUTORIDAD, ESPECIALMENTE LA DEL ESTADO.

APARTE DE ESTO, NO COMPRENDÍ GRAN COSA DE SU FILOSOFÍA, COMO SEGURAMENTE LE OCURRÍA A MOMO.

DESPUÉS, ESTUDIÉ LA HISTORIA DE LA COMUNA.

LLEGUÉ A LA CONCLUSIÓN DE QUE LA DERECHA FRANCESA DE LA ÉPOCA SE PARECÍA A LOS ISLAMISTAS DE MI PAÍS.

SEGUIDAMENTE, ME INTERESÉ POR SARTRE, EL AUTOR FAVORITO DE MIS COMPAÑEROS.

LA NOCIÓN DEL SER SURGE DE LA EXPERIENCIA VIVIDA POR EL HOMBRE.

LO ENCONTRÉ UN POCO IRRITANTE.

CUANDO ME CANSABA DE LEER, IBA AL SUPERMERCADO.

HACÍA TANTO FRÍO QUE SE ME OCURRIÓ PONERME EL EQUIPO DE ESQUÍ QUE ME TRAJE DE TEHERÁN, PARA SALIR.

VESTIDA ASÍ POR VIENA, ME SENTÍA CERCA DE MIS AMIGOS, EN LAS PISTAS DE INNSBRUCK.

ME ABURRÍA TANTO QUE, PARA COMPRAR CUATRO COSAS, IBA COMO MÍNIMO CUATRO VECES AL SÚPER.

LA RESIDENCIA

ALDI AL

EL SUPERMERCADO

SI HUBIERA PODIDO DIVERTIRME UN POCO, NO CREO QUE HUBIESE LEÍDO TANTO.

PARA EDUCARME, ERA PRECISO QUE LO ENTENDIERA TODO. EMPEZANDO POR MÍ: YO, MARJI, COMO MUJER. ENTONCES EMPECÉ A LEER LA OBRA PREFERIDA DE MI MADRE.

"LOS MANDARINES" DE SIMONE DE BAVAR.

¡NO! BEAUVOIR.

ME LEÍA FRAGMENTOS, PERO YO ERA DEMASIADO JOVEN.

¿...?

LEÍ "EL SEGUNDO SEXO". SIMONE EXPLICABA QUE SI LAS MUJERES HICIERAN PIPÍ DE PIE, SU CONCEPCIÓN DE LA VIDA CAMBIARÍA.

LO PROBÉ, PERO ME GOTEABA POR LA PIERNA IZQUIERDA. ERA UN POCO ASQUEROSO.

SENTADA, ERA MUCHO MÁS SENCILLO. ADEMÁS, SIENDO IRANÍ, ANTES DE ORINAR COMO UN HOMBRE TENÍA QUE CONVERTIRME EN UNA MUJER LIBERADA Y EMANCIPADA.

Y LLEGÓ EL DÍA. EL FAMOSO DÍA DEL MES DE FEBRERO EN EL QUE PREPARABA MIS ETERNOS ESPAGUETIS.

TENÍA MUCHA HAMBRE. TANTA QUE UN SOLO PLATO NO HABRÍA BASTADO PARA SACIARME.

BAJÉ CON LA OLLA PARA VER LA TELE EN EL COMEDOR.

ME ENCANTABA HACERLO. EN CASA DE MIS PADRES, ESTABA ESTRICTAMENTE PROHIBIDO. DABAN EL INSPECTOR DERRICK. A LAS HERMANAS LES GUSTABA MUCHO.

DE REPENTE,
LA MADRE SUPERIORA
SE PUSO EN MEDIO.

¡UN POCO
DE MODERACIÓN,
SEÑORITA!

¡PERO SI AQUÍ TODO EL
MUNDO VE LA TELE
MIENTRAS COME!

¡PERO NO EN UNA OLLA!
¿DÓNDE ESTÁN TUS
MODALES?

ES VERDAD LO QUE
DICEN DE LOS IRANÍES.
NO TIENEN NINGUNA
EDUCACIÓN.

TAMBIÉN
ES CIERTO LO
QUE DICEN DE
VOSOTRAS.
¡TODAS ERAIS
PROSTITUTAS
ANTES DE
HACEROS
MONJAS!

OOOOH

OOOOH

FUI A VER A LA AYUDANTE DE LA MADRE SUPERIORA, YA QUE ÉSTA NO QUERÍA RECIBIRME.

¡ACÉRQUESE!

¡LO QUE LE HA DICHO A LA MADRE BIRGIT ES INADMISIBLE!

¿Y LO QUE ME HA DICHO ELLA A MÍ NO LO ES?

ESTÁ USTED EXPULSADA. VOY A LLAMAR A LA AMIGA DE SU MADRE PARA QUE VENGA A BUSCARLA.

NO HACE FALTA. TENGO AMIGOS QUE PUEDEN AYUDARME.

PENSABA EN JULIE.

¡DEBERÍA DARLE VERGÜENZA!

¡Y A USTED!

CÁLLESE, INSOLENTE. HA PAGADO, ASÍ QUE PUEDE QUEDARSE HASTA FINAL DE MES.

...

¿NO TIENE NADA QUE DECIRME?

...

فر اجتی به شعور

¿PERDONE?

¡HE DICHO GRACIAS!

TODAS LAS RELIGIONES TIENEN SUS EXTREMISTAS.

NO ESPERÉ A QUE SE ACABARA EL MES. AL CABO DE POCOS DÍAS, LLAMÉ A JULIE.

ME HAN ECHADO. NO SÉ QUÉ HACER.

ESPÉRATE UN MOMENTO. VOY A PREGUNTARLE A MI MADRE SI PUEDES VENIR A VIVIR AQUÍ.

¡DICE QUE ESTARÁ ENCANTADA DE QUE VENGAS!

¡AY, JULIE! ¡GRACIAS!

HICE MI MALETA.

LE DIJE ADIÓS A LUCIA, A LA QUE NO HE VUELTO A VER.

LAS MONJAS ENVIARON UNA CARTA A MIS PADRES...

...EXPLICÁNDOLES QUE, AVERGONZADA POR HABER SIDO DESCUBIERTA "IN FRAGANTI" ROBANDO YOGUR DE FRUTAS, HABÍA DECIDIDO IRME DE LA RESIDENCIA POR VOLUNTAD PROPIA.

¿DE QUÉ VA ESTA HISTORIA? SI ODIA EL YOGUR DE FRUTAS.

NO ENTIENDO NADA.

POR SUERTE, MIS PADRES CONOCÍAN MIS GUSTOS.

¡QUÉ MENTIROSAS! ...AL MENOS PODRÍAN HABER BUSCADO UNA EXCUSA MEJOR.

LEER NO ERA SUFICIENTE. AÚN ME FALTABA MUCHO PARA INTEGRARME.

 # LA PÍLDORA

MI NUEVO HOGAR ERA MUCHO MÁS CONFORTABLE QUE LA RESIDENCIA. COMPARTÍA LA HABITACIÓN CON JULIE.

¿QUIERES QUE TRABAJE EN OTRO LADO?

NO TE MUEVAS, SÓLO VENGO A BUSCAR MI CHAQUETA.

TENGO UNA CITA CON ERNST, EL DUEÑO DEL CAFÉ SCHELTER.

¿EL DUEÑO?

¿PERO CUÁNTOS AÑOS TIENE?

VEINTISÉIS.

¿¿VEIN-TISÉIS??

SÍ... MADURO, COMO A MÍ ME GUSTAN.

VENGA, ME LARGO.

¿HAS HECHO LOS DEBERES?

¡ADIÓS, MAMÁ!

JULIE, ¿ADÓNDE VAS?

A LAS MONJAS YO LES PARECÍA INSOLENTE... SI HUBIERAN VISTO A JULIE.

EN MI CULTURA, LOS PADRES ERAN SAGRADOS. COMO MÍNIMO SE LES DEBÍA UNA EXPLICACIÓN.

ARMELLE, ¿QUIERE UNA TAZA DE TÉ?

SÍ.

SU COMPORTAMIENTO CON SU MADRE ME INDIGNABA.

ARMELLE ME CAÍA MUY BIEN. ERA DULCE Y DISCRETA. PUEDE QUE DEMASIADO. COMPARADA CON MI MADRE, LE FALTABA AUTORIDAD.

NO LO HAGAS MUY FUERTE. SI NO EL TÉ PIERDE TODO EL SABOR.

LO SÉ, EN MI TIERRA NOS PASAMOS EL DÍA BEBIENDO TÉ.

CLARO. ¡QUÉ IDIOTA SOY! EL TÉ, LA INDIA, PERSIA, RUSIA, EL SAMOVAR...

ARMELLE ERA MUY CULTA, AUNQUE NO CONOCÍA A BAKUNIN. SU FUERTE ERA LACAN. LE APASIONABA.

¿SABES QUE HA ABIERTO EL PSICOANÁLISIS AL CAMPO DE LA LINGÜÍSTICA?

HA CONSEGUIDO AISLAR LOS REGISTROS DE LO IMAGINARIO, DE LO SIMBÓLICO Y DE LA REALIDAD.

¡FUE UNO DE LOS PRIMEROS EN HACER TERAPIAS DE GRUPO!

UNA MUJER Y UN HOMBRE NO PIENSAN IGUAL, NO FUNCIONAN IGUAL, NO ESCRIBEN IGUAL. LA LITERATURA FEMENINA BLA, BLA, BLA... LA LITERATURA MASCULINA BLA, BLA, BLA, BLA...

LA ESCUCHABA POR EDUCACIÓN...

Y TAMBIÉN PORQUE ERA LA ÚNICA QUE CONOCÍA IRÁN. ENTENDÍA MI NOSTALGIA POR EL MAR CASPIO. TAMBIÉN ERA LA ÚNICA QUE HABÍA VISTO UN SAMOVAR.

ADEMÁS, HABÍA LLAMADO A MIS PADRES PARA TRANQUILIZARLOS.

JULIE Y YO HABLÁBAMOS MUCHO ANTES DE DORMIR.

TU MADRE ME PARECE MUY SIMPÁTICA.

PUEDE SER INSOPORTABLE CUANDO SE LO PROPONE.

TÚ TAMBIÉN LE GUSTAS. GRACIAS A TI ME INCORDIA MENOS. CREE QUE ERES UNA BUENA INFLUENCIA.

¿QUÉ TIPO DE BUENA INFLUENCIA?

DEL TIPO VIRGENCITA ASUSTADA, INOCENTE Y PURA QUE HACE LOS DEBERES. NO ES MI CASO. HACE CINCO AÑOS QUE TENGO RELACIONES.

YA ME HE ACOSTADO CON DIECIOCHO CHICOS: FABRICE, OLIVIER, LAURENT, LUC, JEAN-MARC, OTRO LAURENT, SEBASTIEN...

ESTABA MUY SORPRENDIDA. EN MI PAÍS, TENER RELACIONES PREMATRI-MONIALES ERA ALGO QUE ESCONDÍAS.

AL PRINCIPIO LO HACÍAMOS CON GOMAS, PERO LOS TÍOS LO SIENTEN MENOS.

¿EL QUÉ "SIENTEN MENOS"?

¡PUES LA VAGINA!

¡¡¿¿LA VVV...??!!

AHORA TOMO LA PÍLDORA. POR ESO SE ME HA PUESTO EL CULO GORDO.

YO TAMBIÉN TENÍA EL CULO GORDO Y ESO QUE NO TOMABA ANTICONCEPTIVOS.

ARMELLE TRABAJABA EN LAS NACIONES UNIDAS. VIAJABA A MENUDO.

HE DEJADO LA NEVERA LLENA. ¡TRABAJAD MUCHO! ¡JULIE, NO FALTES A CLASE!

OK.

CUANDO VUELVA, QUIERO ENCONTRAR LA CASA LIMPIA Y ORDENADA.

SÍ, JEFA.

¿CUÁNTO TIEMPO ESTARÁS FUERA?

SEIS DÍAS. SI OS HACE FALTA ALGO, LLAMAD A MARTIN.

MARTIN Y ARMELLE SE HABÍAN CONOCIDO EN VIENA. TRABAJABAN JUNTOS, LOS DOS ESTABAN DIVORCIADOS Y VIVÍAN UNA RELACIÓN PLATÓNICA.

JULIE ME LO CONTÓ.

NO CREO QUE SE ACUESTEN, LO HABRÍA SABIDO.

¿CÓMO LO SABES?

ES EVIDENTE, ¿HAS VISTO LO MOJIGATA QUE ES?... NO, ESTOY SEGURA, NO LO HAN HECHO.

?

NO HABÍA TENIDO NINGUNA EXPERIENCIA QUE ME PERMITIERA VER LA RELACIÓN ENTRE EL CARÁCTER DE ARMELLE Y SU VIDA SEXUAL.

¡BUEN VIAJE!

EN CUANTO SE HUBO IDO SU MADRE...

...JULIE ORGANIZÓ UNA FIESTA PARA DOS DÍAS DESPUÉS CON SUS AMIGOS DEL CAFÉ SCHELTER.

LA NOCHE DE LA FIESTA.

¿CÓMO ME VES?

NO ESTÁ MAL.

ESPERA, TE VOY A MAQUILLAR. VAS A VER.

ME PEINÓ Y ME PUSO LÁPIZ DE OJOS NEGRO, LO QUE ACABARÍA CONVIRTIÉNDOSE EN MI MAQUILLAJE HABITUAL.

ME VEÍA MUY GUAPA.

¿PERO QUÉ HACES? ¿TE PONES PERFUME AHÍ?

¡TIENE UN NOMBRE! SEXO, CONEJITO, MINOÚ...*

¿MINOÚ? MI TÍA SE LLAMA ASÍ.

MEJOR PARA ELLA.

¡Y EN PERSA MINOÚ SIGNIFICA PARAÍSO!

¡JA! ¡JA! ¡JA!

¡SEÑORES, BIENVENIDOS AL PARAÍSO!

¡JA! ¡JA! ¡JA!

¿TIENES BUENA MÚSICA?

SÍ, TENGO TODO LO DE PINK FLOYD.

CONOCÍA PINK FLOYD. MIS PADRES LO ESCUCHABAN CUANDO ÍBAMOS DE VIAJE.

PARA MÍ NO ERA MÚSICA DE FIESTA.

* N. DEL T.: CHOCHO. JUEGO DE PALABRAS INTRADUCIBLE.

LA FIESTA NO FUE COMO ME LA HABÍA IMAGINADO. EN MI TIERRA, EN LAS FIESTAS, TODO EL MUNDO COMÍA Y BAILABA. EN VIENA PREFERÍAN TUMBARSE Y FUMAR.

ADEMÁS ESTABA MOLESTA POR TODOS AQUELLOS ACTOS SEXUALES EN PÚBLICO. ¿QUÉ QUERÉIS? VENÍA DE UN PAÍS TRADICIONALISTA.

HACIA LAS CUATRO DE LA MAÑANA, SE FUERON LOS ÚLTIMOS INVITADOS. ME CAÍA DE SUEÑO.

QUISE DESMAQUILLARME, PERO NO SE IBA CON AGUA.

FUI A PEDIRLE DESMAQUILLADOR A JULIE PERO, AL PARECER, ELLA Y ERNST ESTABAN DURMIENDO EN NUESTRA HABITACIÓN.

CUANDO, DE REPENTE...

¡AH!
¡AH!
¡OH!
¡OH!
¡AHH!
¡AH!

¡OH, OH, OH!
¡AH, AH!
¡AH SÍ!
¡OH! ¡AH!
¡SÍ!

DIOS MÍO, ESTABAN...

...HACIENDO EL AMOR.

ME ESCONDÍ EN EL SALÓN PARA PROTEGERME DE NO SÉ QUÉ, DETRÁS DE MI MEJOR AMIGO, EL LIBRO.

EVIDENTEMENTE, NO ENTENDÍ NADA DE LO QUE LEÍ.

UNOS MINUTOS MÁS TARDE, DISTINGUÍ EN LA OSCURIDAD LA SILUETA DE UN HOMBRE DESNUDO.

LE SIGUIÓ LA DE UNA MUJER DESNUDA.

¡Y DESPUÉS UN HOMBRE Y UNA MUJER SEMIDESNUDOS!

HALLO!

¡HOLA!

E...

NO DABA CRÉDITO A LO QUE VEÍA...

¡...NUNCA HABÍA VISTO NADA IGUAL!

ME HIZO PENSAR EN AQUEL DÍA, UNOS OCHO AÑOS ANTES, CUANDO IBA EN EL COCHE CON MI PADRE.

¡PAPÁ! ¿QUÉ ES UN COJÓN?

¿EH? SE DICE TESTÍCULO. EL SEXO DE LOS HOMBRES ESTÁ FORMADO POR DOS BOLAS Y UN PENE. LAS BOLAS SE LLAMAN TESTÍCULOS.

¿BOLAS? ¿UNAS BOLAS ASÍ?

EN UN SEMÁFORO EN ROJO, MI PADRE ME RESPONDIÓ MUY SERIO.

NO, MÁS BIEN ASÍ. NO COMO LAS BOLAS DE TENIS, SINO COMO LAS DE PING-PONG.

¡AH! ¡BOLAS DE PING-PONG! ¡JA! ¡JA! ¡JA! ¡JA! ¡JA! ¡JA!

NO PUEDO CREERLO. TÚ... TÚ... ¡TÚ HAS FUMADO!

¡ESTO SÍ QUE MOLA!

ESTÁ COLOCADA. VENGA, WOLFY, PON UN POCO DE MÚSICA.

¿WOLFY?

ENTONCES, ¡NO ESTABA CON ERNST, EL DUEÑO DEL CAFÉ SCHELTER! JULIE SE ACABABA DE ACOSTAR CON SU DECIMONOVENO CHICO.

AQUELLA NOCHE ENTENDÍ QUÉ SIGNIFICABA "LA LIBERACIÓN SEXUAL".

MI PRIMER GRAN PASO EN LA ASIMILACIÓN DE LA CULTURA OCCIDENTAL.

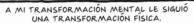

A MI TRANSFORMACIÓN MENTAL LE SIGUIÓ UNA TRANSFORMACIÓN FÍSICA.

ENTRE LOS QUINCE Y LOS DIECISÉIS, CRECÍ DIECIOCHO CENTÍMETROS. FUE IMPRESIONANTE.

YO A LOS QUINCE

YO A LOS DIECISÉIS

MI CARA TAMBIÉN EXPERIMENTÓ CAMBIOS CURIOSOS, PARA EMPEZAR, SE ALARGÓ.

ME CRECIÓ EL OJO DERECHO.

Y LUEGO LA MANDÍBULA, QUE DOBLÓ SU TAMAÑO.

DESPUÉS LE TOCÓ A LA BOCA.

A LA MANO DERECHA.

AL PIE IZQUIERDO.

(AÚN HOY EN DÍA, LE HACE FALTA MEDIO NÚMERO MÁS QUE AL DERECHO.)

EVIDENTEMENTE, MI NARIZ TRIPLICÓ SU VOLUMEN.

Y QUEDÓ DECORADA CON UNA ENORME PECA.

ENTONCES ME PARECÍA HORROROSO.

DESPUÉS LA MANDÍBULA AVANZÓ MAJESTUOSAMENTE.

PARA VOLVER A SU POSICIÓN INICIAL UNOS MESES MÁS TARDE.

POR ÚLTIMO, EL BUSTO SE DESARROLLÓ HACIA DELANTE.

Y MI CENTRO DE GRAVEDAD SE REEQUILIBRÓ CON EL PESO DE LAS NALGAS.

RESUMIENDO, ESTABA EN UN PERÍODO DE FEALDAD EN CONSTANTE RENOVACIÓN.

Y POR SI NO BASTABA CON MIS DEFORMIDADES NATURALES, PROBABA NUEVOS PEINADOS. UN PEQUEÑO TIJERETAZO EN EL LADO IZQUIERDO.

UNA SEMANA MÁS TARDE, UN PEQUEÑO TIJERETAZO EN EL DERECHO.

PARECÍA COSETTE EN "LOS MISERABLES".

ENTONCES ME UNTÉ EL PELO CON GOMINA.

AÑADÍ UN BUEN TRAZO DE LÁPIZ DE OJOS.

UNOS ALFILERES COMO PENDIENTES.

QUE SUSTITUÍ POR UN CHAL. ME DABA UN AIRE MÁS DULCE.

AQUELLO EMPEZABA A SER OTRA COSA.

HABÉIS VISTO QUÉ GUAPA ESTÁ.

...

EH...

PARA MI SORPRESA, MI NUEVO LOOK TAMBIÉN LES GUSTÓ A LAS VIGILANTES DE LA ESCUELA. HAY QUE DECIR QUE ERAN TODAS MUY JÓVENES.

SIEMPRE ESTÁS CAMBIANDO DE PEINADO. ¿QUIÉN TE CORTA EL PELO?

YO MISMA.

SI TE PAGO, ¿ME LO CORTARÍAS TAMBIÉN A MÍ?

FUE ASÍ COMO ME CONVERTÍ EN LA PELUQUERA OFICIAL DEL INSTITUTO.

ME PERMITÍA GANAR ALGÚN DINERILLO.

MIS RELACIONES CON EL PODER NO ERAN DEL AGRADO DE MIS AMIGOS.

BUENO, PARECE QUE TE LLEVAS MUY BIEN CON LAS GUARDIAS.

¡PARA NADA! SÓLO LES CORTO EL PELO.

NO SÓLO ESO, TAMBIÉN LES LAMES EL CULO.

NO ES VERDAD. ¡LAS ENCUENTRO SIMPÁTICAS! ESO ES TODO.

LAS GUARDIAS SON GUARDIAS. TIENEN UN PERFIL PSICOLÓGICO DEFINIDO. TIENEN ANSIA DE PODER Y BUSCAN CONTROLARNOS.

ESO, COMO LOS POLIS.

¡EXACTO! LA VIDA ES SUFRIMIENTO. TODO ES SUFRIMIENTO. TODO ES LA NADA. POR LO TANTO, LA VIDA ES LA NADA. CUANDO UN HOMBRE TOMA CONCIENCIA DE ESTE VACÍO, SÓLO PUEDE VIVIR COMO LOS GUSANOS, INVENTANDO JUEGOS DE DIRIGENTES Y DIRIGIDOS PARA OLVIDAR SU FRAGILIDAD.

¡ANDA YA! LA EXISTENCIA NO ES ABSURDA. HAY GENTE QUE DA SU VIDA POR VALORES COMO LA LIBERTAD.

¡QUÉ TONTERÍA! HASTA ESO ES UN ENTRETENIMIENTO PARA OLVIDAR LA ANGUSTIA.

¿ENTONCES MI TÍO MURIÓ PARA DISTRAERSE?

...

PARA MOMO, LA MUERTE ERA EL ÚNICO APARTADO DONDE MI AUTORIDAD SUPERABA A LA SUYA. SOBRE ESE TEMA, YO TENÍA SIEMPRE LA ÚLTIMA PALABRA.

EL COMBATE NOBLE BLA, BLA, BLA...

¡BUENO! ¿NOS FUMAMOS UN PORRO?

¡DE ACUERDO!

THIERRY SIEMPRE LIABA LOS PETARDOS MIENTRAS LOS DEMÁS VIGILÁBAMOS A LAS VIGILANTES PARA QUE NO NOS PILLARAN.

¡TOMA!

NO ME GUSTABA FUMAR PERO LO HACÍA POR SOLIDARIDAD. EN AQUELLA ÉPOCA, PARA MÍ, LA HIERBA Y LA HEROÍNA ERAN LO MISMO.

CADA VEZ QUE ALGUIEN ME OFRECÍA UN PORRO, ME ACORDABA DE UNA CONVERSACIÓN DE MIS PADRES SOBRE MI PRIMO KAMRAN.

EL POBRE SE HA PINCHADO TANTO QUE PARECE UNA VERDURA.

ESTE TIPO DE COSAS SIEMPRE LES PASAN A LOS MÁS FRÁGILES.

NO ENTRABA EN MIS PLANES CONVERTIRME EN UNA VERDURA.

ASÍ QUE HACÍA QUE PARTICIPABA PERO NO ME TRAGABA EL HUMO.

Y CUANDO NO ME VEÍAN MIS COLEGAS, ME METÍA LOS DEDOS EN LOS OJOS PARA QUE SE ME PUSIERAN ROJOS.

DESPUÉS, FINGÍA ATAQUES DE RISA.

ERA MUY CREÍBLE.

CUANTO MÁS ESFUERZOS HACÍA PARA INTEGRARME, MÁS TENÍA LA IMPRESIÓN DE ESTAR ALEJÁNDOME DE MI CULTURA, DE ESTAR TRAICIONANDO A MIS PADRES Y A MIS RAÍCES, DE ENTRAR EN UN JUEGO QUE NO ERA EL MÍO.

CADA LLAMADA DE MIS PADRES ME RECORDABA MI VILEZA Y MI TRAICIÓN. ESTABA CONTENTA DE OÍRLOS Y, AL MISMO TIEMPO, APURADA POR TENER QUE HABLAR CON ELLOS.

- SÍ, ESTOY BIEN. SACO BUENAS NOTAS.

- ¿COMPAÑEROS? DESDE LUEGO, ¡MUCHOS!

- PAPÁ...

- ¡PAPÁ, OS QUIERO!

- ¿TIENES BUENOS AMIGOS?

- NO ME SORPRENDE, ¡SIEMPRE HAS TENIDO FACILIDAD PARA COMUNICARTE CON LA GENTE!

- COME NARANJAS. TIENEN VITAMINA C.

- NOSOTROS TAMBIÉN TE ADORAMOS. ¡ERES UN SUEÑO DE HIJA!

SI SUPIERAN... SI SUPIERAN QUE SU HIJA SE MAQUILLABA COMO UNA PUNK, QUE FUMABA PETARDOS PARA DAR BUENA IMPRESIÓN, QUE HABÍA VISTO HOMBRES EN CALZONCILLOS MIENTRAS ELLOS SUFRÍAN BOMBARDEOS A DIARIO, NO ME LLAMARÍAN "SUEÑO DE HIJA".

ME SENTÍA TAN CULPABLE QUE SI SALÍAN NOTICIAS DE IRÁN, CAMBIABA DE CANAL.

AÚN ERA MÁS INSOPORTABLE.

¿VISTE LA TELE AYER? DEBES DE ESTAR PREOCUPADA.

¡NO, ESTOY BIEN! HE HABLADO CON MIS PADRES. ESTÁN BIEN.

MENTÍA. NO SABÍA NADA DE ELLOS, NI QUERÍA SABERLO.

QUERÍA OLVIDARLO TODO, HACER DESAPARECER MI PASADO, PERO MI SUBCONSCIENTE ME TENÍA ATRAPADA.

INCLUSO LLEGUÉ A NEGAR MI NACIONALIDAD.

DURANTE UNA FIESTA EN EL INSTITUTO.

HOLA, ME LLAMO MARC. ACABÉ EL BACHILLERATO EL AÑO PASADO. ¡TÚ ERES NUEVA! ¿CÓMO TE LLAMAS?

MARJANE. HACE UN AÑO QUE ESTOY AQUÍ.

¿Y DE DÓNDE VIENES, MARIE JEANNE?

SOY FRANCESA.

¿AH, SÍ? TIENES UN ACENTO RARO PARA SER FRANCESA.

¡BUENO! TENGO QUE IR A VER A MIS COLEGAS. HASTA LUEGO.

TENGO QUE DECIR QUE, EN AQUELLA ÉPOCA, IRÁN ERA EL MAL Y SER IRANÍ ERA DURO DE LLEVAR.

ERA MÁS FÁCIL MENTIR QUE ASUMIRLO.

¿QUIÉN ES ESE TÍO?

¿MARC? ES EL HERMANO DE ANNA, LA CHICA DEL JERSEY DE RAYAS. ES UN CABRÓN BURGUÉS. NO HAY QUE HABLAR CON ESA GENTE.

ESA NOCHE, AL VOLVER A CASA, ME ACORDÉ DE UNA FRASE QUE ME HABÍA DICHO MI ABUELA: "¡MANTÉN SIEMPRE TU DIGNIDAD Y TU INTEGRIDAD!"

AY, MAMI...

POR DESGRACIA, TODO SE ACABA SABIENDO. UNOS DÍAS MÁS TARDE, EN UN CAFÉ CERCANO AL COLEGIO.

LE DIJO A MI HERMANO QUE ERA FRANCESA.

¿Y TU HERMANO LA CREYÓ?

¡QUÉ DICES! ¿HAS VISTO CÓMO HABLA?

¿LE HAS VISTO LA JETA?

¿PERO TU HERMANO SE LA QUERÍA TIRAR O QUÉ?

¡QUÉ DICES!

AH, ESO ME TRANQUILIZA. CON LO FEA QUE ES, SERÍA INJUSTO QUE SE LO HICIERA CON UN TÍO COMO MARC.

¡JA! ¡JA! ¡JA! ¡ME SUICIDARÍA SI MI HERMANO SALIESE CON SEMEJANTE TRUCHA!

NO SÉ SI OS HABÉIS FIJADO EN QUE NO HABLA NUNCA DE SU PAÍS, NI DE SUS PADRES.

¡DESDE LUEGO! MIENTE CUANDO DICE QUE HA CONOCIDO LA GUERRA. LO DICE PARA HACERSE LA INTERESANTE.

DE TODAS FORMAS, SUS PADRES DEBEN DE PASAR DE ELLA, ¡SI NO NO LA HABRÍAN DEJADO SOLA!

ESO FUE DEMASIADO. SE ME HELÓ LA SANGRE.

¡SI NO CERRÁIS LA BOCA, OS LA CIERRO YO! ¡SOY IRANÍ Y ESTOY ORGULLOSA DE SERLO!

ESTÁ COMPLETAMENTE LOCA.

TENÍA GANAS DE MORIRME.

CAFÉ~

¿DÓNDE ESTABAN MIS PADRES PARA TOMARME EN SUS BRAZOS, PARA TRANQUILIZARME?

DE TODAS FORMAS, NO TENÍA POR QUÉ LLORAR.

ACABABA DE REIVINDICARME.

POR PRIMERA VEZ EN UN AÑO, ME SENTÍA ORGULLOSA DE MÍ.

ENTENDÍ LO QUE QUERÍA DECIR MI ABUELA: SI NO ME MANTENGO ÍNTEGRA, NO PODRÉ INTEGRARME NUNCA.

# EL CABALLO

JULIE Y SU MADRE DEJARON VIENA. ENTONCES ME FUI A VIVIR A UN WOHNGEMEINSCHAFT. EL WOHNGEMEINSCHAFT ES UNA VIVIENDA COMPARTIDA. PODÍA QUEDARME CUATRO MESES.

LA VENTANA DE MI HABITACIÓN.

MI HABITACIÓN.

ERA MUY LUMINOSA. HABÍA UNA CAMA DOBLE, UN ARMARIO Y UN ESCRITORIO. POR PRIMERA VEZ EN MUCHO TIEMPO TENÍA UN ESPACIO PRIVADO.

ESTABA REALMENTE BIEN.

EL RESTO DE INQUILINOS ERAN OCHO HOMBRES, TODOS HOMOSEXUALES.

FRANZ

ANDREAS

YO

MARTIN

MARKUS

KLAUS

MANFRED

JAN

DIETER

LLEVABA MÁS DE UN AÑO Y MEDIO EN AUSTRIA. HABÍA ABANDONADO MI LOOK PUNK. YA NO QUERÍA SER MARGINAL.

¡MARJANE! TU MADRE AL TELÉFONO.

¡VOY!

¡¿QUÉ?!

¡OH, MI MADRE, MI MADRE!

VIENE A VERME.

¿TU MADRE QUÉ?

¡ES GENIAL!

¿CUÁNDO?

DENTRO DE DOS SEMANAS.

AUNQUE LLEVABA DIECINUEVE MESES SIN HABER VISTO A MI MADRE, LOS QUINCE DÍAS DE ESPERA SE HICIERON ETERNOS. EL DÍA DE SU LLEGADA ME LAVÉ COMO NUNCA.

ME PLANCHÉ LA ROPA POR PRIMERA VEZ.

ME PUSE TAN GUAPA COMO PUDE PARA IR A BUSCARLA AL AEROPUERTO.

VI A LO LEJOS A UNA MUJER QUE SE LE PARECÍA. LA MISMA SILUETA, EL MISMO ANDAR, PERO CON EL PELO BLANCO. MI MADRE ERA MORENA.

CUANDO LA MUJER SE ACERCÓ, YA NO TUVE NINGUNA DUDA. ERA ELLA. ANTES DE QUE YO ME FUERA, MI MADRE SÓLO TENÍA ALGUNA CANA. ES INCREÍBLE EL EFECTO DEL TIEMPO.

¡MAMÁ! ¡MAMÁ!

?

NO SABÍA SI NO ME HABÍA RECONOCIDO O NO ME HABÍA OÍDO.

EN CUALQUIER CASO, NO SE PARÓ.

¡MAMÁ!

¿MARJI?

NO ME HABÍA RECONOCIDO POR UN MOTIVO: CASI HABÍA DOBLADO MI ESTATURA Y MI VOLUMEN.

AY, CARIÑO, ¡QUÉ GRANDE ESTÁS!

DUTY FREE SHOP

¡MAMÁ! ¡QUÉ BLANCA ESTÁS!

ME RESULTABA EXTRAÑO ABRAZARLA. NUESTRAS PROPORCIONES SE HABÍAN INVERTIDO.

CON EL PERMISO DE LOS DEMÁS, LA ACOGÍ EN MI CASA.

VIVO AQUÍ. YA VERÁS, TE GUSTARÁ. LOS OTROS INQUILINOS SON MUY AMABLES. ESTÁN DESEANDO CONOCERTE.

HOLA.

¿CÓMO ESTÁ?

BIENVENIDA

HOLA            HOLA

BUENOS DÍAS            ESTÁ EN SU CASA

ÉSTA ES MI HABITACIÓN. COMPARTIREMOS LA CAMA.

ESTÁ BIEN... NO HABÍA ENTENDIDO QUE LOS OTROS INQUILINOS FUERAN HOMBRES.*

* EN LA GRAMÁTICA PERSA, NO HAY GÉNEROS. MASCULINO Y FEMENINO SE CONFUNDEN.

ES INCREÍBLE CÓMO HAS CRECIDO.

NO LE REPETÍ QUE ELLA TAMBIÉN HABÍA CAMBIADO. A SU EDAD, NO SE CRECE, SE ENVEJECE.

¿Y CÓMO ES ESO DE VIVIR CON OCHO HOMBRES?

¡TRANQUILA, MAMÁ! SON TODOS HOMO-SEXUALES.

¿HOMOSEXUALES?

LO DIJE PARA TRANQUILIZARLA Y CREO QUE, A PESAR DEL IMPACTO, SE QUEDÓ MÁS TRANQUILA.

AUNQUE UN DÍA LA SORPRENDÍ ENSEÑÁNDOLE A FRANZ, QUE HABÍA CONOCIDO A UN IRANÍ, A DECIR "TE QUIERO" EN PERSA.

DOUSTÉTE DARAM, OUU... ¿ENTIENDES? OUU.

DÔSTETE DARAM.

¡NO! OUU...

EXPLICAR DIECINUEVE MESES EN UNOS POCOS DÍAS NO ES FÁCIL. TENÍAMOS MUCHO DE QUE HABLAR PARA RECUPERAR EL TIEMPO PERDIDO. A MENUDO TENÍAMOS CONVERSACIONES DESHILVANADAS.

DIME, ¿CÓMO ESTÁ PAPÁ? ¿QUÉ HACE?

SE OCUPA DEL GAS EN LOS PISOS DE TEHERÁN.

LE FRUSTRA UN POCO. YA SABES, TU PADRE ES UN ESPECIALISTA EN CONSTRUIR FÁBRICAS DE ACERO, PERO EN TIEMPO DE GUERRA NO SIRVE DE NADA CONSTRUIR.

¿PERO ESTÁ BIEN?

SÍ, ESTÁ BIEN. TE ECHA MUCHO DE MENOS, PERO SE ALEGRA DE QUE VIVAS AQUÍ, LEJOS DE LOS PROBLEMAS.

MAMÁ, ¿DÓNDE ESTÁ TU COLLAR?

MI MADRE LLEVABA SIEMPRE UN COLGANTE DE ORO QUE PAPÁ LE HABÍA REGALADO PARA SU DÉCIMO ANIVERSARIO DE BODAS.

ME LO HE DEJADO EN IRÁN. NO PODEMOS SACAR OBJETOS DE VALOR DEL PAÍS.

?

MÁS TARDE SUPE QUE ME HABÍA MENTIDO.

¿NO TE GUSTA LO QUE HE HECHO PARA COMER?

SÍ, SÍ, ME ENCANTA, PERO NO TENGO MUCHA HAMBRE.

ESO TAMBIÉN ERA MENTIRA. DESPUÉS DE ESE DÍA, NO ME DEJÓ COCINAR MÁS.

TOMA, UNA CARTA DE TU PADRE. NO LA HE ABIERTO YO, HAN SIDO LOS DE LA ADUANA DE TEHERÁN. ¡LO CONTROLAN TODO!

EN LA CARTA, SE ALEGRABA DE QUE LLEVARA UNA VIDA TRANQUILA EN VIENA.

SI TÚ SUPIE- RAS.

TUVE LA IMPRESIÓN DE QUE NO SE DABA CUENTA DE LO QUE YO TENÍA QUE SOPORTAR.

MI MADRE Y YO PASEÁBAMOS A MENUDO.

¿CÓMO VA EL PAÍS?

¡UF! LO DE SIEMPRE, BOMBARDEOS, ARRESTOS. ESTAMOS TAN ACOSTUMBRADOS QUE LA CALMA DE AQUÍ HASTA ME PESA UN POCO.

¿TE ACUERDAS DE LOS VECINOS, LOS KIANI? HAN COMPRADO UNA CASA EN DEMAVEND.* CUANDO SABEMOS QUE VA A HABER UNA OFENSIVA AÉREA, NOS REFUGIAMOS AHÍ. ALLÍ EL AIRE ES MÁS PURO. PASAMOS BUENOS RATOS.

* PUEBLO MONTAÑOSO AL NORTE DE TEHERÁN.

CÓMO ME GUSTA PASEAR SIN EL DICHOSO PAÑUELO EN LA CABEZA, SIN LA ANGUSTIA DE QUE ME ARRESTEN POR UN PAR DE MECHAS O POR LLEVAR LAS UÑAS PINTADAS.

NUNCA ME PREGUNTABA POR MI SITUACIÓN. SEGURAMENTE POR PUDOR Y POR MIEDO A MIS RESPUESTAS. SI SE HABÍA SACRIFICADO TANTO PARA QUE YO VIVIERA EN LIBERTAD, LO MÍNIMO QUE PODÍA ESPERAR ES QUE ME PORTARA BIEN.

CUANDO NOS FALTABAN LAS PALABRAS, LOS GESTOS VENÍAN A AUXILIARNOS.

LA HIJA ADORA A SU MADRE.

LA MADRE TAMBIÉN ADORA A SU HIJA.

ESTOY MUY CONTENTA DE VERTE TAN BIEN INSTALADA AQUÍ. AHORA HACE FALTA QUE HAGAS UN ESFUERZO, QUE LLEGUES A SER ALGUIEN. ME DA IGUAL LO QUE ACABES HACIENDO, SÓLO PROCURA SER LA MEJOR. AUNQUE SEAS BAILARINA EN UN CABARET, SIEMPRE ES MEJOR BAILAR EN EL LIDO QUE EN UN TUGURIO.

POR CIERTO, ¿SABES QUE TU TÍO MASSOUD SE HA INSTALADO EN ALEMANIA?

¿EN ALEMANIA? PERO SI ESTÁ AL LADO. ¿VENDRÁ A VISITARNOS?

ESTÁ MUY DEPRIMIDO. EN IRÁN ERA ALGUIEN: ¡"EL SEÑOR CONTABLE"! EN ALEMANIA, ES UN TURCO... A NUESTRA EDAD ES DIFÍCIL EMPEZAR DE CERO.

ME ACUERDO DE CUANDO VIAJÁBAMOS POR EUROPA. BASTABA CON ENSEÑAR EL PASAPORTE IRANÍ PARA QUE TE PUSIERAN LA ALFOMBRA ROJA. ENTONCES, ÉRAMOS RICOS. AHORA, CUANDO SABEN NUESTRA NACIONALIDAD, NOS REGISTRAN EN TODOS LADOS, COMO SI FUÉRAMOS TERRORISTAS. NOS TRATAN COMO A APESTADOS.

DÍAS DESPUÉS, EN EL CAFÉ HAWELKA.

DAME UN CIGARRILLO.

?!

ANDA, NO TE HAGAS LA TONTA, ¡YA SÉ QUE FUMAS!

¿POR QUÉ PIENSAS ESO?

¡HUELES A HUMO Y ADEMÁS HE VISTO UN PAQUETE DE CAMEL EN TU BOLSO!

¿HAS ESTADO HURGANDO EN MIS COSAS?

LLEVABA DEMASIADO TIEMPO VIVIENDO SOLA PARA CONSENTIR QUE SE INMISCUYERAN EN MI VIDA PRIVADA.

¡ANDA, DAME ESE PITILLO!

DECIDÍ NO DARLE IMPORTANCIA. SABÍA QUE SE IBA EN VEINTE DÍAS Y NO QUERÍA LAMENTAR NADA.

TOMA, TU CIGARRILLO.

QUIZÁ SEA IDIOTA HACER ESTA PREGUNTA AHORA, PERO ¿QUÉ PASÓ REALMENTE CON LAS MONJAS?

LO QUE TE DIJE.

ME DIJERON QUE LOS IRANÍES NO TENÍAN EDUCACIÓN Y YO LES CONTESTÉ QUE ELLAS ERAN TODAS UNAS PROSTITUTAS.

¡BIEN HECHO!

EN UNA SITUACIÓN NORMAL, SEGURAMENTE, ME HABRÍA ABRONCADO POR INSULTAR A LA GENTE.

¿NO VUELVAS A HACERLO, EH?

CLARO QUE NO.

CUANDO VES POCO A TUS PADRES, TODO SE PERDONA.

MI ESTANCIA EN EL WOHNGEMEINSCHAFT ERA SÓLO PROVISIONAL. TENÍA QUE BUSCAR OTRO SITIO.

MARJI, HE PASADO POR DELANTE DE LA UNIVERSIDAD. HE VISTO ANUNCIADA UNA HABITACIÓN EN EL DISTRITO 13.

FUIMOS ESE MISMO MEDIODÍA. HANSE NIESE WEG 1.

¡HOLA! SOY FRAU DOKTOR HELLER.

LA SEÑORA SATRAPI.

* ¡QUÉ GORDA ESTÁ!

TOME... EL ALQUILER ES DE DOS MIL SCHILLINGS.* PUEDE USAR LA COCINA Y EL BAÑO, COMPARTIDOS CON OTROS TRES INQUILINOS: DOS MÚSICOS INGLESES Y UN ESTUDIANTE DE ARQUITECTURA AMERICANO.

* 150 EUROS

LAS CONDICIONES NOS PARECÍAN BIEN.

CUIDE BIEN DE MI HIJA.

¡POR SUPUESTO, SEÑORA SATRAPI, POR SUPUESTO!

Y EN LA PARADA DEL TRANVÍA.

¿QUÉ TE HA PARECIDO EL TÉ?

¡AUTÉNTICO MEADO DE CABALLO!

¡ELLA TAMBIÉN PARECÍA UN CABALLO!

MPFRR

MFF

¡¡MEADO DE CABALLO DE LA CARA DE CABALLO!!

AÚN HOY ESA BROMA INFANTIL NOS HACE MUCHA GRACIA A MI MADRE Y A MÍ.

PASÉ VEINTISIETE DÍAS CON ELLA. SABOREABA LA COMIDA CELESTIAL DE MI PAÍS QUE PREPARABA MI MADRE. NO TENÍA NADA QUE VER CON LA PASTA.

ME ARROPABA TODAS LAS NOCHES PARA QUE ME DURMIERA.

HABLAR CON ELLA ME RELAJABA. HACÍA MUCHO QUE NO HABLABA CON ALGUIEN A QUIEN NO TUVIERA QUE EXPLICAR MI CULTURA.

LA NOCHE ANTES DE SU MARCHA...

CARIÑO, NO INSULTES A DOKTOR HELLER, ¿DE ACUERDO?

TE LO PROMETO.

CÓMPRATE FRUTA Y VERDURA. TIENES QUE COMER BIEN. ¡POR ALGO DICEN ESO DE "MENTE SANA EN CUERPO SANO"!

¡MIRA! HE HECHO UNOS BOCETOS DE LA ROPA QUE HAY EN LAS TIENDAS. TE VOY A HACER UN NUEVO VESTUARIO, QUE BUENA FALTA TE HACE.

DESDE MI LLEGADA A AUSTRIA NO ME HABÍA COMPRADO NADA Y, EN VISTA DE MI CRECIMIENTO, MIS TRAPOS VIEJOS YA NO ME IBAN BIEN.

DESPUÉS VINO EL TERRIBLE DÍA DE LA DESPEDIDA. ESTABA TRISTE, PERO BUENO, YA EMPEZABA A ACOSTUMBRARME A LAS SEPARACIONES.

MI MADRE SE FUE.

ESTOY SEGURA DE QUE VIO LA ANGUSTIA DE MI SOLEDAD, Y AUNQUE LO ESCONDIERA E HICIERA COMO SI NADA, ME DEJÓ UN EQUIPAJE AFECTIVO QUE ME AYUDÓ EN LOS MESES SIGUIENTES.

# ESCONDITE

LA CASA DE FRAU DOKTOR HELLER ERA UN VIEJO CHALÉ CONSTRUIDO POR SU PADRE, UN ESCULTOR BASTANTE CONOCIDO EN LOS AÑOS TREINTA. LA GRAN TERRAZA QUE DABA AL JARDÍN ERA MI RINCÓN PREFERIDO. ALLÍ PASABA MOMENTOS MUY AGRADABLES.

SÓLO LOS EXCREMENTOS DE VICTOR, EL PERRO DE FRAU DOKTOR HELLER, ROMPÍAN ESTA ARMONÍA.

DEFECABA EN MI CAMA UNA MEDIA DE UNA VEZ POR SEMANA.

¡DOKTOR HELLER!

¿SE DA CUENTA? ES LA QUINTA VEZ EN UN MES. ¡ES INACEPTABLE! ¡EDÚQUELO DE UNA VEZ!

SÍ, ¡CLARO! VOY A CAMBIAR LAS SÁBANAS.

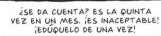

A MENUDO ME OLVIDABA DE QUE ERA DEMASIADO VIEJO PARA APRENDER NADA.

¡ES USTED MUY MANIÁTICA!

?!

TODOS MIS AMIGOS HABÍAN DEJADO EL INSTITUTO. JULIE ESTABA EN ESPAÑA, THIERRY Y OLIVIER HABÍAN VUELTO A SUIZA, Y A MOMO LO HABÍAN EXPULSADO. ESTABA SOLA EN LA ESCUELA, PERO ME DABA IGUAL.

MI FALTA DE INTERÉS POR LOS DEMÁS ME HACÍA MÁS INTERESANTE.

¿CÓMO VA, MARJANE?

¡BIEN, BIEN!

DESPUÉS DE HABER VISTO A MI MADRE, NO NECESITABA A NADIE.

BUENO, CASI.

¿QUIERES QUE VOLVAMOS JUNTAS?

¡NO! VIENE A BUSCARME MI NOVIO.

SE LLAMABA ENRIQUE. LO HABÍA CONOCIDO A TRAVÉS DE DIETER, UNO DE MIS ANTIGUOS COMPAÑEROS DE PISO.

72328

?!  !!!

¡iiiiii!

ENRIQUE ERA MEDIO AUSTRÍACO, MEDIO ESPAÑOL.

¿QUÉ TE PARECE SI VAMOS A UNA FIESTA ANARQUISTA ESTE FIN DE SEMANA?

¡VALE! ME ENCANTARÍA.

ENRIQUE TENÍA VEINTE AÑOS Y TOCABA EL PIANO.

ME GUSTABA MUCHO.

SEREMOS UNAS VEINTE PERSONAS, ¡MOLARÁ MUCHO!

¿LOS CONOCES A TODOS?

SÍ.

EL HECHO DE QUE CONOCIERA A ANARQUISTAS DE VERDAD HIZO QUE CRECIERA MI AFECTO POR ÉL.

¡"UNA FIESTA DE ANARQUISTAS REVOLUCIONARIOS"! ME RECORDABA EL COMPROMISO Y LOS COMBATES DE MI INFANCIA EN IRÁN. ADEMÁS, QUIZÁ ME SERVIRÍA PARA CONOCER MEJOR A BAKUNIN.

¡ABAJO LOS BURGUESES!

¡VIVA BAKUNIN!

CONTABA LAS HORAS.

POR FIN LLEGÓ EL GRAN DÍA.

DESPUÉS DE UNA HORA Y MEDIA DE RUTA, NOS PARAMOS EN MITAD DEL BOSQUE.

VI DE LEJOS A UN GRUPO DE GENTE ADULTA PERSIGUIÉNDOSE Y GRITANDO:

¡QUE TE COJO!

¡NO ME COGERÁS!

¡CÓGE-ME SI PUEDES!

?!

QUÉ DECEPCIÓN... MI ENTUSIASMO FUE SUSTITUIDO RÁPIDAMENTE POR UN PROFUNDO SENTIMIENTO DE ASCO Y DE DESPRECIO.

¿AQUÉLLOS ERAN LOS ANARQUISTAS?

¿QUÉ, TE GUSTA?

...

EN ESE PRECISO INSTANTE, MI AMOR POR ENRIQUE SUFRIÓ UN DURO GOLPE.

VENGA, VAMOS A JU- GAR CON LOS DEMÁS.

...

VENGA, YA VERÁS, ¡LO PASAREMOS BIEN!

NO TENGO MUCHAS GANAS DE FIESTA.

ENRIQUE INSISTIÓ Y AL FINAL CEDÍ.

JUGAMOS AL ESCONDITE.

Y A VOLEIBOL.

PARA ACABAR LA VELADA, FREÍMOS SALCHICHAS MIENTRAS CANTÁBAMOS JANIS JOPLIN.

LAS SALCHICHAS Y LA MÚSICA ESTABAN MUY BUENAS... VOLVÍA A ESTAR ENAMORADA.

DESPUÉS NOS FUIMOS A ACOSTAR.

VENGA, BUENAS NOCHES.

¡DULCES SUEÑOS!

¿VAMOS A DORMIR TODOS AQUÍ?

ME MOLESTABA DORMIR CON ENRIQUE DELANTE DE TODA ESA GENTE. YO VENÍA DE UNA CULTURA EN LA QUE HASTA LOS ABRAZOS EN PÚBLICO SE CONSIDERABAN UN ACTO SEXUAL.

MARJANE, TE PRESENTO A INGRID.

ENCANTADA, MARJANE. ARRIBA HAY UNA HABITACIÓN. PODÉIS INSTALAROS ALLÍ, SI QUERÉIS.

GRACIAS, MUY AMABLE.

ES MONA TU CHICA.

LO SÉ.

BUENAS NOCHES, TORTOLITOS.

HASTA ESA NOCHE, MI RELACIÓN CON ENRIQUE HABÍA SIDO ESTRICTAMENTE PLATÓNICA. YO HABÍA CRECIDO EN UN PAÍS EN EL QUE EL ACTO SEXUAL NO SE CONSUMABA HASTA EL MATRIMONIO. PARA ENRIQUE, NO ERA UN PROBLEMA. NOS CONFORMÁBAMOS CON TIERNOS BESOS.

PERO AQUELLA NOCHE ERA DISTINTO. ME SENTÍA PREPARADA PARA PERDER MI INOCENCIA.

ME DA IGUAL SI NINGÚN IRANÍ SE QUIERE CASAR CONMIGO. ¡VIVO EN EUROPA Y ME CASARÉ CON UN EUROPEO!

NO QUERÍA SEGUIR SIENDO UNA VIRGEN ASUSTADA.

POR DESGRACIA,
AL DÍA SIGUIENTE SEGUÍA
IGUAL DE VIRGEN Y ASUSTADA
QUE LA NOCHE ANTERIOR.

TAP TAP

INTENTÉ AFRONTARLO
LO MEJOR QUE PUDE.

¡ES CULPA MÍA! PORQUE
SOY FEA. SEGURAMENTE
NO HA QUERIDO POR ESO.

NO ENCONTRABA OTRA EXPLICACIÓN.

¡SOY FEA, APESTOSA,
MAL HECHA, PELUDA!

FUI A BUSCARLO PARA
HABLAR CON ÉL.

?!! ¡INGRID!

ACABABA DE ENCONTRAR OTRA EXPLI-
CACIÓN: "ESTABA ENAMORADO DE INGRID".

BUENOS DÍAS, CIELO.
NO HE QUERIDO DESPERTARTE,
DORMÍAS TAN PLÁCIDAMENTE...
¿ESTÁS BIEN?

SÍ.

TENGO COSAS QUE HACER.
HASTA LUEGO.

HASTA AHORA.

¿POR QUÉ ESTÁS TAN TRISTE?

YA LO SÉ. VEN, TENGO
QUE HABLAR CONTIGO.

AHORA ME
VA A DECIR
QUE SE VA A
CASAR CON
ESA GORDA.

VEN...

ME VA A
DECIR QUE ES
EL GRAN AMOR
DE SU VIDA, QUE
YO SOY COMO UNA
HERMANA
PARA ÉL.

MARJANE, TE ADORO. GRACIAS A TI HE DESCUBIERTO ALGO MUY IMPORTANTE.

TE ESCUCHO.

NO SE LO HE DICHO A NADIE. QUIERO COMPARTIR EL SECRETO PRIMERO CONTIGO.

¿DE VERDAD? ¿NO SE LO HAS DICHO NI A INGRID?

¡NO!

AHÍ VA, CREO QUE SOY HOMOSEXUAL.

¿QUÉ? ¿TÚ TAMBIÉN?

ERA INCONCEBIBLE. PRIMERO MIS OCHO COMPAÑEROS DE PISO Y AHORA MI NOVIO. COMO SI TODOS LOS HOMBRES QUE CONOCÍA SE AMARAN ENTRE SÍ.

SI NO HA FUNCIONADO CONTIGO, ¡NO FUNCIONARÁ CON NINGUNA!

NO HE SABIDO NUNCA LO QUE ERA... HAS DESPEJADO TODAS MIS DUDAS.

TE JURO QUE NO ES POR TI. TE ENCUENTRO DIVERTIDA, ATRACTIVA, DULCE; ¡SOY YO! TE LO PROMETO, SOY YO.

EN PARTE AQUELLO ME TRANQUILIZABA. ADMITÍA MÁS FÁCILMENTE QUE FUERA GAY QUE NO QUE PREFIRIERA A INGRID O QUE ME ENCONTRARA FEA.

ME ALEGRO POR TI.

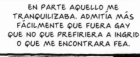

¿QUÉ OTRA COSA PODÍA DECIR?

PROMÉTEME QUE SIEMPRE SEREMOS AMIGOS.

TE LO PROMETO.

LE DI MI PALABRA PERO ERA DEMASIADO JOVEN PARA MANTENERLA. ESTE AMOR CASTO ME FRUSTRÓ MÁS DE LO QUE ME AYUDÓ. QUERÍA AMAR Y SER AMADA DE VERDAD.

# LOVE STORY

PERDÍ DE VISTA A ENRIQUE, PERO SUS AMIGOS ANARQUISTAS ME ADOPTARON. MI VIDA SE REPARTÍA ENTRE ELLOS, EL INSTITUTO Y LA CASA DE FRAU DOKTOR HELLER.

LICEO FRANCÉS DE VIENA

LA VIDA EN LA COMUNA IBA ACOMPAÑADA DEL USO DE TODO TIPO DE ESTUPEFACIENTES: HIERBA, COSTO...

LOS VIAJES QUE ME PEGABA EL FIN DE SEMANA SE REFLEJABAN EN MI CARA.

MI PROFESOR DE FÍSICA, YONNEL ARROUAS, ESTABA PREOCUPADO POR MÍ.

MARJANE, ¿ESTÁS BIEN? PODEMOS HABLAR SI QUIERES.

...

EN MI TIERRA, ESTÁN EN GUERRA. TENGO MIEDO POR MIS PADRES. ME SIENTO SOLA Y CULPABLE. NO TENGO MUCHO DINERO. A MI TÍO LO ASESINARON. HE VISTO MORIR A UNA AMIGA EN UN BOMBARDEO...

TENÍA LA SENSACIÓN DE QUE NO ME CREÍA. DEBÍA DE PENSAR QUE EXAGERABA.

DE TODAS FORMAS, CONTINUÉ. TENÍA MUCHAS GANAS DE HABLAR.

ADEMÁS, VIVO CON UNA LOCA, MI NOVIO...

BUENO, ESTÁ BIEN, YA LO HE ENTENDIDO. ¿QUIERES VENIR A COMER A MI CASA EL SÁBADO? MI MADRE TAMBIÉN ESTARÁ.

ACEPTÉ.

EN SU CASA JUGUÉ CON SUS DOS GEMELAS, JOHANNA Y CAROLINA.

¡MARIANE!
¡MARIANE!
¡MARIANE!
¡MARIANE!

¡CUCÚ!

HABLÉ LARGAMENTE CON LA MADRE DE MI PROFE, LA SEÑORA ARROUAS, UNA FRANCESA DE ORIGEN JUDEOMARROQUÍ.

TE ENTIENDO, ES DURO. ¡TIENES QUE HACER EL TRIPLE DE ESFUERZO QUE LOS DEMÁS PARA SALIR ADELANTE! ¡ESO ES SER INMIGRANTE! YO TAMBIÉN LO VIVÍ CUANDO LLEGUÉ A FRANCIA.

TIENES QUE SER FUERTE. TODO IRÁ BIEN. ESPERO QUE VOLVAMOS A VERNOS.

PERO NO NOS VIMOS NUNCA MÁS. A LA MUJER DE YONNEL NO LE GUSTABA. DEBÍA DE PENSAR QUE ERA UNA CUENTISTA. POR ESO NO VOLVIERON A INVITARME.

DESPUÉS DE MI DECEPCIÓN AMOROSA CON ENRIQUE, ENTENDÍ MEJOR A JULIE CUANDO HABLABA DE LOS NEFASTOS EFECTOS QUE EL AMOR PLATÓNICO TENÍA SOBRE SU MADRE. HABÍA COMPRENDIDO LA NECESIDAD DE UNA RELACIÓN CARNAL. ¿PERO CÓMO HACERLO DESPUÉS DE AQUELLO? ME SENTÍA AÚN MÁS HORRIBLE Y CON MENOS CONFIANZA EN MÍ MISMA.

Y EN ÉSAS, LLEGÓ A CLASE UN NUEVO ALUMNO. SE LLAMABA JEAN PAUL. ME GUSTABA.

MARJANE, ¿QUIERES TOMAR ALGO ESTE FIN DE SEMANA?

¿TÚ Y YO?

¿QUIÉN SI NO?

¿CUÁNDO?

BUENO, EL FIN DE SEMANA, EL SÁBADO, POR EJEMPLO.

QUEDAMOS EN EL CAFÉ EUROPA A LAS 18:00.

ME PUSE MIS MEJORES GALAS. ESTABA TAN NERVIOSA QUE LLEGUÉ UNA HORA ANTES.

ÉL, CON MEDIA HORA DE RETRASO.

POR FIN, ¡AQUÍ ESTÁ!

¡HOLA! ¿QUÉ LEES?

AH, ERES TÚ, NO TE HABÍA VISTO.

¿HACE MUCHO QUE ESPERAS?

NO, ACABO DE LLEGAR.

...

...

ME GUSTABA MUCHO.

¿VA TODO BIEN?

SÍ, SÍ, MUY BIEN. ¿Y TÚ?

YO, BIEN. PERO ES QUE... SABES, TENGO UNA GRAN CARENCIA DE AFECTO.

?

ESPERABA CONMOVERLO PARA QUE ME COGIERA LA MANO POR ENCIMA DE LA MESA Y ME DIJERA: "NO TE PREOCUPES, YO CUBRIRÉ TODAS TUS CARENCIAS".

EN LUGAR DE ESO, ME DIJO:

AL QUE SABE ESPERAR, TODO LE LLEGA.

?

NO ENTENDÍ BIEN A QUÉ SE REFERÍA.

...ASÍ QUE ESPERÉ...

Y DESPUÉS DE UN CUARTO DE HORA DE ESPERA.

MIRA, NO HE ENTENDIDO BIEN LA ÚLTIMA CLASE DE MATES, LA DE LOS LOGARITMOS. QUIERO HACERTE ALGUNAS PREGUNTAS.

??!!!

TENÍA QUE MANTENER LA COMPOSTURA. SE LO EXPLIQUÉ TODO CON MUCHA NATURALIDAD.

POR EJEMPLO, EL LOGARITMO DE 100 IGUAL A 2 PORQUE 10 ELEVADO A 2 IGUAL A 100...

ESTUVIMOS JUNTOS HASTA LAS 9 DE LA NOCHE HABLANDO DE FUNCIONES Y TRIGONOMETRÍA.

HAS SIDO MUY AMABLE. GRACIAS, HASTA LUEGO.

¿PERO QUÉ TE HAS CREÍDO, POBRE IMBÉCIL? ¿CREES QUE UN CHICO COMO ÉL PUEDE INTERESARSE POR UNA CHICA COMO TÚ?

¡QUÉ IDIOTA! ¿CÓMO HABÍA PODIDO HACERME ILUSIONES?

AL SIGUIENTE FIN DE SEMANA, DE VUELTA EN LA COMUNA.

¿DÓNDE HAS ESTADO LAS DOS ÚLTIMAS SEMANAS? ¿POR QUÉ NO HAS VENIDO A VERNOS?

UNO DE MIS PROFES ME INVITÓ A COMER A SU CASA Y LA SEMANA PASADA QUEDÉ CON UN COMPAÑERO.

INGRID, MI ANTIGUA ENEMIGA, SE HABÍA CONVERTIDO EN UNA GRAN AMIGA. ELLA ME ENSEÑÓ MEDITACIÓN TRASCENDENTAL. CON ELLA PASÁBAMOS EL RATO MEDITANDO.

O DELIRANDO.

NO SIEMPRE ME GUSTABA, PERO PREFERÍA ABURRIRME CON ELLA QUE SOPORTAR MI SOLEDAD Y MIS DECEPCIONES.

POCO A POCO, ME FUI CONVIRTIENDO EN EL RETRATO DE DORIAN GRAY. CUANTO MÁS TIEMPO PASABA, MÁS MARCADA ESTABA.

PERO A ALGUNOS LES GUSTABA ESTA DECADENCIA. ASÍ CONOCÍ AL PRIMER GRAN AMOR DE MI VIDA.

¡EH! ¡MARJANE!

SE LLAMABA MARKUS. ESTABA EN ÚLTIMO CURSO DE LITERATURA. AL MENOS SABÍA QUE NO QUERÍA VERME PORQUE TUVIERA PROBLEMAS CON LAS MATEMÁTICAS.

¿QUÉ HACES ESTE SÁBADO?

ME VOY AL CAMPO A VER A MIS AMIGOS. ¿POR QUÉ?

¿QUIERES QUE VAYAMOS A UNA DISCOTECA?

SÍ, POR QUÉ NO.

AQUELLA VEZ NO HICE NINGÚN ESFUERZO: NO ME PUSE MI MEJOR ROPA Y LLEGUÉ CON UNA HORA DE RETRASO.

YA NO TE ESPERABA. PENSABA QUE NO VENDRÍAS. ME ALEGRO DE QUE ESTÉS AQUÍ. ¿QUIERES BAILAR?

NO, NO ME GUSTA. ADEMÁS, NO ME GUSTAN LAS DISCOS.

DE TODAS FORMAS, BAILAMOS.

¡QUÉ GUAPA ESTÁS ESTA NOCHE!

QUÉ MENTIROSO.

APARTE DE QUE LOS DOS ÉRAMOS HIJOS ÚNICOS, NO TENÍAMOS NADA EN COMÚN. ESTABA INCÓMODA.

POR SUERTE, ESTA PATÉTICA SITUACIÓN NO DURÓ MUCHO. LA DISCO CERRABA A LAS 2:30 DE LA MAÑANA.

SI QUIERES, TE ACOMPAÑO A CASA, PERO ANTES TENGO QUE LLENAR EL DEPÓSITO. ¿PAGAMOS A MEDIAS?

VALE.

YA NO ME SORPRENDÍA NADA. HASTA PAGAR LA GASOLINA PARA QUE MI QUERIDO CABALLERO ME LLEVARA A CASA ME PARECÍA NORMAL.

LO QUE ME ENCANTA DE TI ES TU LADO REBELDE Y ESA INDOLENCIA NATURAL.

GRACIAS.

Y ENTONCES...

LAS COSAS LLEGAN SIEMPRE CUANDO MENOS LAS ESPERAS. AQUELLO ERA LA FELICIDAD.

POR FIN TENÍA UN NOVIO DE VERDAD. ESTABA CONTENTA. UNA NOCHE EN CASA DE MARKUS.

VOY A ESCRIBIR UNA OBRA DE TEATRO.

¿AH, SÍ? ME GUSTARÍA PARTICIPAR.

CUANDO, DE REPENTE.

WAS MACHT SIE HIER? SIE MUSS RAUS GEHEN!

ERA SU MADRE. MARKUS NO TENÍA PADRE. PENSABA QUE YO NO ENTENDÍA EL ALEMÁN. LE DECÍA QUE TENÍA QUE IRME "RAUS", FUERA.

YA ME HABÍAN GRITADO ESTA PALABRA AMENAZANTE EN EL METRO.

DU SCHEISS AUSLÄNDERIN, GEH RAUS!

UN VIEJO QUE ME HABÍA DICHO: "¡SUCIA EXTRANJERA, LARGO!". LO HABÍA OÍDO OTRAS VECES POR LA CALLE, PERO PROCURABA NO TOMÁRMELO EN SERIO. PENSABA QUE ERA LA REACCIÓN DE UN POBRE HOMBRE.

PERO ESTO ERA DISTINTO. NO ERA NI UN VIEJO ROTO POR LA GUERRA NI UN JOVEN IDIOTA. ERA LA MADRE DE MI NOVIO LA QUE ME AGREDÍA. DECÍA QUE USABA A MARKUS Y SU SITUACIÓN PARA OBTENER UN PASAPORTE AUSTRÍACO. Y QUE ERA UNA BRUJA.

NO DEBÍA DE HABERSE MIRADO NUNCA AL ESPEJO.

LASS UNS IN RUHE!

ME ORDENÓ QUE LOS DEJARA TRANQUILOS, A ELLA Y A SU HIJO.

RAUS! ICH SAGE RAUS!!

DESPUÉS ME ENSEÑÓ LA PUERTA.

VENGA, VETE. MAÑANA IRÉ A TU CASA.

MARKUS DEBÍA DE SUFRIR AÚN MÁS QUE YO. TENÍA QUE SACRIFICAR LA RELACIÓN CON SU MADRE PARA VERME. NO QUERÍA QUE SUCEDIERA ESO. ANTES ME MATO.

EN MI CASA, NO IBA MUCHO MEJOR.

¿NO TIENES NADA PARA FUMAR?

NO, DESDE QUE NO VEO A INGRID...

¿QUÉ MIERDA! MI MADRE ME HA REDUCIDO LA PAGA.

¿AH, SÍ?

GEH RAUS!

HIER IST NICH EIN NUTTEN HAUS!*

\* ESTO NO ES UN BURDEL.

¿QUÉ SE CREE? ¿QUE NO SÉ NADA DE SU "PROSTITUCIÓN SECRETA"?

¿NO LE DA VERGÜENZA? ¡ES MI NOVIO!

¡SÍ, CLARO! YA SE NOTA.

¿QUÉ? ¿PARA USTED, LOS VERDADEROS AUSTRÍACOS NO SALEN CON CHICAS COMO YO? ¿VERDAD?

¡USTED SERÍA UNA GRAN PACIENTE PARA FREUD!*

FRAU DOKTOR HELLER TENÍA UN CEREBRO RETORCIDO. ERA UNA AUTÉNTICA PSICÓPATA, ¡UNA LOCA! TENÍA MUCHAS GANAS DE INSULTARLA PERO LE HABÍA PROMETIDO A MI MADRE QUE NO LO HARÍA.

LA INSULTÉ MUY FUERTE EN PERSA.

دکتر هلر، انت ستفرا !!

ELLA NO ENTENDÍA NADA Y YO ME DESAHOGABA.

\* ACABABA DE LEERME TRES ENSAYOS SUYOS SOBRE LA TEORÍA DE LA SEXUALIDAD.

MARKUS Y YO NO SABÍAMOS ADÓNDE IR. A MENUDO NOS QUEDÁBAMOS EN SU COCHE, FUMANDO PETARDOS PARA DISTRAERNOS.

MIRA, ME HAN DICHO QUE EN ESTE CAFÉ SE PUEDE COMPRAR COSTO A BUEN PRECIO. ¿QUIERES IR A VER? NO ENCUENTRO APARCAMIENTO.

¡VALE!

TOMA, 200 SCHILLINGS.

NO ES NECESARIO, TENGO DINERO.

BAJÉ. TENÍA MUCHO MIEDO. ERA LA PRIMERA VEZ QUE PONÍA LOS PIES EN UN SITIO TAN SÓRDIDO.

CAFÉ CAMERA

NO ERA PARA TANTO. DESPUÉS DE TODO, LO HACÍA PARA MI AMOR.

PERDONE, QUIERO 200 NAPOS DE CHOCOLATE.

SÍGUEME.

TOMA.

GRACIAS.

MARKUS SE SENTÍA ORGULLOSO DE MÍ. TAN ORGULLOSO QUE LE CONTÓ A TODO EL INSTITUTO QUE YO TENÍA CONTACTOS EN EL CAFÉ CAMERA.

ASÍ ES COMO, POR AMOR, EMPECÉ MI CARRERA DE REVENDEDORA DE DROGA. ¿ACASO NO ESTABA SIGUIENDO LOS CONSEJOS DE MI MADRE? ¿NO DABA LO MEJOR DE MÍ MISMA? YA NO ERA UNA SIMPLE YONKI, ERA EL CAMELLO OFICIAL DE TODO EL INSTITUTO.

# EL CRUASÁN

POR SUERTE, HABÍA TENIDO UNA EDUCACIÓN DEMASIADO SÓLIDA COMO PARA DESCARRIARME DEL TODO. AUNQUE FUERA CAMELLO, SEGUÍA ESTUDIANDO DURO. ESTABA ACABANDO PRIMARIA. IBA A HACER MI EXAMEN DE BACHILLERATO FRANCÉS.

CUANDO ESTUDIABA CON LOS DEMÁS, ME DABA CUENTA DE MIS LAGUNAS. NECESITABA UN MILÁGRO PARA APROBAR.

Y EL MILAGRO SE PRODUJO UNA NOCHE DE JUNIO, MIENTRAS DORMÍA.

EH, MARJI, EL TEMA DEL EXAMEN SERÁ EL ESCLAVISMO DE LOS NEGROS EN MONTESQUIEU.

A LA MAÑANA SIGUIENTE LLAMÉ A MI MADRE.

QUE LLAMÓ A DIOS, QUE A SU VEZ LE ENVIÓ UN MENSAJE AL EXAMINADOR.

CADA VEZ QUE LE HABÍA PEDIDO A MI MADRE QUE REZARA POR MÍ, MI DESEO SE HABÍA CUMPLIDO.

¿LE GUSTA EL SIGLO XVIII?

SÍ.

¿LE GUSTA MONTESQUIEU?

SÍ.

TIENE TREINTA MINUTOS PARA PREPARAR EL ESCLAVISMO DE LOS NEGROS EN MONTESQUIEU.

SAQUÉ UN 17, LA MEJOR NOTA DEL COLEGIO.

DESPUÉS LLEGÓ EL VERANO. A DECIR VERDAD, NO GANABA NADA TRAFICANDO PORQUE LO HACÍA SOBRE TODO PARA AYUDAR. ASÍ QUE ME PUSE A BUSCAR TRABAJILLOS.

A VECES ERA ABURRIDO.

A VECES, DIVERTIDO.

UN DÍA VI UN ANUNCIO EN EL PERIÓDICO: "EL CAFÉ SOLE BUSCA CAMARERA QUE HABLE TRES LENGUAS EUROPEAS".

HABLAS ALEMÁN, INGLÉS Y FRANCÉS. ESTÁ BIEN. ¿HAS TRABAJADO ANTES EN UN BAR?

SÍ.*

¡BIEN! EMPIEZAS MAÑANA. PERO... ¡CUIDADO! ¡EL CLIENTE SIEMPRE TIENE LA RAZÓN!

* MENTÍ.

EL CAFÉ SOLE ESTABA EN EL MEJOR BARRIO DE VIENA. ME PAGABAN BIEN, PERO EL TRATO CON LOS CLIENTES NO SIEMPRE ERA FÁCIL. A VECES TENÍA MUCHAS GANAS DE ABOFETEARLOS.

"EL CLIENTE SIEMPRE TIENE LA RAZÓN", "EL CLIENTE SIEMPRE TIENE LA RAZÓN"...

SIN EMBARGO, TENÍA UNA ALIADA, SVETLANA, LA COCINERA YUGOSLAVA.

¿QUÉ HAY, PEQUEÑA?

UN CAPULLO ME HA PELLIZCADO EL CULO.

DIME, ¿QUÉ HA PEDIDO ESE HIJO DE PUTA?

UN WIENER SCHNITZEL.*

¡PERDÓNAME, SEÑOR!

SPUT

¡YA ESTÁ! SE HA HECHO JUSTICIA.

ME HACÍA REÍR MUCHO. GRACIAS A ELLA, PUDE SEGUIR TRABAJANDO ALLÍ SIN LESIONAR EN SUS PARTES A CIERTOS HOMBRES.

* ESCALOPA VIENESA

ESTABA TAN OCUPADA QUE NI ME ACORDÉ DE LA VUELTA A CLASE.

¡MARJANE SATRAPI! TIENES QUE IR A VER AL DIRECTOR.

HE VISTO QUE HA SACADO EL MEJOR RESULTADO EN EL EXAMEN DE BACHILLERATO FRANCÉS. MI ENHORABUENA.

GRACIAS, SEÑOR.

SIÉNTESE.

MIRE USTED, EL USO DE CIERTAS SUSTANCIAS NO TIENE EL MISMO EFECTO SOBRE TODO EL MUNDO. PARA CIERTAS PERSONAS, LAS CONSECUENCIAS PUEDEN SER DEPLORABLES.

ME EXPLICO. TENEMOS UN AUTÉNTICO PROBLEMA CON EL CONSUMO DE CANNABIS EN ESTE INSTITUTO.

AQUEL O AQUELLA QUE LO ESTÉ SUMINISTRANDO A LOS ALUMNOS DE ESTA INSTITUCIÓN PUEDE SER SEVERAMENTE CASTIGADO.

USTED ES INTELIGENTE, Y ESPERO QUE NO ME OBLIGUE A COMENTÁRSELO UNA SEGUNDA VEZ.

NO, NO TENDRÁ QUE HACERLO.

RECUERDE, SATRAPI, ¡CONFÍO EN USTED!

SÍ, SÍ.

TUVE MUCHO MIEDO. FUE EL FIN DE MI "CARRERA".

CIERTO, YA NO VENDÍA DROGA PERO CADA VEZ CONSUMÍA MÁS. AL PRINCIPIO, MARKUS ESTABA MUY IMPRESIONADO.

¿OTRO? ¡SÍ QUE VAS FUERTE!

DESPUÉS ME SERMONEABA.

¡CIELOS! MIRA EN QUÉ TE ESTÁS CONVIRTIENDO.

Y AL FINAL, SE FUE DISTANCIANDO.

ESE LADO DECADENTE QUE TANTO LE HABÍA GUSTADO, ACABÓ IRRITÁNDOLO PROFUNDAMENTE.

HAY QUE DECIR QUE FUMABA DEMASIADOS PORROS. SIEMPRE TENÍA SUEÑO Y ME DORMÍA A MENUDO.

LA INTEGRAL DEFINIDA POR UNA FUNCIÓN F SOBRE...

MARJANE, ¿ESTÁ BIEN?

¿QUÉ?

¿ESTÁ BIEN?

¿QUÉ QUIERE QUE LE DIGA, SEÑOR? ¿QUE ME HE CONVERTIDO EN LA VERDURA QUE NO QUERÍA SER?

¿QUE ME HE DECEPCIONADO TANTO QUE YA NO PUEDO NI MIRARME EN EL ESPEJO? ¿QUE ME ODIO?...

VA TODO BIEN, SEÑOR. ESTOY UN POCO ENFERMA, ME SIENTO CANSADA.

ESTUVE EN ESE ESTADO DURANTE EL RESTO DEL AÑO ESCOLAR, PERO GRACIAS A LAS PLEGARIAS, ENVIADAS TODOS LOS DÍAS POR MI MADRE, OBTUVE, CON MÁS PENA QUE GLORIA, MI BACHILLERATO. ESO ME TRANQUILIZÓ.

ESTÁBAMOS EN 1988. MARKUS HABÍA EMPEZADO SUS ESTUDIOS DE TEATRO, YO ME HABÍA INSCRITO EN LA FACULTAD DE TECNOLOGÍA, PERO NO IBA NUNCA.

¿NO QUIERES QUE SAL- GAMOS?

NO TENGO TIEMPO, TENGO EXÁMENES DENTRO DE UNA SEMANA.

ESE MISMO AÑO, ME ENTERÉ DE QUE EL PRESIDENTE DE AUSTRIA SE LLAMABA KURT WALDHEIM.

A TRAVÉS DE MARKUS HABÍA CONOCIDO A OTROS ESTUDIANTES. QUEDÁBAMOS A MENUDO EN EL CAFÉ HAWELKA, DONDE DISCUTÍAMOS DE POLÍTICA.

ES GRAVE; ESTO ES EL RETORNO DEL NAZISMO.

NO HAY QUE EXAGERAR. WALDHEIM FUE ELEGIDO HACE UN AÑO Y MEDIO. SI HUBIESEN HABIDO CAMBIOS RADICALES, YA NOS HABRÍAMOS ENTERADO.

¿CÓMO PUEDES DECIR ESO? HEMOS PASADO DEL SOCIALISMO AL NAZISMO.

PERSONALMENTE, NO HABÍA NOTADO NINGUNA DIFERENCIA. LA PRIMERA VEZ QUE VI SKINHEADS FUE EN 1984. POR AQUEL ENTONCES, NO SABÍA QUÉ ERAN. ADEMÁS, HABLABA MUY POCO ALEMÁN, ASÍ QUE NO ENTENDÍ QUÉ QUERÍAN. ME PARECIERON HOSTILES, PERO DESPUÉS DE HABER CRECIDO ENTRE GUARDIAS DE LA REVOLUCIÓN, SABÍA DESENVOLVERME EN ESE TIPO DE SITUACIONES...

FUI MUY DISCRETA.

DESDE ENTONCES, NO HABÍA NOTADO QUE CRECIERAN EN NÚMERO.

CAPULLOS HAY EN TODAS PARTES. ¿CREÉIS QUE EN MI TIERRA NO HAY? SON DIEZ VECES MÁS FEROCES QUE LOS VUESTROS. ¡EN IRÁN, MATAN A LA GENTE QUE NO PIENSA COMO LOS DIRIGENTES!

ES INTERESANTE TENER UNA VISIÓN EXTERNA.

SÍ, ES VER- DAD...

DURANTE ESE PERÍODO, LOS ESTUDIANTES, COMO LA MAYORÍA DE LOS JÓVENES VIENESES, ESTABAN MUY POLITIZADOS. SE MANIFESTABAN A MENUDO CONTRA EL GOBIERNO. A VECES, ME UNÍA A ELLOS.

DECÍAN QUE LOS VIEJOS NAZIS ENSEÑABAN EL "MEIN KAMPF" EN SU CASA A LOS NEONAZIS DESDE EL PRINCIPIO DE LOS OCHENTA Y QUE PRONTO HABRÍA UNA SUBIDA DE LA EXTREMA DERECHA EN EUROPA.

ES INCREÍBLE LO COBARDE QUE ES LA GENTE. Y ESO QUE ESTAMOS EN VIENA. ¡IMAGINAOS CÓMO DEBE DE SER EN EL TIROL!

PERO SI YO ESTUVE EN EL TIROL Y ME PARECIERON MUY SIMPÁTICOS.

EL PADRE DE MI AMIGA ME HIZO UN MARCO...

PORQUE ERES UNA CHICA. SI FUERAS UN CHICO MORENO Y CON EL PELO RIZADO, NO HABRÍA SIDO IGUAL.

ME PREGUNTABA SI SE HABRÍAN SENTADO A MI LADO SI HUBIERA SIDO UN CHICO MORENO Y CON EL PELO RIZADO...

MARKUS NO PARTICIPABA EN NADA. SÓLO ESCRIBÍA SU OBRA DE TEATRO.

¿NO VIENES CON NOSOTROS?

EH... ¡NO! TENGO TRABAJO, NO TENGO TIEMPO.

ADEMÁS, NO SIRVE DE NADA. WALDHEIM HA SIDO ELEGIDO DEMO-CRÁTICAMENTE. ES LA VOLUNTAD DEL PUEBLO.

TCHRRI TCHRRI

¿Y TU CONCIENCIA? ¿QUÉ HACES CON TU CONCIENCIA?

ESCRIBO. LA CULTURA Y LA EDUCACIÓN SON LAS ARMAS DEFINITIVAS CONTRA CUALQUIER INTEGRISMO. HAY QUE EDUCAR A LA GENTE PARA QUE NO VOTE MÁS A LOS NAZIS.

¡SÍ, LOS INTELECTUALES SON DEMASIADO VALIOSOS PARA PERDER SU TIEMPO GRITANDO!

LO QUE TÚ DIGAS...

¡ES LA COBARDÍA DE LA GENTE COMO TÚ LA QUE FACILITA QUE HAYA DICTADURAS!

ESTAS DISCUSIONES ANUNCIABAN EL PRINCIPIO DEL FIN DE NUESTRA HISTORIA.

PERO TANTO ÉL COMO YO INTENTÁBAMOS SALVAR NUESTRA RELACIÓN. HACÍA CASI DOS AÑOS QUE SALÍAMOS JUNTOS. EL DÍA ANTES DE MI CUMPLEAÑOS...

UNA AMIGA ME HA INVITADO A GRAZ.

ESTÁ BIEN.

¿NO TE MOLESTA QUE NO PASE MI CUMPLEAÑOS CONTIGO?

NO, EN ABSOLUTO.

ASÍ CAMBIARÁS DE AIRES.

AQUELLO NOS IBA BIEN. A LO MEJOR LA DISTANCIA SALVABA NUESTRA RELACIÓN.

ME ECHARÁS DE MENOS, YA VERÁS...

BIEN, HOY VOY A DORMIR EN TU CASA. MAÑANA COJO EL TREN A LAS 7:30.

ESPERA, LA TUYA ESTÁ MÁS CERCA DE LA ESTACIÓN. SI VIENES CONMIGO, PERDERÁS EL TREN.

¡SÍ, TIENES RAZÓN!

CUANDO VUELVAS, LO CELEBRAREMOS JUNTOS.

ASÍ QUE DORMÍ EN MI CASA Y A LA MAÑANA SIGUIENTE...

...PERDÍ EL TREN.

DEBE DE SER UNA SEÑAL DEL DESTINO PARA QUE CELEBRE MIS DIECIOCHO AÑOS CON ÉL.

TUVE UNA BUENA IDEA: "LE DARÉ UNA SORPRESA, LE LLEVARÉ CRUASANES CALIENTES".

AH, SÍ, ¡QUÉ CHICA MÁS GUAY SOY!

ABRÍ SILENCIOSAMENTE PARA NO DESPERTARLO Y ASÍ SORPRENDERLO.

¡CUCÚ!

ANKER

ANKER

FUE COMO EN UNA PELÍCULA AMERICANA MALA. UNA DE ÉSAS EN QUE EL HOMBRE SORPRENDIDO SE TAPA CON LA MANTA POR PUDOR Y DICE:

¡ESPERA, PUEDO EXPLICÁRTELO TODO!

...NO ES LO QUE PARECE...

...TE QUIERO, MARJANE, TIENES QUE CREERME, TE QUIERO...

¡CAPULLO ASQUEROSO DE MIERDA!

¡CONQUE ÉSAS TENEMOS! ¡VENGA, LARGO!

ASÍ, OBEDECIENDO AL CAPULLO DE MARKUS, ME FUI. NO HE VUELTO A VERLO.

# EL PAÑUELO

MI RUPTURA CON MARKUS ERA MÁS QUE UNA SIMPLE SEPARACIÓN. ACABABA DE PERDER A MI ÚNICO APOYO AFECTIVO, LA ÚNICA PERSONA QUE SE PREOCUPABA POR MÍ, A LA QUE ESTABA MUY UNIDA.

NO TENÍA NI FAMILIA, NI AMIGOS. LO HABÍA APOSTADO TODO EN AQUELLA RELACIÓN. EL MUNDO SE DERRUMBABA ANTE MIS NARICES.

¡AH, AQUÍ ESTÁ! HE PERDIDO UN BROCHE. ESTOY SEGURA DE QUE USTED ME LO HA QUITADO.

¡DÉJEME EN PAZ, SE LO RUEGO!

NO SE VA A LIBRAR TAN FÁCILMENTE.

¡VÁYASE AL INFIERNO! ¡MÁRCHESE! ¡LA DETESTO, LA ODIO!

TODO ME RECORDABA A MARKUS. ESTE CUBRECAMA ERA SU REGALO DE ANIVERSARIO.

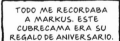

EL PÓSTER ME LO HABÍA COMPRADO EN LA EXPOSICIÓN DE PICASSO EN EL MUSEO DE ARTE MODERNO.

SU CAMISETA, ¡OH, SU CAMISETA!

APARTE DE ÉL, ¿QUIÉN MÁS SE HABÍA INTERESADO, SINCERAMENTE POR MÍ DURANTE AQUELLOS CUATRO AÑOS EN VIENA?

¿DÓNDE ESTABA MI MADRE PARA ACARICIARME EL PELO?

¿DÓNDE ESTABA MI ABUELA PARA DECIRME QUE TENDRÍA PRETENDIENTES A DOCENAS?

¿DÓNDE ESTABA MI PADRE PARA CASTIGAR A ESE CHICO QUE HABÍA OSADO HACER DAÑO A SU HIJA? ¿DÓNDE?

245

EN AQUELLA HABITACIÓN, TODO ME RECORDABA A MARKUS. NO PODÍA SOPORTARLO.

ASÍ QUE ME VESTÍ...

COGÍ EL BOLSO...

EL PASAPORTE, EL BILLETE DE AVIÓN QUE MIS PADRES ME HABÍAN REGALADO PARA VISITARLOS POR NAVIDAD Y ALGO DE DINERO.

¿ADÓNDE SE CREE QUE VA?

¡ADIÓS!

¡NO SE VA A LIBRAR TAN FÁCILMENTE!

¡QUE LE DEN!

¡LADRONA! ¡VOY A LLAMAR A LA POLICÍA! VOY A HACER ESTO Y AQUELLO...

CLAC

ERA EL 22 DE NOVIEMBRE. EL DÍA DE MI CUMPLEAÑOS. HACÍA UN FRÍO DE NARICES. ME QUEDÉ EN UN BANCO, INMÓVIL... MIRABA A LA GENTE QUE IBA AL TRABAJO...

...Y VOLVÍA...

Y DE NOCHE...

"LA NOCHE TRAE EL CONSUELO", ME DECÍA SIEMPRE MI ABUELA.

EFECTIVAMENTE, ME ACLARÓ MUCHAS COSAS. DE REPENTE, TUVE UNA REVELACIÓN.

MARKUS ES UN CERDO.

TODAS LAS VECES EN QUE, CON LA EXCUSA DE NO ENCONTRAR APARCAMIENTO, ME HACÍA BAJAR AL CAFÉ CAMERA...

...SABÍA PERFECTAMENTE QUE LA POLI A VECES HACÍA REDADAS.

NO LE HABRÍA IMPORTADO QUE ME ARRESTARAN.

Y LA VEZ QUE SU MADRE ME ABRONCÓ...

...¡HABRÍA PODIDO DEFENDERME EN VEZ DE MANDARME A CASA!...

...POR NO HABLAR DE LA PRIMERA VEZ QUE SALIMOS JUNTOS DE LA DISCO, CUANDO ME PIDIÓ QUE PAGARA LA GASOLINA Y UNA VEZ PAGADA ME DIJO:

LO QUE ME ENCANTA DE TI ES TU LADO REBELDE Y TU INDOLENCIA NATURAL.

ERA UN SUMISO, POR ESO DEBÍA DE IDENTIFICARSE CON MI LADO REBELDE.

¿CÓMO PUDE ESTAR TAN CIEGA? ¿QUÉ RELACIÓN? ¿QUÉ AMOR? ¿QUÉ APOYO? ¡¡QUÉ CAPULLO!!

ME DECÍA QUE SU MADRE LE HABÍA BAJADO LA PAGA.

NO SÉ CÓMO HACERLO. EMPIEZO LA FACULTAD DENTRO DE UN MES, SI ME PONGO A CURRAR AL MISMO TIEMPO, TARDARÉ DIEZ AÑOS EN ACABAR LA CARRERA.

NO TE PREOCUPES, YO TENGO ALGO AHORRADO.

ASÍ, EL DINERO QUE ME HABÍAN MANDADO MIS PADRES, CON EL QUE SE SUPONÍA QUE TENÍA QUE PASAR UN AÑO, SE ACABÓ EN TRES MESES.

¿LA CUENTA?

PARA MÍ.

NO ES POSIBLE. SU MADRE LO QUERÍA DEMASIADO PARA QUITARLE LA PAGA. ESTOY SEGURA DE QUE LE DABA DINERO. SE LO DEBÍA DE GASTAR TODO CON ELLA.

ESA CERDA ↑↑↑

ME PUSE RABIOSA.

HOY EN DÍA, CON LA PERSPECTIVA, NO LO CULPO. MARKUS TENÍA UNA HISTORIA, UNA FAMILIA, AMIGOS. YO SÓLO LO TENÍA A ÉL. QUERÍA QUE FUERA MI NOVIO, MI PADRE, MI MADRE, MI DOBLE.

LO HABÍA PROYECTADO TODO EN ÉL. NO TENÍA QUE SER FÁCIL PARA UN CHICO DE DIECINUEVE AÑOS.

QUÉ DESAS-TRE.

PASÉ MI PRIMERA NOCHE EN LA CALLE. LA PRIMERA DE TANTAS...

POR LA MAÑANA, COGÍ EL TRANVÍA.

DENTRO HABÍA DOS ASIENTOS MUY CÁLIDOS
PORQUE ESTABAN ENCIMA DEL MOTOR.
ME DORMÍ EN UNO DE ESOS ASIENTOS.
QUÉ DESCANSO.

VIVÍ A ESE RITMO CERCA DE UN MES: TIRADA DE NOCHE
Y DE DÍA DEJÁNDOME LLEVAR POR VIENA POR EL SUEÑO Y EL TRANVÍA.

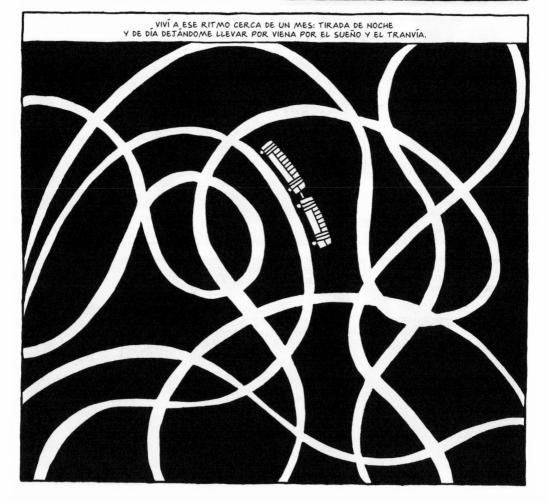

LOS AHORROS SE ME ACABARON PRONTO. NO TENÍA NI UN DURO.

ES INCREÍBLE LO RÁPIDO QUE SE PUEDE PERDER LA DIGNIDAD. ME VI FUMANDO COLILLAS.

BUSCANDO COMIDA EN LAS BASURAS.

YO, QUE ANTES NO QUERÍA NI PROBAR LA COMIDA DE OTRO PLATO.

EMPEZARON A CONOCERME Y ME ECHABAN DE LOS TRANVÍAS.

ASÍ QUE TUVE QUE ENCONTRAR UN RINCÓN RESGUARDADO PARA DORMIR. LAS NOCHES EN LA CALLE PODÍAN ACABAR MUY MAL PARA UNA CHICA JOVEN COMO YO.

NO TENÍA A NADIE. HABÍA PLANIFICADO TODA MI EXISTENCIA ALREDEDOR DE MARKUS. SEGURAMENTE POR ESO ESTABA TAN PERDIDA.

ERA IMPENSABLE QUE VOLVIERA A VER A ZOZO.

ME DA IGUAL. NUESTRO APARTAMENTO ES DEMASIADO PEQUEÑO.

NI A INGRID.

NOS DEJASTE TIRADOS POR UN TÍO QUE NI SIQUIERA MERECÍA LA PENA.

EN CUANTO A FRAU DOKTOR HELLER, NI HABLAR. PARA MÍ ERA LA REPRESENTACIÓN DEL MAL ABSOLUTO.

ESTUVE MÁS DE DOS MESES EN LA CALLE, EN PLENO INVIERNO.

COFF
COFF

PASABA MUCHO FRÍO.

COFF
COFF
COFF

ME PUSE ENFERMA.

COUFF
COUFF

EMPECÉ A TOSER UN POCO.

RRRM
CAFF
COFF

CADA VEZ MÁS.

MPF
CCOFF
COFF

CADA VEZ MÁS FUERTE.

CROUMPF
CROUF

LA TOS SE HIZO CONTINUA.

CRA
CRA

HASTA ACABAR ESCUPIENDO SANGRE.

COF
REUJ

Y FINALMENTE...

ME DESPERTÉ EN UN HOSPITAL. ERA UN MILAGRO. SI ME HUBIESE DESMAYADO DURANTE LA NOCHE, NADIE SE HABRÍA DADO CUENTA Y EL FRÍO GLACIAL SEGURAMENTE NO ME HABRÍA PERMITIDO CONOCER MI DESTINO.

HABÍA PASADO UNA REVOLUCIÓN EN LA QUE HABÍA PERDIDO A PARTE DE MI FAMILIA.

SOPLE, SOPLE.

HABÍA SOBREVIVIDO A UNA GUERRA QUE ME HABÍA ALEJADO DE MI PAÍS Y DE MIS PADRES...

PEDALEE LO MÁS RÁPIDO QUE PUEDA.

...Y UNA BANAL HISTORIA DE AMOR HABÍA ESTADO A PUNTO DE ACABAR CONMIGO.

LAS PRUEBAS SON SATISFACTORIAS. LE HEMOS HECHO UNA INSPECCIÓN COMPLETA.

VERÁ, HA COGIDO BRONQUITIS POR NO CUIDARSE. LE PROHÍBO QUE FUME. UN SOLO CIGARRILLO SUPONDRÍA UN GRAVE PELIGRO.

¿DÓNDE VIVE?

EN IRÁN

¿EN IRÁN?

SÍ, EN REALIDAD NO TENGO DIRECCIÓN EN VIENA.

CUÍDESE MUCHO.

¿PUEDO HACER UNA LLAMADA?

DE REPENTE, RECORDÉ UNA CONVERSACIÓN CON MI MADRE.

SABES, ZOZO ME DEBE TRES MIL SCHILLINGS. EN SU MOMENTO, SI TIENES EL VALOR NECESARIO, SE LO PUEDES RECLAMAR.

YA VEREMOS.

AUNQUE ME COSTARA LLAMAR A ZOZO, NO TENÍA ELECCIÓN. NO ME QUEDABA NI UN DURO.

DE ACUERDO, VENGO ESTE MEDIODÍA.

EL HOSPITAL ME HABÍA DADO ROPA LIMPIA. ESTABA PRESENTABLE.

BUENOS DÍAS.

BUENOS DÍAS.

CÓMO HAS CRECIDO. ¿DÓNDE TE HAS METIDO? TU TÍO MASSOUD VINO DE ALEMANIA PARA VERTE.

¿MI TÍO?

SÍ, ¡TU TÍO! REMOVIÓ CIELO Y TIERRA PARA ENCONTRARTE.

TUS PADRES TAMBIÉN. ME HAN LLAMADO DIEZ VECES.

¿MIS PADRES?

CLARO, ¿QUÉ TE CREES? ¿QUÉ PUEDES DESAPARECER DURANTE TRES MESES SIN QUE SE PREOCUPEN?

SI NO TUVIERAN QUE ESPERAR CUATRO MESES PARA OBTENER UN VISADO, YA ESTARÍAN AQUÍ.

TOMA, LOS TRES MIL SCHILLINGS, VOY A COGER EL TELÉFONO.

ES PARA TI, SON TUS PADRES.

¿MIS PADRES?

ACABABA DE PRODUCIRSE OTRO MILAGRO.

LA VOZ DE MI PADRE ERA DULCE Y REPOSADA.

-¿ERES TÚ, PAPÁ?

-CARIÑO, TE HEMOS BUSCADO POR TODAS PARTES.

-¿PUEDO VOLVER?

-CLARO, QUÉ PREGUNTA.

-PAPÁ, PROMÉTEME QUE NO ME PREGUNTARÁS NADA SOBRE ESTOS TRES MESES.

-TE LO PROMETO... TE PASO CON TU MADRE.

LA VOZ DE MI MADRE TAMBIÉN ERA TIERNA.

-ESTOY TAN CONTENTA...

-MAMÁ, POR FAVOR, NO LLORES.

-SON LÁGRIMAS DE ALEGRÍA.

-MAMÁ...

-VENGA, VUELVE A CASA, TE ESPERAMOS...

-MAMÁ...

-¡NADIE TE PREGUNTARÁ NADA! ¡PROMETIDO!

ANTES DE IRME, PASÉ POR CASA DE FRAU DOKTOR HELLER.

HE VENIDO A BUSCAR MIS COSAS.

¡AHÍ ESTÁN!

¿DÓNDE ESTÁ EL RESTO?

NO HAY RESTO. EL RESTO COMPENSARÁ EL BROCHE QUE ME ROBÓ.

NO CONTESTÉ. DE TODAS FORMAS, NO PODÍA LLEVAR CONMIGO CUATRO AÑOS DE MI VIDA.

ENCONTRÉ UN HOTEL NO MUY CARO. FALTABAN CINCO DÍAS PARA EL PRIMER VUELO A TEHERÁN.

POR FIN VOLVÍ A ENCONTRAR UN SITIO PRIVADO, ÍNTIMO.

A PESAR DE LAS ÓRDENES DEL DOCTOR, ME COMPRÉ UNOS CARTONES DE TABACO.

SE ESTÁ PONIENDO EN GRAVE PELIGRO...

CREO QUE PREFERÍA PONERME EN GRAVE PELIGRO QUE AFRONTAR MI VERGÜENZA. LA VERGÜENZA DE NO HABERME CONVERTIDO EN NADA, LA VERGÜENZA POR NO HABER CONSEGUIDO QUE MIS PADRES ESTUVIERAN ORGULLOSOS DESPUÉS DE TANTO SACRIFICIO. LA VERGÜENZA DE HABERME CONVERTIDO EN UNA MEDIOCRE NIHILISTA.

LOS CINCO DÍAS PASARON VOLANDO Y LOS CIGARRILLOS NO ACABARON CONMIGO. ME VESTÍ...

COGÍ MIS COSAS...

VOLVÍ A PONERME EL PAÑUELO...

...Y SE FUERON A TOMAR VIENTO MIS LIBERTADES INDIVIDUALES Y SOCIALES...

...TENÍA MUCHAS GANAS DE VOLVER A CASA.

# Libro 4

# EL RETORNO

DESPUÉS DE CUATRO AÑOS VIVIENDO EN VIENA, HEME AQUÍ DE VUELTA A TEHERÁN. EN CUANTO LLEGUÉ AL AEROPUERTO DE MEHRABAD Y VI AL PRIMER ADUANERO, SENTÍ INMEDIATAMENTE EL AIRE REPRESIVO DE MI PAÍS.

¿LLEVAS ALGO PROHIBIDO? REVISTAS DE MODA, CASE-TES, ALCOHOL, CERDO...

¡NO, SEÑOR!

¡PONTE BIEN EL VELO, HERMANA!

SÍ, HERMANO.

¡SIGUIENTE! ¡VENGA, MÁS RÁPIDO!

HERMANO Y HERMANA SON LOS TÉRMINOS QUE USAN LOS REPRESENTANTES DE LA LEY PARA DAR ÓRDENES A LA GENTE SIN OFENDERLES.

ERA UN CAOS. A CADA PASAJERO LE ESPERABAN UNAS DIEZ PERSONAS. DE GOLPE, EN MEDIO DE TANTA GENTE, DISTINGUÍ A MIS PADRES...

...PERO NO FUE RECÍPROCO. ¿QUÉ TIENE DE RARO? SE CAMBIA MÁS ENTRE LOS TRECE Y LOS DIECIOCHO QUE ENTRE LOS TREINTA Y LOS CUARENTA.

¡PAPÁ!

¡EH!! ¡¡MIRA!! ¡ES MARJI!

¿MARJ...?

¡QUERIDA, HIJA MÍA, AYY! ¡NO TE HABÍA RECONOCIDO!

SABÍA QUE HABÍA CRECIDO, PERO SÓLO ME DI CUENTA DE VERDAD CUANDO ESTABA ENTRE LOS BRAZOS DE MI PADRE. ÉL, QUE SIEMPRE ME HABÍA PARECIDO TAN IMPONENTE, ERA CASI DE MI ALTURA.

¡NO PUEDO CREER LO QUE VEO! DIME, ¿TIENES HAMBRE?

PAPÁ, YA SABES LO QUE ES VOLAR CON IRAN AIR. TE DAN DE COMER CINCUENTA VECES.

NOS SUBIMOS AL COCHE.

MI PADRE YA NO TENÍA EL CADILLAC, SINO UN RENAULT 5. AQUEL CADILLAC EN EL QUE ME AVERGONZABA SENTARME PORQUE RESULTABA DIFÍCIL ASUMIR SER MÁS RICA QUE LOS DEMÁS. AHORA QUE YO HABÍA PASADO ESTRECHECES, YA NO ME HACÍA ESE TIPO DE PLANTEAMIENTOS. DE HECHO, HABRÍA PREFERIDO QUE HUBIERAN VENIDO A BUSCARME CON UN COCHE MEJOR, COMO RECUERDO DEL ESPLENDOR PASADO.

NO TENÍA GANAS DE HABLAR. HACÍA COMO QUE MIRABA LA CIUDAD, AUNQUE ESTABA DEMASIADO OSCURO PARA VER NADA.

¡BIENVENIDA A TU CASA!

ERA LA FRASE MÁS RECONFORTANTE QUE HABÍA OÍDO EN MUCHO TIEMPO.

ME FUI DIRECTAMENTE AL SALÓN. EL SOFÁ EN EL QUE MIS PADRES ME DIJERON QUE ME ENVIABAN A AUSTRIA, TIEMPO ATRÁS, SEGUÍA ALLÍ.

LA IDEA DE ENTABLAR UNA CONVERSACIÓN SOBRE ESE TEMA ME PONÍA TAN NERVIOSA QUE ME FUI A MI HABITACIÓN GROSERAMENTE, SIN DECIR NI ADIÓS NI BUENAS NOCHES.

MI HABITACIÓN... ¡¡MI HABITACIÓN!!

POR FIN PODÍA DISFRUTAR DE UN SITIO PROPIO Y ESO ME TRANQUILIZÓ.

NO QUISE ENCENDER LA LUZ. NO PODÍA VOLVER A VERLO TODO DE GOLPE.

ME PASÉ BUENA PARTE DE LA NOCHE EN VELA, CONTENTA DE ESTAR ALLÍ.

Y A LA MAÑANA SIGUIENTE.

¡SÍ! ¡HA NEVADO!

EN VIENA, ODIABA LA NIEVE. SOBRE TODO CUANDO ME ENCONTRABA EN LA CALLE. LA NIEVE SE APRECIA MUCHO MÁS CUANDO LA MIRAS DESDE LA VENTANA DE UNA HABITACIÓN CALENTITA.

LE DI UN REPASO A MIS COSAS.

ANTES DE DEJAR IRÁN, VENERABA A LOS PUNKS HASTA EL PUNTO DE DIBUJAR UNO EN MI PARED.

¡PFFF! ¡QUÉ MIERDA!

DESPUÉS, HICE UN RECUENTO DE MIS PROPIEDADES. TENÍA UN ARMARIO VACÍO...

...UN ESCRITORIO DEMASIADO PEQUEÑO...

...UNA CAMA, UNA ALFOMBRA Y UN RADIOCASETE.

UN POCO DE KIM WILDE ME SENTARÁ BIEN.

MIRÉ EN EL CAJÓN DONDE GUARDABA MIS CASETES.

NO ENCONTRÉ NI UNO.

ASÍ QUE FUI A VER A MI MADRE. SEGURO QUE SABÍA DÓNDE ESTABAN. QUIZÁ LOS ESCUCHABA PARA ACORDARSE DE MÍ.

¡BUENOS DÍAS, MAMÁ!

¡BUENOS DÍAS! ¡YA ESTÁS VESTIDA!

¿QUIERES UN TÉ? ¿UNA TORTILLA, PASTELITOS...?

NO TENGO HAMBRE. CON UN TÉ BASTARÁ.

¿TE ACUERDAS DEL ASQUEROSO TÉ DE FRAU DOCTORA KELLER?

¡SE LLAMABA HELLER! ¡DESDE LUEGO! ¿CÓMO QUIERES QUE ME OLVIDE DE AQUEL PIPÍ DE CABALLO?

¡AH, QUÉ BUENO ES EL TÉ IRANÍ!

SÍ, SOBRE TODO CON UN CIGARRILLO. ¿QUIERES?

¡¡MAMÁ!!

¿QUÉ PASA? YA SABES EL PROVERBIO: "LA FELICIDAD SE COMPONE DE DOS COSAS: UN TÉ DESPUÉS DE COMER, ¡Y UN CIGARRILLO DESPUÉS DEL TÉ!"

ERA LA PRIMERA VEZ QUE MI MADRE ME HABLABA EN ESE TONO: A SUS OJOS, YA ERA UNA ADULTA.

MAMÁ, NO ENCUENTRO MIS CASETES. ¡LOS HE BUSCADO POR TODAS PARTES! ¿SABES DÓNDE ESTÁN?

ESTO... COMO CREÍA QUE NO... QUE NO VOLVE-RÍAS, SE LOS DI A... SE LOS DI A HOMA.

HOMA ERA LA HIJA DE UNA DE SUS AMIGAS. TENÍA UNOS CINCO AÑOS MENOS QUE YO. ¡UNA NIÑA!

MAMÁ, EN DEFINITIVA, HABÍA HECHO LO CORRECTO. DE TODAS FORMAS, YA NO ME GUSTABAN MIS ÍDOLOS DE ADOLESCENCIA.

¡TIENES RAZÓN! ¡VOY A COMPRAR UNOS NUEVOS!

¿ME DAS UNA ESPONJA?

¿UNA ESPONJA? ¡CLARO, CARIÑO!

DECIDÍ TOMARME ESE PEQUEÑO FIASCO COMO UNA SEÑAL: HABÍA QUE ROMPER CON EL PASADO...

...Y MIRAR HACIA EL FUTURO.

UNAS HORAS MÁS TARDE.

¡AH, POUNEH! ¿CÓMO ESTÁS? MARJI ESTÁ...

¡NO! ¡DILE QUE HE SALIDO!

¡HA SALIDO! ¡YA TE LLAMARÁ!

¿QUIÉN LE HA DICHO QUE ESTOY AQUÍ?

BUENO, YO. AL FIN Y AL CABO, ES TU MEJOR AMIGA.

TE LO RUEGO, NO LE DIGAS A NADIE QUE HE VUELTO. ¡NO TENGO GANAS DE VER A NADIE!

BUENO, VOLVERÉ DENTRO DE DOS O TRES HORAS.

¡NO OLVIDES EL PAÑUELO!

¡MIERDA! ¡TENDRÉ QUE VOLVER A ACOSTUMBRARME!

NO SÓLO TENÍA QUE VOLVER A ACOSTUMBRARME AL VELO, TAMBIÉN ESTABA EL DECORADO: LA PRESENTACIÓN DE LOS MÁRTIRES EN MURALES DE VEINTE METROS ADORNADOS CON ESLÓGANES EN SU HONOR, COMO "EL MÁRTIR ES EL CORAZÓN DE LA HISTORIA" O "ESPERO SER UN MÁRTIR" O INCLUSO "EL MÁRTIR VIVE ETERNAMENTE".

DESPUÉS DE CUATRO AÑOS EN AUSTRIA VIENDO EN LAS PAREDES COSAS COMO "LAS MEJORES SALCHICHAS A VEINTE SCHILLINGS", EL CAMINO HACIA LA READAPTACIÓN ME PARECÍA MUY LARGO.

TAMBIÉN ESTABAN LAS CALLES...

...MUCHAS HABÍAN CAMBIADO DE NOMBRE. AHORA SE LLAMABAN AVENIDA DEL MÁRTIR FULANO O CALLE DEL MÁRTIR MENGANO.

ERA MUY DESESTABILIZADOR.

TENÍA LA IMPRESIÓN DE ANDAR POR UN CEMENTERIO...

...RODEADA DE VÍCTIMAS DE UNA GUERRA DE LA QUE HABÍA HUIDO.

ERA INSOPORTABLE. VOLVÍ APRESURADAMENTE A CASA.

ESA NOCHE.

¡HOLA! ¡YA ESTOY AQUÍ!

¿SIEMPRE VUELVES TAN TARDE?

PUES SÍ, AHORA TENGO MUCHO TRABAJO.

CUANDO SE ACABÓ LA GUERRA, MI PADRE, INGENIERO, NO SABÍA POR DÓNDE EMPEZAR.

AHORA HAY QUE RECONSTRUIRLO TODO.

HASTA QUE LA PRÓXIMA GUERRA VUELVA A DESTRUIRLO TODO.

¿QUÉ PRÓXIMA GUERRA?

HAY QUE SER REALISTA. DESDE HACE UN SIGLO NUESTRA REGIÓN HA SIDO INESTABLE. UN DÍA NACIONALIZAN EL PETRÓLEO, Y AL OTRO PONEN UN DICTADOR...

...LA GUERRA DE LOS SEIS DÍAS, Y DESPUÉS LE TOCA A AFGANISTÁN Y LA VUELTA DEL CONFLICTO ENTRE ISRAELÍES Y PALESTINOS... VEREMOS QUÉ SERÁ LO SIGUIENTE.

NUNCA ME HABRÍA ESPERADO UN DISCURSO TAN DERROTISTA DE MI MADRE.

SE HIZO EL SILENCIO. HASTA MAMÁ ESTABA INCÓMODA.

POR SUERTE, INTERVINO MI PADRE.

¿HAS DORMIDO BIEN? ¿HAS VISTO CÓMO HA NEVADO? HE TENIDO QUE PONER CADENAS EN LAS RUEDAS PARA CIRCULAR. ¡INCREÍBLE! ¡CUARENTA CENTÍMETROS DE NIEVE!

LO SÉ, ES GENIAL.

¿HAS PASEADO UN POCO? ¿CÓMO HAS VISTO TEHERÁN?

SÓRDIDO.

ESTOY ATÓNITA. UNA CALLE DE CADA TRES LLEVA EL NOMBRE DE UN MÁRTIR.

Y ESO QUE ESTAMOS EN EL NORTE DE LA CIUDAD. SI VAS A LOS BARRIOS POBRES DEL SUR DE TEHERÁN, CASI TODAS LAS CALLES LLEVAN EL NOMBRE DE UN MÁRTIR.

LA GENTE YA NO SABE POR QUÉ HAN PASADO OCHO AÑOS EN GUERRA. POR QUÉ HAN MUERTO SUS HIJOS...

TODA ESTA GUERRA NO HA SIDO MÁS QUE UN GRAN MONTAJE PARA DESTRUIR A LOS EJÉRCITOS DE IRÁN E IRAQ. EL PRIMERO ERA EL MÁS PODEROSO DE ORIENTE MEDIO EN 1980 Y EL SEGUNDO ERA UN VERDADERO PELIGRO PARA ISRAEL.

OCCIDENTE HA VENDIDO ARMAS A AMBOS BANDOS Y NOSOTROS HEMOS SIDO TAN TONTOS COMO PARA CAER EN ESTE CÍNICO JUEGO... ¡OCHO AÑOS DE GUERRA PARA NADA!

ASÍ QUE AHORA EL ESTADO PONE A LAS CALLES LOS NOMBRES DE LOS MÁRTIRES, PARA CONTENTAR A LAS FAMILIAS DE LAS VÍCTIMAS. PUEDE QUE ASÍ LE ENCUENTREN SENTIDO A ESTE ABSURDO.

SÍ, PERO HAY ALGO MÁS. AL MEDIODÍA HE VISTO POR LA TELE A UNAS MADRES QUE DECÍAN QUE ESTABAN ALEGRES Y SATISFECHAS POR LA MUERTE DE SUS HIJOS. NO SÉ SI ESO ES FE O ESTUPIDEZ...

LAS DOS COSAS... ¡HACE DIEZ AÑOS QUE LES HACEN CREER QUE LOS MÁRTIRES VIVEN EN LAS CUATRO ESTRELLAS DEL PARAÍSO!

¡AUNQUE, DE MOMENTO, LA GUERRA MÁS BIEN PARECE UN INFIERNO! SI TÚ SUPIERAS... LOS MESES QUE PRECEDIERON AL ALTO AL FUEGO FUERON PARTICULARMENTE ATROCES.

CUENTA, PAPÁ. TE ESCUCHO.

UN MES ANTES DEL ARMISTICIO, IRAQ EMPEZÓ A BOMBARDEAR TEHERÁN A DIARIO, COMO SI QUISIERA DESTRUIR LO MÁXIMO POSIBLE ANTES DE ACABAR...

...AÚN NO HABÍAN ANUNCIADO LA PAZ Y LOS GRUPOS ARMADOS OPUESTOS AL RÉGIMEN ISLÁMICO, LOS MUYAHIDIN* IRANÍES, ESTABAN ENTRANDO EN EL PAÍS POR LA FRONTERA IRAQUÍ CON EL APOYO DE SADDAM HUSSEIN PARA LIBERAR IRÁN DE LOS DIRIGENTES INTEGRISTAS.

*EL TÉRMINO "MUYAHIDIN" NO ES ESPECÍFICO DE AFGANISTÁN. SIGNIFICA COMBATIENTE.

SEGURO QUE HABRÁS OÍDO HABLAR DE ELLO.

NO, PAPÁ, NO LO SABÍA.

¿CÓMO ES POSIBLE?

¡¡EB!!! ¡VAMOS! ¡HA PASADO CUATRO AÑOS EN EUROPA!

AH, SÍ, ¡CLARO!

¿QUÉ ESTABA DICIENDO?... ESO, LOS MUYAHIDIN PENSABAN QUE, COMO SE ACABABA LA GUERRA, NUESTRO EJÉRCITO ESTARÍA AGOTADO Y NO LE QUEDARÍA FUERZAS PARA LUCHAR.

¿ESTÁS SEGURO DE QUE ES EL MEJOR MOMENTO PARA EXPLICAR ESO?

...

¡DÉJALO, MAMÁ! ME INTERESA.

...ADEMÁS, LOS MUYAHIDIN SABÍAN QUE LA MAYORÍA DE LA POBLACIÓN IRANÍ ESTABA EN CONTRA DEL RÉGIMEN Y ESPERABAN RECIBIR EL APOYO POPULAR. PERO NO TUVIERON EN CUENTA UNA COSA: ENTRARON POR IRAQ. EL MISMO IRAQ QUE NOS HABÍA ATACADO Y CONTRA EL QUE HABÍAMOS LUCHADO DURANTE OCHO AÑOS.

EN DEFINITIVA, CUANDO LLEGARON A IRÁN, NADIE SALIÓ A RECIBIRLES. LA MAYOR PARTE DE ELLOS MURIÓ A MANOS DE LOS GUARDIANES DE LA REVOLUCIÓN Y DEL EJÉRCITO.

VOY A ACOSTARME.

PERO EL RÉGIMEN SE ASUSTÓ, PORQUE SI LOS OPOSITORES LLEGABAN A TEHERÁN, LIBERARÍAN A GENTE QUE REPRESENTABA UNA VERDADERA AMENAZA PARA EL GOBIERNO...

BUENAS NOCHES.

...ES DECIR, A LOS PRISIONEROS POLÍTICOS QUE ERAN LOS LEGÍTIMOS HEREDEROS DE LA REVOLUCIÓN Y QUE CONSTITUÍAN LA INTELIGENCIA DEL PAÍS...

...ASÍ QUE EL ESTADO DECIDIÓ ACABAR CON ESE PROBLEMA. LES HIZO LA SIGUIENTE PROPUESTA A LOS DETENIDOS: O ABJURABAN DE SUS IDEALES REVOLUCIONARIOS Y PROMETÍAN FIDELIDAD Y LEALTAD A LA REPÚBLICA ISLÁMICA, Y ASÍ PODRÍAN CUMPLIR SUS PENAS...

¿A CUÁNTOS SE CARGARON?

NADIE LO SABE EXACTAMENTE. MILES, DECENAS DE MILES DE PERSONAS...

¿Y LAS VÍCTIMAS DE LA GUERRA?

ENTRE 500.000 Y 1.000.000.

SIN CONTAR A LOS MUTILADOS DE GUERRA, LOS PUEBLOS ARRASADOS POR LAS BOMBAS QUÍMICAS...

...LOS QUE SE VOLVIERON LOCOS POR LAS EXPLOSIONES...

...LOS HUÉRFANOS, LAS VIUDAS, LOS REFUGIADOS, LOS DAÑOS MATERIALES...

PERO, EN FIN, TODO ESO YA ES PASADO. ¡HAY QUE MIRAR HACIA ADELANTE! ¡HAY QUE RECONSTRUIRLO TODO!

A PESAR DEL AIRE OPTIMISTA QUE QUERÍA APARENTAR MI PADRE, NO SENTÍ LA MENOR CONVICCIÓN EN SU VOZ. ME PARECIÓ TAN HASTIADO COMO MI MADRE.

VAMOS A ACOSTARNOS. MAÑANA ME ESPERA UNA LARGA JORNADA DE TRABAJO. ¿TIENES ALGÚN PLAN?

NO, AÚN NO.

AL LADO DEL LAMENTABLE RELATO DE MI PADRE, MIS DESVENTURAS VIENESAS PARECÍAN ANECDOTILLAS SIN IMPORTANCIA.

ASÍ QUE DECIDÍ NO EXPLICARLES NADA DE MI VIDA EN AUSTRIA. YA HABÍAN SUFRIDO BASTANTE.

# EL CHISTE

LLEVABA DIEZ DÍAS EN TEHERÁN. A PESAR DE MIS RETICENCIAS, TODA MI FAMILIA ACABÓ VINIENDO A VISITARME. NO SÉ SI ESTABAN AL CORRIENTE DE MI FRACASO EN EUROPA. ME ASUSTABA HABERLES DECEPCIONADO.

SEGURO QUE HABLAS MUY BIEN EL ALEMÁN.

YO SÉ DECIR "ICH LIEBE DICH". ¡JI, JI, JI!

SÍ, LO HABLO UN POCO.

GRACIAS POR LAS FLORES.

ÉSTE ES TITO ARDESHIR, EL TÍO DE MI MADRE. PROFESOR NACIONAL JUBILADO.

CUANDO PIENSO EN VIENA, SIEMPRE ME VIENE A LA CABEZA SISSÍ EMPERATRIZ. ¿SEGURO QUE HAS VISTO LA PELÍCULA DE ROMY?

SÍ.

ÉSTA ES MINA, MI PRIMA HERMANA. ES UNA IMBÉCIL. HABLA DE ROMY SCHNEIDER COMO SI FUERA SU MEJOR AMIGA.

MARJANE, LAS ESTRELLAS BRILLAN EN EL CIELO Y TÚ EN MI CORAZÓN...

ÉSTOS SON NUESTROS VECINOS. SON EL MODELO DE FAMILIA PERFECTA.

AUNQUE SABÍA QUE TODOS VENÍAN A VERME POR AMISTAD Y EDUCACIÓN, NO TARDÉ MUCHO EN HARTARME DE RECIBIRLES A DIARIO.

PERO NO HABÍA NADA QUE HACER, LAS VISITAS CONTINUABAN.

APARTE DE MIS PADRES, LA ÚNICA PERSONA CON LA QUE ME APETECÍA HABLAR ERA MI ABUELA. AUNQUE FUE LA ÚLTIMA QUE ME VINO A VER.

¿ABUELA, DÓNDE ESTABAS?

¡¡BUENO, ESPERABA QUE ACABARA DE PASAR TODA LA TRIBU!! ¡CÓMO HAS CRECIDO! ¡PRONTO PODRÁS TIRARLE DE LOS PANTALONES AL SEÑOR!

SIEMPRE FIEL A SÍ MISMA.

DESPUÉS DE MI FAMILIA, LE TOCÓ EL TURNO A MIS AMIGAS. A ELLAS LAS SOPORTABA MEJOR, TENÍAMOS LA MISMA EDAD, ASÍ QUE EL CONTACTO DEBERÍA SER MÁS FÁCIL.

¡HOLA!

¿QUÉ TAL?

EH...

ME EQUIVOCABA. TODAS PARECÍAN PROTAGONISTAS DE LAS SERIES TELEVISIVAS AMERICANAS, LISTAS PARA CASARSE EN CUALQUIER MOMENTO, SI SE PRESENTABA LA OCASIÓN.

¿Y ESA CARA DE MONJA? NADIE DIRÍA QUE HAS VIVIDO EN EUROPA.

AH, ¿TÚ CREES?

COMPARADO CON SU MAQUILLAJE A LA ÚLTIMA MODA, SÍ, YO TENÍA UN ASPECTO DE MONJA.

¡VENGA, EXPLÍCANOS! DEBES DE TENER MILES DE HISTORIAS QUE CONTAR.

NO SÉ...

BUENO, POR EJEMPLO, DINOS CÓMO SON LAS DISCOTECAS EN VIENA.

ES QUE... NO FUI MUY A MENUDO... NO ME GUSTAN DEMASIADO.

¿QUÉ?

¡NO OS HAGÁIS LAS SORPRENDIDAS! ¿NO OS ACORDÁIS DE CÓMO ERA? ¡¡SIEMPRE DANDO LECCIONES!! ¡ES UNA "REBELDE"!

¡SI HUBIERA DISCOS EN TEHERÁN, IRÍA TODOS LOS DÍAS!

¡JI, JI, JI, JI! ¡Y YO!

ME COSTABA RECORDAR LOS MOTIVOS DE NUESTRA ANTIGUA AMISTAD.

POR UNA PARTE, LAS ENTENDÍA. CUANDO TE PROHÍBEN ALGO, ADQUIERE UNA IMPORTANCIA DESPROPORCIONADA. MÁS ADELANTE, ME DÍ CUENTA DE QUE EL HECHO DE MAQUILLARSE Y QUERER VIVIR COMO OCCIDENTALES ERA UN ACTO DE RESISTENCIA POR SU PARTE.

DE TODAS FORMAS, ME SENTÍA TERRIBLEMENTE SOLA.

UNOS DÍAS MÁS TARDE.

TE HA LLAMADO LALEH.

PFFF...

¡AH!... AMIGAS... AMIGAS... ¡LAS ENCUENTRO MUY ABURRIDAS!

SABES, LA CULPA NO ES TODA SUYA. ¡NADIE LES EXIGE QUE SEAN INTELIGENTES, SINO LO CONTRARIO!

PIÉNSALO, HIJITA. ¡SEGURO QUE HAY GENTE QUE TE GUSTARÍA VER!

MI ABUELA TENÍA RAZÓN. ME HABRÍA ENCANTADO VOLVER A VER A LOS AMIGOS CON LOS QUE JUGABA EN LA CALLE.

ME GUSTARÍA VER A ARASH Y KIA...

...¡SÍ! ¡ARASH Y KIA! SOBRE TODO A KIA. NOS REÍAMOS TANTO. ADEMÁS, ES UN CHICO. TIENE MÁS INQUIETUDES QUE EL MAQUILLAJE.

EH...

LA REACCIÓN DE MI MADRE ME PARECIÓ NORMAL. NUNCA LE HABÍA ACABADO DE GUSTAR. LE PARECÍA UN MALEDUCADO QUE ME ANIMABA A HACER TONTERÍAS.

MAMÁ, PUEDES ESTAR TRANQUILA. YA SOMOS MAYORES. SI NOS VEMOS, NO ROMPEREMOS CRISTALES NI ATACAREMOS A NADIE CON CLAVOS.

LO QUE PASA ES QUE KIA...

¿KIA QUÉ?

FUE LLAMADO A FILAS, PERO PREFIRIÓ SALIR DEL PAÍS ILEGALMENTE.

¿Y ADÓNDE FUE?

A NINGÚN SITIO... LO ARRESTARON. DESPUÉS TUVO QUE HACER EL SERVICIO MILITAR, COMO TODO EL MUNDO... LO ENVIARON AL FRENTE Y...

¿Y QUÉ...? ¿ESTÁ MUERTO?

CASI.

¿¿¿CASI MUERTO???

SÍ, CÓMO DECÍRTELO... ESTÁ MUTILADO.

DECIDÍ IR A VERLE. ME ENTERÉ DE QUE SE HABÍA MUDADO. MI MADRE PREGUNTÓ A LOS VECINOS Y AL FINAL ENCONTRÓ SU NÚMERO DE TELÉFONO.

¿HOLA? ¿PODRÍA HABLAR CON KIA, POR FAVOR?

SE LO PASO... ¡¡KIA!! ¡TELÉFONO!

¡KIA! HOLA, ¿TE ACUERDAS DE MÍ?

EH... ¡NO!

¿Y DE LOS ATAQUES A RAMINE CON CLAVOS? ¿NO TE DICEN NADA?

¡MARJI! ¿ERES TÚ?

¡NO, SOY SU MADRE!

¡JA, JA, JA!

¡¡AH, ME ALEGRO DE OÍRTE!! ¿CUÁNDO PODEMOS VERNOS?

MAÑANA, SI QUIERES. ¿TIENES NUESTRA DIRECCIÓN?

ME QUEDÉ MÁS TRANQUILA. ¡NO ME PARECIÓ QUE ESTUVIERA "CASI MUERTO"!

AL DÍA SIGUIENTE, ME PUSE DE PUNTA EN BLANCO. HABÍA VUELTO A NEVAR. ME PASÉ DOS HORAS EN LOS ATASCOS, TIEMPO SUFICIENTE PARA HACERME TODO TIPO DE PREGUNTAS: "¿Y SI ESTÁ TUERTO?", "¿Y SI HA PERDIDO UNA PIERNA?", "¿Y SI ESTÁ TERRIBLEMENTE DESFIGURADO?"...

CUANDO LLEGUÉ A SU CASA, YA NO ESTABA SEGURA DE QUERER VERLE.

SEÑORITA, YA PUEDE BAJAR. ES AQUÍ.

¿QUÉ IMPORTABA SU ESTADO? ESTABA SEGURA DE QUE MI VISITA ERA OPORTUNA.

¿A QUÉ PISO VA?

AL TERCERO. VENGO A VISITAR A UN AMIGO DE LA INFANCIA, KIA ABADI.

¡AH! ¡QUÉ BIEN!

EL "QUÉ BIEN" DEL VECINO ME CALMÓ UN POCO. SI HUBIERA PASADO ALGO MUY GRAVE, SEGURO QUE NO ME HABRÍA DICHO ESO.

ESTABA TRANQUILA.

...BUENOS DÍAS.

¡OH, KIA!...

...¡ES INCREÍBLE CÓMO HAS CAMBIADO!... ¡VAMOS, PASA! TE LO RUEGO.

¡VENGA, EXPLÍCAME! ¡ESTÁS HECHA TODA UNA MUJER!

¡CLARO! ¡TODOS ACABAMOS ACEPTÁNDONOS!

SÍ... ¡ESO LO SÉ MEJOR QUE NADIE!

¡QUÉ IDIOTA! ¡PERO QUÉ IDIOTA SOY!

CAMBIÉ RÁPIDAMENTE DE TEMA.

¿TE ACUERDAS DE NUESTRO AMIGO RAMINE?

¡SOBRE TODO ME ACUERDO DE NOSOTROS CON NUESTROS PUÑOS AMERICANOS! ¡SE CAGÓ ENCIMA!

BLA BLA BLA BLA BLA BLA BLA.

SÍ, BLA BLA BLA BLA BLA.

¿QUIERES TOMAR ALGO?

¡NO, ESTOY BIEN, GRACIAS!

TENGO SED, ¡VOY A BUS-CAR UNA COCA-COLA!

PUES YO TAMBIÉN ME TOMARÉ UNA.

SÓLO ME ATREVÍA A MIRARLE A LOS OJOS.

HASTA QUE SE FUE A LA COCINA NO ME DI CUENTA DE QUE NO PODÍA MOVER EL BRAZO DERECHO.

TOMA, ¿PUEDES AYUDARME, POR FAVOR?

¡POR SUPUESTO! ¡DÁMELAS!

GLU GLU GLU

MIERDA.

ESTA VEZ, FUE ÉL EL QUE SALVÓ LA SITUACIÓN.

ASÍ QUE HAS VUELTO DE AUSTRIA. ¿QUÉ TAL TE IBA POR ALLÍ?

NO ESTABA MAL. ¡PERO MEJOR CUÉNTAME TÚ! ¿CÓMO TE VA?

HAGO LO QUE PUEDO... QUIERO IRME A LOS ESTADOS UNIDOS. TENGO UN TÍO MÉDICO EN BOSTON. VAN A HACERME DOS BONITAS PRÓTESIS, UNA PARA LA PIERNA Y OTRA PARA EL BRAZO, PERO ESTÁ POR VER SI LOS AMERICANOS ME DAN EL VISADO O NO.

...

...

UN COLEGA MÍO ME CONTÓ UNA HISTORIA MUY BUENA. ¿QUIERES QUE TE LA EXPLIQUE?

SÍ, CUENTA.

¡MUY BIEN! ES LA HISTORIA DE UN CHAVAL QUE ESTABA EN EL FRENTE DE GUERRA. LE CAYÓ UNA GRANADA ENCIMA...

...ESTALLÓ EN MIL PEDAZOS...

...LOS ENFERMEROS LLEGARON, RECOGIERON LOS TROZOS, LOS METIERON EN UN GRAN SACO...

...Y LOS LLEVARON A TODA PRISA A TEHERÁN.

ACABÓ ATERRIZANDO EN UN BUEN HOSPITAL. ALLÍ, LOS MÉDICOS JUNTARON LAS PIEZAS UNA A UNA. COSIERON Y REMENDARON...

...Y AL FINAL, DESPUÉS DE CIENTO CINCUENTA OPERACIONES Y UN AÑO Y MEDIO DE VENDAJES...

...VOLVIÓ A SER UN HOMBRE PARCIALMENTE ENTERO.

GRACIAS, DOCTOR. NUNCA ME HABÍA ENCONTRADO TAN BIEN. GRACIAS A USTED, PUEDO EMPEZAR UNA NUEVA VIDA.

PARA AYUDARLE CON SU NUEVA VIDA, SUS PADRES DECIDIERON BUSCARLE UNA ESPOSA. SU MADRE BUSCÓ ENTRE TODOS SUS AMIGOS Y VECINOS HASTA ENCONTRAR A UNA AUTÉNTICA JOYA. COMO MANDA LA TRADICIÓN, EL CHICO, ACOMPAÑADO DE SU FAMILIA, FUE A PEDIR LA MANO DE LA JOVEN.

¡NUESTRO HIJO ES EXCEPCIONAL!

¡NUESTRA HIJA ES MAGNÍFICA!

DESPUÉS DE LARGAS NEGOCIACIONES SOBRE EL MONTANTE DE LA DOTE,* LOS ANILLOS, LA ROPA, LAS FLORES, LA PELUQUERÍA, EL MAQUILLAJE, EL EQUIPO DE VÍDEO PARA GRABAR LA CEREMONIA, EL RESTAURANTE, LOS SIRVIENTES, LOS MÚSICOS Y EL NÚMERO DE INVITADOS, LAS DOS FAMILIAS SE PUSIERON DE ACUERDO. POR FIN LLEGÓ EL DÍA DE LA BODA.

ES EL DÍA MÁS BONITO DE MI VIDA.

TE AMARÉ PARA SIEMPRE.

*EN IRÁN, ES EL MARIDO QUIEN DEBE DAR LA DOTE A SU MUJER.

¿Y QUÉ VIENE DESPUÉS DE LA BODA?

EH... NO LO SÉ...

¡DESPUÉS DE LA BODA VIENE "LA NOCHE DE BODAS"!

¡QUERIDO, YA NO PUEDO ESPERAR MÁS!

¡YA VOY, CARIÑO, YA VOY!

AH, TU MADRE TIENE RAZÓN CUANDO DICE QUE ERES EXCEPCIONAL, ERES TAN...

¡DIOS MÍO! ¿PERO QUÉ ES ESO?

¿POR QUÉ NO ESTÁ EN SU SITIO?

¡BAH, NO ES NADA! ¡SIGUE FUNCIONANDO!

¡¡¿¿CÓMO QUE NO ES NADA??!!

¡¡¿¿¿TU COSA ESTÁ EN EL MUSLO, EN VEZ DE ENTRE TUS PIERNAS Y TE ATREVES A DECIRME QUE "NO ES NADA"???!!!

SÍ, PERO FUNCIONA...

...¡MIRA!

¡NO QUIERO VERLO! ¡¡ME HAN TIMADO CON LA MERCANCÍA!!

¡¡MAÑANA MISMO PIDO EL DIVORCIO!!

¡VAYA! ¡JA, JA, JA! ¡EL CHAVAL...! ¡JA, JA! ¡EL CHAVAL SE ENFADA DE VERDAD! ¡JA, JA, JA! Y LE DICE...

?

¡¡¡"BÉSAME EL CULO"!!! ¡JA, JA, JA!

¡JA, JA, JA!

¡AH!

¡JA, JA, JA!

¡JA, JA, JA!

¡JA, JA!

¡OJO! ¡CUIDADO!

NOS PASAMOS LA TARDE HABLANDO Y RIENDO...

...¿TE ACUERDAS CÓMO ERA ENTONCES? Y LAIEN TENÍA UNA HISTORIA PARECIDA... ... ... ...

Y TANTO... ME PRE- GUNTO...

¿VENDRÁS A VERME?

CLARO, TE LLAMARÉ.

VOLVÍ A VISITARLO TRES O CUATRO VECES, DESPUÉS SE FUE A LOS ESTADOS UNIDOS. NOS ESCRIBIMOS UN POCO, HASTA QUE EL TIEMPO HIZO SU EFECTO Y PERDIMOS EL CONTACTO.

AQUEL DÍA APRENDÍ ALGO FUNDAMENTAL: UNO SÓLO PUEDE SENTIR AUTOCOMPASIÓN CUANDO LAS PENAS SON SOPORTABLES...

...UNA VEZ SUPERADO ESE LÍMITE, LA ÚNICA FORMA DE SOPORTAR LO INSOPORTABLE ES REÍRSE DE ELLO.

# EL ESQUÍ

NO CONSEGUÍA VER LAS COSAS CON PERSPECTIVA, AUNQUE SABÍA QUE ERA LA ÚNICA MANERA DE SALIR ADELANTE.

DESPUÉS DE ALGUNAS SEMANAS, MI FAMILIA Y ALLEGADOS CREYERON QUE ERA EL MOMENTO DE OFRECERME SUS BUENOS CONSEJOS.

TENDRÍAS QUE HACER GIMNASIA. CONOZCO UN BUEN GIMNASIO.

TENDRÍAS QUE ENCONTRAR UN BUEN MARIDO.

DEBERÍAS INSCRIBIRTE EN LOS CURSILLOS PREPARATORIOS. NECESITAS ESTUDIOS UNIVERSITARIOS.

DEBERÍAS...

PERO YO NO QUERÍA HACER DEPORTE, NI CASARME, NI ESTUDIAR...

SÓLO QUERÍA QUE SUPIERAN QUE YO TAMBIÉN HABÍA SUFRIDO...

MI VIDA EN VIENA NO FUE DE COLOR DE ROSA.

TUVE QUE VIVIR EN LA CALLE.

ESCUPÍ SANGRE.

ESTABA SOLA.

NADIE ME QUERÍA.

¡OH!

¡OH!
¡POBRE!

¡OH!

...QUE TUVIERAN UN POCO DE COMPASIÓN POR MÍ...

OH, QUERIDA, LO HAS PASADO MUY MAL... TÓMATE ESTA INFUSIÓN.

ES ZUMO DE NARANJA, LO HE PREPARADO YO.

¿QUIERES QUE BAILE UN POCO?

...QUE ME ENTENDIERAN.

TE ENTIENDO.

ES VERDAD, ELLOS HABÍAN PASADO UNA GUERRA MÁS QUE YO, PERO TENÍAN A LOS SUYOS CONSIGO, NO HABÍAN CONOCIDO EL DESARRAIGO DEL TERCERMUNDISTA. ¡SIEMPRE HABÍAN TENIDO UNA CASA!

PERO, ¿CÓMO PODÍAN COMPADECERME? ERA TAN IMPERMEABLE.

ME REPETÍA QUE NO PODÍA VENIRME ABAJO.

PENSABA QUE SI VOLVÍA A IRÁN TODO IRÍA MEJOR.

QUE OLVIDARÍA LOS TIEMPOS PASADOS...

PERO MI PASADO ME PERSEGUÍA.

MIS SECRETOS ME PESABAN DEMASIADO.

ESTABA DEPRIMIDA.

MARJI, ME VOY DE COMPRAS. ¿NECESITAS ALGO?

CIGARRILLOS, POR FAVOR.

HE ALQUILADO "LA DOLCE VITA". ¿NO QUIERES QUE LA VEAMOS JUNTOS?

NO...

NI SIQUIERA MI ABUELA CONSEGUÍA HACERME REÍR.

...¡Y SE TIRÓ UN PEDO!

ME PASABA EL DÍA DELANTE DE LA TELE. DABAN UNA SERIE JAPONESA, LLAMADA "OSHIN", QUE MIRABA A MENUDO. ERA LA HISTORIA DE UNA CHICA POBRE QUE SE IBA A TRABAJAR A TOKIO.

AL PRINCIPIO HACÍA TAREAS DEL HOGAR, LUEGO SE HIZO PELUQUERA Y CONOCIÓ A UN TIPO, LA MADRE DEL CUAL SE OPONÍA A QUE SE CASARAN.

¡SÓLO ERES UNA PELUQUERA, NO ERES DIGNA DE MI HIJO! ¡¡LÁRGATE, SUCIA!!

¡NO! ¡LE QUIERO!

NO ENTENDÍA POR QUÉ LA SUEGRA LES TENÍA TANTA MANÍA A LAS PELUQUERAS.

MUCHO DESPUÉS CONOCÍ A UNA CHICA QUE ERA DOBLADORA EN LA TELE. ME DIJO QUE OSHIN, EN REALIDAD, ERA GEISHA Y QUE, COMO ESE TRABAJO NO ERA ACORDE A LA MORAL ISLÁMICA, EL DIRECTOR DE LA CADENA DECIDIÓ CONVERTIRLA EN PELUQUERA.

PARECÍA CREÍBLE PORQUE OSHIN Y SUS AMIGAS CORTESANAS SE PASABAN TODO EL TIEMPO HACIÉNDOSE EL MOÑO.

PARA SACARME DE MI DEPRESIÓN, MIS AMIGAS ME PROPUSIERON IR A ESQUIAR. LOS PADRES DE UNA DE ELLAS TENÍAN UN CHALET EN DIZINE.* NO QUERÍA IR PERO MI MADRE INSISTIÓ TANTO QUE ACABÉ ACEPTANDO.

*ESTACIÓN DE ESQUÍ A UNOS CINCUENTA KILÓMETROS DE TEHERÁN.

SI QUIERES, PUEDES ALQUILAR EL MATERIAL. PODEMOS ENSEÑARTE.

NO, GRACIAS, ASÍ ESTOY MUY BIEN.

EFECTIVAMENTE, ESTABA DE MARAVILLA. LA MONTAÑA, EL CIELO AZUL, EL SOL... TODO AQUELLO ME IBA BIEN. POCO A POCO MI CARA Y MI ESPÍRITU FUERON COGIENDO COLOR.

DE NOCHE.

¡AY, DIOS! ¡ESTOY MUERTA!

HE VISTO UN MONTÓN DE CHICOS GUAPOS, ALTOS, MUSCULOSOS...

¡AY, SÍ! ¡JI, JI, JI!

¿TE HAS ACOSTADO CON ALGUIEN, YA?

CLARO, ¡TENGO DIECINUEVE AÑOS!

CUENTA, ¿CÓMO ES?

DICEN QUE LA PRIMERA VEZ DUELE MUCHO.

DEBE DE SER DIVERTIDO...

DEPENDE DE CON QUIEN SEA. NO SIEMPRE ES AGRADABLE.

¿CÓMO? ¿LO HAS HECHO CON VARIAS PERSONAS?

SÍ, BUENO... HE TENIDO ALGUNAS EXPERIENCIAS.

¿¿¿ENTONCES, QUÉ DIFERENCIA HAY ENTRE TÚ Y UNA PUTA???

DETRÁS DE SU ASPECTO DE MUJERES MODERNAS, MIS AMIGAS ERAN TODAS UNAS AUTÉNTICAS TRADICIONALISTAS.

ESTABAN SATURADAS DE HORMONAS Y FRUSTRACIONES, POR ESO ESTABAN TAN AGRESIVAS CONMIGO. PARA ELLAS, ME HABÍA CONVERTIDO EN UNA OCCIDENTAL DECADENTE.

VOLVÍ AÚN MÁS DEPRIMIDA.

¡OH! ¡QUÉ MORENA ESTÁS! ¡TE QUEDA MUY BIEN!

¡EMBUSTERA!

MARJI, DIME, ¿QUÉ ES LO QUE VA MAL? ¿PUEDO HACER ALGO?

¡NO, MAMÁ!

QUIZÁ DEBERÍAS VER A ALGUIEN... UN PSICÓLOGO, POR EJEMPLO.

SEGUÍ EL CONSEJO DE MI MADRE. FUI A UN PRIMER PSICOTERAPEUTA...

ME DA VERGÜENZA NO HABER HECHO NADA CON MI VIDA... ¡POR SUERTE NADIE CONOCE LOS DETALLES Y NO ME EXTRAÑA! NO LES EXPLICO NADA... TENGO LA IMPRESIÓN DE LLEVAR PUESTA UNA MÁSCARA PERMANENTEMENTE.

SU HISTORIA ES TAN CONFUSA COMO USTED.

DESPUÉS A UN SEGUNDO...

CUANDO ESTABA EN VIENA, MI VIDA NO LE IMPORTABA A NADIE Y ESO, EVIDENTEMENTE, AFECTÓ A MI PROPIA AUTOESTIMA. QUEDÉ REDUCIDA A LA NADA. PENSABA QUE SI VOLVÍA A IRÁN, ESO CAMBIARÍA.

...

E INCLUSO A OTRO. Y A OTRO MÁS...

DOCTOR, NO ESTOY BIEN. NO TENGO NINGÚN INTERÉS. NADA ME DA PLACER.

SU PROBLEMA ES DE ORDEN PSIQUIÁTRICO. TIENE QUE MEDICARSE.

¡GRACIAS, DOCTOR! ¡GRACIAS!

POR FIN ALGUIEN HABÍA ENCONTRADO UN REMEDIO A MIS MALES.

LAS PASTILLAS QUE ME RECETÓ ERAN EFICACES...

...ME ENCONTRABA "BIEN".

A MENUDO ME SENTÍA COMO AUSENTE.

PERO EN CUANTO DESAPARECÍA EL EFECTO DE LOS COMPRIMIDOS, VOLVÍA A SER CONSCIENTE DE MI ANGUSTIA. MI DESGRACIA SE RESUMÍA EN UNA FRASE: YO NO ERA NADA.

ERA UNA OCCIDENTAL EN IRÁN Y UNA IRANÍ EN OCCIDENTE. NO TENÍA IDENTIDAD ALGUNA. NI SIQUIERA SABÍA POR QUÉ VIVÍA.

TOMÉ LA DECISIÓN DE MORIR. UNAS SEMANAS DESPUÉS DE ESA RESOLUCIÓN...

DIJISTE QUE VENDRÍAS CON NOSOTROS A VER EL MAR CASPIO... SI QUIERES, PODEMOS ANULAR EL VIAJE. NO QUEREMOS DEJARTE SOLA...

¡VAMOS, PAPÁ! ¿Y CÓMO ESTABA EN VIENA? ¡NO PASA NADA, MARCHAOS! ADEMÁS, NECESITO ESTAR SOLA.

Y SE FUERON DIEZ DÍAS.

AL DÍA SIGUIENTE DE SU PARTIDA, HICE LOS PREPARATIVOS. HABÍA VISTO EN EL CINE QUE UNA MUJER SE BEBÍA UNA BOTELLA DE VINO ANTES DE CORTARSE LAS VENAS. A FALTA DE VINO, ME BEBÍ MEDIA BOTELLA DE VODKA.

¡BUAGH!

NO CONSEGUÍA HUNDIR EL FILO EN MI CARNE. LA SANGRE SIEMPRE ME HA DADO MUCHO MIEDO. PERO, COMO ESTABA BORRACHA, CONSEGUÍ HACERME UN CORTE.

DESPUÉS, HICE COMO EN LA PELÍCULA. ME DI UN BAÑO CALIENTE, ESPERANDO VACIARME DE MI SANGRE. PERO SE COAGULÓ RÁPIDAMENTE.

HAY QUE RECONOCER QUE ES MUY DIFÍCIL MATARSE CON UN CUCHILLO DE FRUTA. LAS ARMAS BLANCAS NO ERAN LO MÍO. TUVE QUE PENSAR EN OTRA COSA.

ESPERÉ A QUE LA MUÑECA CICATRIZARA PARA TOMARME TODOS MIS ANTIDEPRESIVOS.

ME DIJE QUE ERA LA ÚLTIMA VEZ QUE VEÍA EL SOL. TAMBIÉN ME ACORDÉ DE MIS PADRES.

ERA EL FIN...

...TRES DÍAS MÁS TARDE...

¡MI MANO! ¡MIERDA! ¡SIGO VIVA!

AL DESPERTARME, LOS MEDICAMENTOS QUE HABÍA TOMADO ME PROVOCARON ALUCINACIONES DURANTE UNAS CUANTAS HORAS.

ASÍ QUE FUI A VER A MI TERAPEUTA.

SE LAS HA TOMADO TODAS, ¿ESTÁ SEGURA?

SÍ...

¡ESA DOSIS HABRÍA BASTADO PARA MATAR A UN ELEFANTE!... AUNQUE NO SOY CREYENTE, NO ENCUENTRO OTRA EXPLICACIÓN APARTE DE LA INTERVENCIÓN DIVINA PARA SU SUPERVIVENCIA...

DEDUJE QUE NO ERA EL MOMENTO DE MORIR.

A PARTIR DE AHORA VOY A TOMAR LAS RIENDAS.

EL PELO ES UNA OBSESIÓN PARA LA MUJER ORIENTAL, EMPECÉ POR DEPILARME.

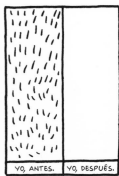

YO, ANTES. | YO, DESPUÉS.

DESPUÉS, ME DESHICE DE MIS COSAS.

Y FUI A HACERME VESTIDOS NUEVOS.

UN GUARDARROPA MODERNO.

ZAPATOS ORIGINALES.

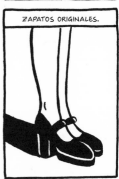

UN PEINADO A LA MODA.

UNA PERMANENTE.

ME CONVERTÍ EN UNA MUJER A LA ÚLTIMA...

LAS BOUTIQUES.

EL MAQUILLAJE.

Y COMO QUE "MENS SANA IN CORPORE SANO", ME PUSE A HACER DEPORTE...

CADA VEZ MÁS...

Y MÁS, Y MÁS...

HASTA CONVERTIRME EN PROFESORA DE AERÓBIC.

Y CINCO Y SEIS... Y UNO Y DOS...

EYE OF THE TIGER

ASÍ DE FUERTE E INVENCIBLE ME DIRIGÍA HACIA MI NUEVO DESTINO.

EVIDENTEMENTE, MIS PADRES NUNCA SE ENTERARON DE LOS MOTIVOS DE MI METAMORFOSIS. MI NUEVO ENFOQUE VITAL LES ENCANTÓ HASTA EL PUNTO DE COMPRARME UN COCHE, COMO ESTÍMULO.

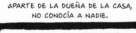

TENÍA AMIGOS NUEVOS, IBA A FIESTAS... RESUMIENDO, MI VIDA HABÍA TOMADO UN RUMBO COMPLETAMENTE NUEVO. UNA TARDE DE ABRIL DE 1989, ME INVITARON A CASA DE MI AMIGA ROXANA.

BIENVENIDA; PASA, ESTÁS EN TU CASA.

APARTE DE LA DUEÑA DE LA CASA, NO CONOCÍA A NADIE.

SOY REZA. ¿VA TODO BIEN?

SÍ ¿Y A USTED?

¿PUEDO SENTARME?

POR SUPUESTO.

¿A QUÉ SE DEDICA?

SOY PROFESORA DE AERÓBIC Y TAMBIÉN DOY CLASES DE FRANCÉS.

¿HA VIVIDO EN FRANCIA?

NO, EN AUSTRIA, PERO HE ESTUDIADO EN EL LICEO FRANCÉS, EN TEHERÁN Y EN VIENA.

¿ESTUDIABA EN EL LICEO RAZI?*

SÍ, ¿USTED TAMBIÉN?

NO, YO NO, MIS AMIGOS.

¿Y USTED? ¿A QUÉ SE DEDICA?

A LA PINTURA.

¡NO PUEDE SER! ¡¡YO TAMBIÉN PINTO!!

*NOMBRE DEL LICEO FRANCÉS DE TEHERÁN.

¡EH, TÚ! ¡O HABLAS O FUMAS! ¡VENGA, VEN A BAILAR UN POCO!

¿QUIÉN ES ESE TÍO?

¿REZA? ES VECINO NUESTRO. ¡TEN CUIDADO! ES UN MUJERIEGO...

...¡UN SEDUCTOR SIN ESCRÚPULOS!

¿AH, SÍ? PUES PARECE SIMPÁTICO.

YA, YA. ¡ESCONDE MUY BIEN SUS CARTAS!

¿DÓNDE ESTÁ?

¡UF!

ROXANA SE EQUIVOCABA.

¿PODEMOS TUTEARNOS?

¡DESDE LUEGO!

SIENTO HABERTE DEJADO SOLA, PERO HACÍA MUCHO QUE NO VEÍA A HAMID.

¿QUIÉN ES HAMID?

EL TÍO CON EL QUE HABLABA. ESTUVIMOS JUNTOS EN EL FRENTE.

¿ESTUVISTE EN LA GUERRA?

¡CLARO, COMO TODOS! ¿HAS OÍDO LA HISTORIA DEL SOLDADO QUE EXPLOTÓ EN MIL PEDAZOS?

¿ES LA DEL CHAVAL QUE SE CASA Y TIENE LA COSA EN EL MUSLO?

EH... ¡SÍ!

JI, JI, JI... JI, JI, JI... JI, JI

ES MUY GRACIOSA... ES EL CHISTE DE LOS ANTIGUOS COMBATIENTES.

¿ASÍ QUE ESTUVISTE EN LA GUERRA CONTRA IRAQ?

SÍ, ERA ARTILLERO EN UN CARRO DE COMBATE.

¿QUÉ? ¿MATASTE A GENTE?

BUENO, ¡NO LO SÉ! CUANDO DISPARAS, NO SABES EXACTAMENTE DÓNDE CAE...

ADEMÁS, DURANTE EL COMBATE, NO TE DA TIEMPO A TENER ESTADOS DE ÁNIMO. ES TODO CUESTIÓN DE SUPERVIVENCIA.

...CUANDO LOS IRAQUÍES NOS ATACARON CON BOMBAS QUÍMICAS, SABÍA QUE DEBÍAMOS ESCALAR LA MONTAÑA LO MÁS RÁPIDO POSIBLE.

¿LA MONTAÑA? ¿POR QUÉ?

PORQUE CUANDO LA BOMBA EXPLOTA, SUELTA UNA NUBE DE PRODUCTOS TÓXICOS. SI ESTÁS A CIERTA ALTURA, NO TE LLEGA...

¡ES HORA DE PASAR A LA MESA!

...ENTONCES HAMID Y YO HUIMOS HACIA LOS ESCONDRIJOS DEL ZAGROS...*

¡QUÉ HOMBRE!

PFF...

*CADENA MONTAÑOSA AL OESTE DE IRÁN.

DESPUÉS, NOS PASAMOS UNA SEMANA EN LAS MONTAÑAS, SIN COMIDA. COMÍAMOS NIEVE PARA NO MORIR DESHIDRATADOS.

¡QUÉ HÉROE!

¡TUVO QUE SER TERRIBLEMENTE DURO!

DURO... SÍ, PERO EL SER HUMANO ES MUCHO MÁS RESISTENTE DE LO QUE PENSAMOS.

LO SÉ.

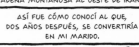

ASÍ FUE CÓMO CONOCÍ AL QUE, DOS AÑOS DESPUÉS, SE CONVERTIRÍA EN MI MARIDO.

DESPUÉS DE AQUELLA VELADA, ROXANA NO VOLVIÓ A HABLARME. AL PARECER, SU MEJOR AMIGA QUERÍA SALIR CON REZA... DESGRACIADAMENTE, NO SIEMPRE SE CONSIGUE LO QUE SE QUIERE.

NOS NECESITÁBAMOS TANTO EL UNO AL OTRO QUE, MUY PRONTO, NOS PUSIMOS A HABLAR DE NUESTRO FUTURO EN COMÚN.

¿QUÉ PLANES TIENES PARA EL FUTURO?

QUIERO IRME DE AQUÍ. ME IRÉ A EUROPA O A LOS ESTADOS UNIDOS, PERO NO ME QUEDARÉ AQUÍ.

¿ADÓNDE IRÁS, DE EUROPA?

ITALIA, FRANCIA, SUECIA, ESPAÑA, INGLATERRA... QUÉ IMPORTA. LO QUE NO QUIERO ES QUEDARME EN IRÁN.

¿Y NOSOTROS?

¡BUENO, VENDRÁS CONMIGO!

AHORA MISMO NO QUIERO IRME DEL PAÍS

ES PORQUE AÚN ESTÁS NOSTÁLGICA. YA VERÁS, DENTRO DE UN AÑO, LA GENTE TE MOLESTARÁ. METIÉNDOSE SIEMPRE DONDE NO LES LLAMAN.

PUEDE QUE SÍ, PERO EN OCCIDENTE PUEDES PUDRIRTE EN LA CALLE Y NADIE TE ECHA UNA MANO.

¡NO TE PREOCUPES! ¡ENCONTRAREMOS UNA SOLUCIÓN!

AFORTUNADAMENTE, CONSEGUIR UN VISADO RESULTÓ DEMASIADO DIFÍCIL. ASÍ QUE DECIDIMOS ESTUDIAR PARA EL CONCURSO NACIONAL,* PARA NO PERDER AQUELLOS AÑOS DE NUESTRA VIDA SIN HACER NADA. ¡FUE MUY DURO! HACÍA SEIS AÑOS QUE REZA HABÍA ACABADO EL BACHILLERATO. HABÍA PERDIDO EL HÁBITO DE ESTUDIAR. EN CUANTO A MÍ, NO HABÍA LEÍDO NI ESCRITO EN PERSA DESDE TERCERO.

*EN IRÁN, SÓLO SE PUEDE ENTRAR EN LA UNIVERSIDAD DESPUÉS DE HABER PASADO EL CONCURSO NACIONAL.

JUNIO DE 1989. DESPUÉS DE DOS MESES DE DURO TRABAJO, FINALMENTE LLEGÓ EL GRAN DÍA.

LOS CANDIDATOS HACÍAN EL EXAMEN EN LUGARES DISTINTOS SEGÚN SU SEXO.

HABÍA CUESTIONARIOS ESPECÍFICOS PARA CADA SECCIÓN.

PARA ENTRAR EN LA FACULTAD DE ARTE, ADEMÁS DE LOS TESTS, HABÍA UNA PRUEBA DE DIBUJO. ESTABA SEGURA DE QUE UNO DE LOS TEMAS SERÍA "LOS MÁRTIRES". ¡VAYA QUE SÍ! ASÍ QUE ME PREPARÉ, COPIANDO UNA VEINTENA DE VECES UNA FOTO DE "LA PIETÀ" DE MIGUEL ÁNGEL. AQUEL DÍA, LA REPRODUJE AÑADIÉNDOLE UN CHADOR NEGRO EN LA CABEZA DE MARÍA, UN VESTIDO MILITAR PARA JESÚS Y DOS TULIPANES, SÍMBOLO DE LOS MÁRTIRES,* A CADA LADO, PARA QUE NO HUBIERA CONFUSIÓN POSIBLE.

QUEDÉ MUY SATISFECHA CON EL DIBUJO.

*SE DICE QUE DE LA SANGRE DE LOS MÁRTIRES BROTAN TULIPANES ROJOS.

¡MIRA! ¡ESTÁ MI NOMBRE!

*NOMBRE DEL PERIÓDICO.

¡JODER! ¡Y EL TUYO TAMBIÉN!

A SABIENDAS DE QUE EL 40% DE LAS PLAZAS DE LA FACULTAD ESTABAN RESERVADAS A LOS HIJOS DE LOS MÁRTIRES Y A LOS MUTILADOS DE GUERRA, LAS OPORTUNIDADES ERAN MÍNIMAS. FUE UNA SUERTE INESPERADA PASAR EL CONCURSO LOS DOS.

SIN HABERNOS CASADO, NO PODÍAMOS BESARNOS EN PÚBLICO, NI SIQUIERA TOCARNOS FRATERNALMENTE LOS BRAZOS PARA EXPRESAR NUESTRA ALEGRÍA EXTREMA. CORRÍAMOS EL RIESGO DE QUE NOS ENCARCELARAN Y NOS DIERAN LATIGAZOS. ASÍ QUE SUBIMOS RÁPIDAMENTE AL COCHE...

...Y ÉL PUSO SU MANO SOBRE LA MÍA.

FUE EXTRAORDINARIO.

DESPUÉS DE HABER DEJADO A REZA EN SU CASA, ME FUI A LA MÍA.

¡MAMÁ! ¡PAPÁ! ¡YA ESTÁ! ¡ME HAN ADMITIDO EN ARTES GRÁFICAS!

¡BRAVO! YA LO SABEMOS. HEMOS VISTO TU NOMBRE Y EL DE REZA EN EL PERIÓDICO.

¡PAPAÍTO! ¡ES GENIAL!

SÍ, SÍ, ¡ES MAGNÍFICO!

SÓLO FALTA EL TEST IDEOLÓGICO, PERO ESO ES UN PURO TRÁMITE.

¡MIERDA!

¡CARIÑO, POR DESGRACIA NO ES UN SIMPLE TRÁMITE!

¿AH, NO?

NO, LA HIJA DE MI PRIMO BAHMAN FUE RECHAZADA EN LA UNIVERSIDAD PORQUE SU MADRE FORMABA PARTE DE LOS OPOSITORES DEL RÉGIMEN Y HABÍA PASADO DOS AÑOS EN LA CÁRCEL.

?

TIENES QUE APRENDERTE LA PLEGARIA EN ÁRABE, EL NOMBRE DE TODOS LOS IMANES, SU HISTORIA, LA FILOSOFÍA DEL CHIÍSMO, ETC. SI QUIERES, TE AYUDARÉ.

NO, ESTÁ BIEN...

INTENTÉ APRENDÉRMELO DE MEMORIA. PUSE BUENA VOLUNTAD...

...PERO LAS PALABRAS ERAN TAN OPACAS QUE NO CONSEGUÍA RETENER NADA...

DESPUÉS DE VARIOS DÍAS DE ESTUDIOS RELIGIOSOS, ACABÉ CONVENCIDA DE QUE LA ÚNICA MANERA DE PASAR LA ÚLTIMA ETAPA ERA REZAR.

¡DIOS, AYÚDA-ME!

EL DÍA DEL EXAMEN IDEOLÓGICO.

¡SIGUIENTE!

¿ES DIFÍCIL?

PFFF...

SEÑORITA SATRAPI, VEO EN SU EXPEDIENTE QUE HA VIVIDO EN AUSTRIA... ¿ALLÍ LLEVABA EL VELO?

NO, SIEMPRE HE PENSADO QUE SI EL PELO DE LAS MUJERES FUERA TAN PROBLEMÁTICO, DIOS NOS HABRÍA HECHO CALVAS.

¿SE SABE LA PLEGARIA?

NO.

¿PODRÍA SABER POR QUÉ?

COMO TODOS LOS IRANÍES, NO ENTIENDO EL ÁRABE. Y SI REZAR ES HABLAR CON DIOS, PREFIERO HACERLO EN UNA LENGUA QUE CONOZCO. CREO EN DIOS, PERO ME DIRIJO A ÉL EN PERSA.

EL PROFETA MAHOMA DIJO: "DIOS ESTÁ MÁS PRÓXIMO A NOSOTROS QUE NUESTRAS VENAS YUGULARES". DIOS ESTÁ SIEMPRE CON NOSOTROS, ¡ESTÁ DENTRO NUESTRO! ¿VERDAD?

GRACIAS, SEÑORITA SATRAPI, PUEDE IRSE.

TENDRÍA QUE HABER CERRADO LA BOCA, TENDRÍA QUE HABER ESTUDIADO MÁS, TENDRÍA QUE... SE HA FASTIDIADO TODO...

¡MIRA POR DÓNDE VAS, IDIOTA!

DOS SEMANAS MÁS TARDE.

¡TU CARTA DE ADMISIÓN!

¡NO PUEDE SER!

¡SÍ, CARIÑO! ¡AHORA ERES UNIVERSITARIA!

UNOS MESES MÁS TARDE, ME ENTERÉ A TRAVÉS DE LA DIRECCIÓN DEL DEPARTAMENTO DE ARTE QUE EL EL MULLAH QUE ME HABÍA INTERROGADO HABÍA APRECIADO MUCHO MI HONESTIDAD. AL PARECER, DIJO QUE ERA LA ÚNICA QUE NO HABÍA MENTIDO. TUVE SUERTE. ME ENCONTRÉ CON UN RELIGIOSO DE VERDAD.

# EL MAQUILLAJE

EL ÉXITO EN EL CONCURSO NOS DEJÓ, A REZA Y A MÍ, MÁS TRANQUILOS RESPECTO A NUESTRO FUTURO EN COMÚN. PODÍAMOS SEGUIR JUNTOS PORQUE NINGUNO DE LOS DOS IBA A DEJAR IRÁN SIN EL OTRO. A PARTIR DE ENTONCES, NOS CONVERTIMOS EN UNA PAREJA DE VERDAD. ÉSE FUE, LÓGICAMENTE, EL INICIO DE LAS QUEJAS MUTUAS. YO LE REPROCHABA QUE NO ERA SUFICIENTEMENTE ACTIVO. ÉL, EN CAMBIO, SE CENTRABA MÁS EN MI ASPECTO FÍSICO: POCO ELEGANTE, ME MAQUILLABA POCO, ETC.

POR AQUEL ENTONCES, VALORABA TENER QUE HACER ESFUERZOS... UN DÍA QUE HABÍAMOS QUEDADO DELANTE DEL BAZAR SAFAVIEH,* ME MAQUILLÉ MUCHO PARA DARLE UNA SORPRESA.

¡TARDE, COMO SIEMPRE!

*NOMBRE DE UN CENTRO COMERCIAL.

DE REPENTE, AL OTRO LADO DE LA CALLE, VI LLEGAR UN COCHE DE LOS GUARDIANES DE LA REVOLUCIÓN, SEGUIDO DE UN AUTOBÚS. CUANDO IBAN EN AUTOBÚS, ERA PARA HACER REDADAS.

¡SI ME VEN CON LOS LABIOS PINTADOS, ME COGEN!

TENÍA QUE ACTUAR RÁPIDO.

¿QUÉ VOY A HACER?

¡¡YA LO TENGO!!

TENÍA QUE DESVIAR SU ATENCIÓN. DEBÍA IR A SU ENCUENTRO ANTES DE QUE SE FIJARAN EN MÍ.

¡HERMANO!

¡HERMANO!

¡DÍGAME, HERMANA!

¡HAY UN TIPO QUE ME HA HECHO PROPOSICIONES INDECENTES!

¡OH!

¡DÍGAME DÓNDE ESTÁ ESE GUARRO, LE CERRARÉ EL PICO PARA SIEMPRE!

¡ALLÍ! ¡EN LAS ESCALERAS! ¡¡¡ES ÉSE!!!

¡¡UUUFFF!!

SALVADA...

FALTABA ENCONTRAR A REZA.

NO ESTABA MUY LEJOS.

¿¿POR QUÉ SALES CON LOS LABIOS PINTADOS DE ROJO ELÉCTRICO, QUE NI SIQUIERA TE QUEDA BIEN?!

¿NO ME QUEDA BIEN?

¡NO!

¿QUIÉN ERA EL TÍO QUE SE HAN LLEVADO?

NO LO SÉ. UN POBRE CHAVAL QUE ESTABA AHÍ POR CASUALIDAD. CUANDO LES HE VISTO BAJAR DEL COCHE, HE PENSADO QUE LA ÚNICA MANERA DE SALIR DE ÉSTA ERA HACIÉNDOME "LA POBRE MUJER NECESITADA DE PROTECCIÓN". ASÍ QUE LES HE CONTADO QUE ESE TÍO ME HABÍA HECHO PROPOSICIONES INDECENTES Y LO HAN ARRESTADO.

¡¡¿¿HAS HECHO ESO??!!

¡JA, JA, JA, JA! ¡ES BUENÍSIMO! ¡MENUDO INSTINTO DE SUPERVIVENCIA!

¿TÚ CREES?

¡DESDE LUEGO! ¡JA, JA, JA!

VENGA, ¡VAMOS A OTRO SITIO! ¡AQUÍ ES PELIGROSO!

¡YA SE HAN IDO!

CUANDO HACEN REDADAS, NUNCA VA UNA PATRULLA SOLA. VENDRÁN MÁS.

*COMISARIADO DE LOS GUARDIANES DE LA REVOLUCIÓN.
**SALARIO MENSUAL DE UN FUNCIONARIO DE LA ÉPOCA.

TENEMOS SUERTE DE TENER UNOS PADRES QUE ACEPTAN NUESTRA RELACIÓN. ¡NO ESTAMOS OBLIGADOS A VERNOS EN LA CALLE COMO OTROS! LA MAYORÍA DE LAS FAMILIAS SON TRADICIONALISTAS. TAN TIRÁNICOS COMO EL ESTADO.

DE TODAS FORMAS, SI NOS ARRESTAN, SÓLO TENEMOS QUE DECIR QUE ESTAMOS PROMETIDOS. QUÉ MÁS DA. ¡A LO PEOR PAGAMOS Y SE ACABÓ!

¡PERO A ESOS CABRONES NO HAY QUE DARLES NI UN CÉNTIMO!

¡QUÉ INGRATA! ESOS CABRONES ACABAN DE PROTEGERTE DE UN PERVERTIDO.

ESPERA... ¿QUÉ VAN A HACERLE?

¿A QUIÉN?

¡AL POBRE TIPO QUE HAN ARRESTADO!

¡NADA! ¡SE LLEVARÁ ALGUNA TORTA! ¡ESO ES TODO!

FÍJATE, ESTÁN TAN TARADOS QUE SI LES DA POR AHÍ LO DETENDRÁN... ¿TE ACUERDAS DE MIS AMIGOS DARIUSH Y NADER?

SÍ. ¿Y QUÉ?

BUENO, VOLVÍAN DE UNA FIESTA, ERA DE NOCHE, TARDE, CUANDO LOS GUARDIANES DE LA REVOLUCIÓN LOS PARARON...

...AL PRINCIPIO, PENSABAN QUE SE TRATABA DE UN SIMPLE CONTROL RUTINARIO, PERO DESPUÉS DE HABER INSPECCIONADO SUS PAPELES, UN BARBUDO LES PREGUNTÓ...

¿CUÁL ES SU RELACIÓN CON EL SEÑOR?

ES MI COMPAÑERO.

QUISIERON DÁRSELAS DE LISTOS.

¿QUÉ ENTIENDE USTED POR "COMPAÑERO"?

¡PUES QUE SALIMOS JUNTOS!

¡SUCIO MARICA!

A DARIUSH LE ROMPIERON LA NARIZ. NADER RECIBIÓ UNAS CUANTAS PATADAS... AUNQUE SE LIBRARON BASTANTE BIEN. AQUÍ, SEGÚN LA LEY, SI ERES HOMOSEXUAL MERECES LA PENA CAPITAL.

¡YA LO SÉ!

VENGA, VAMOS A CASA.

¿TAN PRONTO?

¡SÍ!

¿VIENES A MI CASA?

SI QUIERES.

EL EXTERIOR ERA PELIGROSO, ASÍ QUE A MENUDO NOS QUEDÁBAMOS EN EL INTERIOR, EN SU CASA O EN LA MÍA. AQUELLA SITUACIÓN ME ASFIXIABA.

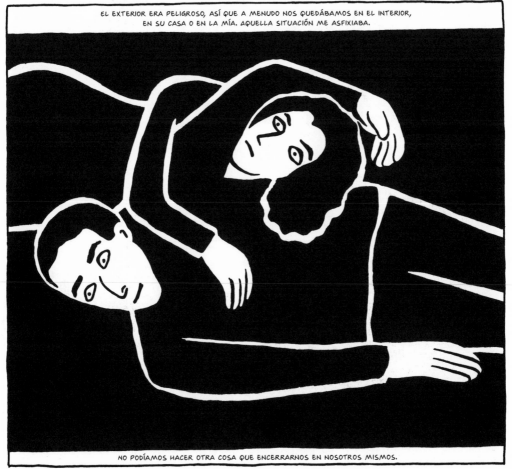

NO PODÍAMOS HACER OTRA COSA QUE ENCERRARNOS EN NOSOTROS MISMOS.

VOLVÍ A CASA BASTANTE PRONTO.

¡ABUELA! ¡QUÉ SORPRESA MÁS AGRA-DABLE! ¿DÓNDE ESTÁN PAPÁ Y MAMÁ?

ESTÁN EN EL CINE. ME HE QUEDADO PARA VERTE.

¡TENGO QUE EXPLICARTE ALGO!

... Y HE MIRADO A MI ALREDEDOR HASTA QUE HE VISTO A UN CHICO QUE TENÍA UN POCO DE MALA PINTA. ME HE IDO A VER A LOS BARBUDOS...

...¡Y LO HAN ARRESTADO! ¡JA, JA, JA!... ¡SE HAN LLEVADO AL CHAVAL! ¡JA, JA, JA!

¡JA, JA, JA, JA, JA!

¿Y TE PARECE GRACIOSO?

¿A TI NO?

¡NO! ¡ME PARECE QUE ERES UNA SINVERGÜENZA! ¡¡¡ESO ES LO QUE ME PARECE!!!

¿YA TE HAS OLVIDADO DE TU ABUELO? ¡SE PASÓ UNA TERCERA PARTE DE SU VIDA EN LA CÁRCEL POR HABER DEFENDIDO A INOCENTES! ¿Y TU TÍO ANOUCHE? ¡¿¿¿TAMBIÉN LO HAS OLVIDADO???! ¡¡¿QUÉ TE ENSEÑÉ?!! ¿¿¿EH??? ¡¡¡"LA INTEGRIDAD", SÍ SEÑORITA, "LA INTEGRIDAD"!!! ¿TE DICE ALGO ESA PALABRA?

ME VOY. ¡PIÉNSALO BIEN! ¡LA SANGRE DE TU ABUELO Y DE TU TÍO CORRE POR TUS VENAS! ¡DEBERÍA DARTE VERGÜENZA!

MI ABUELA ME HABÍA GRITADO POR PRIMERA VEZ EN MI VIDA.

DECIDÍ QUE SERÍA LA ÚLTIMA.

# LA CONVOCATORIA

SEPTIEMBRE DE 1989.
AL FIN ERA UNIVERSITARIA.

EL DESAYUNO QUE ME PREPARÓ MI MADRE COMO ANTAÑO, LA ATMÓSFERA MELANCÓLICA DEL PRINCIPIO DEL OTOÑO, MI UNIFORME... EN FIN, TODO ME RECORDABA A LA VUELTA AL COLEGIO.

¡ESTOY MUY NERVIOSA!

ME ENCONTRÉ CON REZA DE CAMINO.

¡TUUUUUT!
¡TUUUTUUUUUT!

¿CREES QUE LE PODEMOS DECIR A LA GENTE QUE ESTAMOS JUNTOS?

¿ESTÁS LOCA? ¡JAMÁS EN LA VIDA! ¡SI LA DIRECCIÓN DESCUBRE NUESTRA RELACIÓN, NOS EXPULSARÁN! ¡PARA ELLOS, ESTAMOS FUERA DE LA LEY!

EXAGERABA UN POCO. ES VERDAD QUE EN LA ENTRADA DE LA UNIVERSIDAD LOS CHICOS Y LAS CHICAS NO SE MEZCLABAN, PERO ESO NO IMPEDÍA QUE SE LANZARAN MIRADITAS.

¡NORMAL! DESPUÉS DE TODO, CON LEY O SIN ELLA, ERAN HUMANOS.

307

MUCHOS ESTUDIANTES YA SE CONOCÍAN. ESCUCHÁNDOLES, DEDUJE QUE HABÍAN HECHO CURSOS PREPARATORIOS JUNTOS. NUESTRA PRIMERA LECCIÓN FUE HISTORIA DEL ARTE.

ESO QUE COMÚNMENTE LLAMAMOS ARTE Y ARQUITECTURA ÁRABE DEBERÍA LLAMARSE, DE HECHO, ARTE DEL IMPERIO MUSULMÁN, QUE SE EXTENDÍA DE CHINA A ESPAÑA. ESTE ARTE ES UNA MEZCLA ENTRE EL ARTE INDIO, PERSA Y MESOPOTÁMICO. AQUÉLLOS, COMO AVICENA, A LOS QUE CONOCEMOS COMO "SABIOS ÁRABES" SON EN SU MAYORÍA CUALQUIER COSA MENOS ÁRABES. INCLUSO EL PRIMER LIBRO DE GRAMÁTICA ÁRABE FUE ESCRITO POR UN IRANÍ.

ERA DIVERTIDO VER HASTA QUÉ PUNTO LA REPÚBLICA ISLÁMICA NO HABÍA PODIDO ACABAR CON NUESTRO CHOVINISMO. ¡AL CONTRARIO! LA GENTE, A MENUDO, COMPARABA EL OSCURANTISMO DEL NUEVO RÉGIMEN CON LA INVASIÓN ÁRABE. SEGÚN ESTA LÓGICA, "SER PERSA" QUERÍA DECIR "NO SER FANÁTICO". DONDE FLOTEABA ESTE ARGUMENTO ERA EN QUE NUESTRO GOBIERNO NO ESTABA FORMADO POR INVASORES ÁRABES, SINO POR INTEGRISTAS PERSAS.

LA HORA DEL DESAYUNO.

EL PROFESOR ES MUY INTERESANTE PERO, ¡DIOS MÍO, CÓMO LE APESTA LA BOCA! ¡A DIEZ METROS SE HUELE SU ALIENTO DE CHACAL!

¡¡HAY CHICOS QUE LLEVAN UNOS PEINADOS!! ¡DIOS MÍO!

¡JA, JA, JA!

A PESAR DE QUE PARECÍAN CERRADAS, LAS CHICAS DE MI PROMOCIÓN ME PARECÍAN BASTANTE DIVERTIDAS.

¡EH! MIRA AL DE LA CAMISA AZUL... ¡NO ESTÁ MAL, EH!

HABLABAN DE REZA. DE REPENTE ME PARECIERON BASTANTE MENOS GRACIOSAS.

HOLA, ME LLAMO CHOUKA.

YO SOY NIOUCHA.

ENCANTADA, SOY MARJANE.

NIOUCHA TENÍA UNOS OJOS MUY VERDES, QUE LA CONVIRTIERON EN LA CHICA MÁS DESEADA DE TODA LA FACULTAD (LA MAYORÍA DE LOS IRANÍES TIENEN LOS OJOS NEGROS).

¿HAS VIVIDO EN EL EXTRANJERO?

¿CÓMO LO SABES?

PUES POR TU MAGHNAEH.* LO LLEVAS COMO UNA NOVATA.

CHOUKA ERA MUY DIVERTIDA. POR DESGRACIA, CUANDO DOS AÑOS MÁS TARDE SE CASÓ, SU ESPOSO LE PROHIBIÓ VERME. PARA ÉL, YO ERA UNA PERSONA AMORAL.

*COGULLA, HÁBITO RELIGIOSO.

LA VERDAD ES QUE LLEVAR EL VELO PODÍA SER TODO UN ARTE. HABÍA QUE HACER UN PLIEGUE ESPECIAL DE LA SIGUIENTE MANERA:

NO SE VE NINGÚN MECHÓN DE PERFIL.

PERO SE VEN LOS RASGOS DE LA CARA.

AL MENOS, LAS COSAS EVOLUCIONABAN... AÑO A AÑO, LAS MUJERES GANABAN UN CENTÍMETRO DE PELO Y PERDÍAN UNO DE VELO.

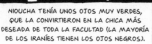

CON EL HÁBITO, AUNQUE FUERAN TAPADAS DE LA CABEZA A LOS PIES, LLEGÁBAMOS A DISTINGUIR SU CONSTITUCIÓN, CÓMO IBAN PEINADAS E INCLUSO SUS OPINIONES POLÍTICAS. EVIDENTEMENTE, CUANTO MÁS SE MOSTRABA UNA MUJER, MÁS PROGRESISTA Y MODERNA ERA.

POR LA NOCHE, EN CASA.

¡HOLA A TODO EL MUNDO!

BUENO, ¿CÓMO TE HA IDO EL PRIMER DÍA?

HOLA.

MIRA QUÉ TE HA TRAÍDO TU ABUELA.

¿ABUELA?

DESDE MI DESPRECIABLE ACTO, MI ABUELA NO ME HABLABA.

¿QUÉ ES ESTO?

¡UNA COGULLA DE ALGODÓN!

ASÍ LA CABEZA PODRÁ TRANSPIRAR. SI NO, TE QUEDARÁS CALVA DENTRO DE POCO.

ME HABÍA HECHO UN REGALO, HABÍA PENSADO EN MI PELO, ME HABLABA...

...¡UUF! ME HABÍA PERDONADO.

¡AH, ABUELA! ¡GRACIAS!

VALE, VALE, ¡YA ESTÁ!

ME HABÍA OLVIDADO DE SU EXTREMA INTRANSIGENCIA.

UNA SEMANA DESPUÉS.

EL TIPO AFEITADO ÉSE, ¿CÓMO SE LLAMA...? REZA, SÍ, REZA, ¿LE CONOCES?

NO, ¿POR QUÉ?

PUES PORQUE NO PARA DE VIGILARTE. ¡JI, JI, JI!

NO, NO, ¡NI SIQUIERA LE HABÍA VISTO!

¡TIENES RAZÓN! ¡NO ES NADA DEL OTRO MUNDO!

¡OH, NO ESTÁ TAN MAL!

¡VES COMO LE CONOCES!

ANTE LA PERSPICACIA DE MIS COMPAÑERAS, TUVE QUE CONFESAR LA VERDAD.

¡ESTUDIANTES, ESTUDIANTES!

¡QUÉ VISTA!

¡LO CONFIESO! LO VI AYER POR LA TARDE EN TU COCHE.

¡SUCIA EMBUSTERA! ¡ME HAS TOMADO EL PELO!

¡SHHHTT! ¡ESCUCHAD A LA DIRECTORA!

¡DEBEN PRESENTARSE A LAS 15 HORAS EN LA UNIVERSIDAD CENTRAL! ¡TODOS LOS QUE SE AUSENTEN SERÁN PRIVADOS DE CLASES DURANTE DOS SEMANAS!

EN LA UNIVERSIDAD CENTRAL ERA DONDE SE ENSEÑABAN LAS MATERIAS COMUNES A TODAS LAS SECCIONES. ERA UN SITIO MUCHO MÁS REPRESIVO QUE NUESTRA FACULTAD. COMO ARTISTAS, GOZÁBAMOS DE UN POCO MÁS DE LIBERTAD. POR EJEMPLO, ALLÍ, LAS CHICAS Y LOS CHICOS TENÍAN QUE SUBIR DISTINTAS GRADAS, MIENTRAS QUE EN LA NUESTRA ERAN LAS MISMAS PARA TODO EL MUNDO.

YO NO ENTENDÍA LA HISTORIA DE LAS ESCALERAS PORQUE, DE TODAS FORMAS, ACABÁBAMOS JUNTOS EN LA TARIMA, PERO CHOUKA DECÍA QUE ERA PARA IMPEDIR QUE LOS CHICOS NOS MIRARAN EL CULO MIENTRAS SUBÍAMOS.

CREO QUE TENÍA RAZÓN.

UNA VEZ, EN EL ANFITEATRO, DESCUBRIMOS EL MOTIVO DE LA CONVOCATORIA: LA DIRECCIÓN HABÍA ORGANIZADO UNA CONFERENCIA SOBRE EL TEMA "LA CONDUCTA MORAL Y RELIGIOSA", CON EL FIN DE MOSTRARNOS EL RECTO CAMINO.
¡NO PODEMOS PERMITIRNOS COMPORTARNOS DE CUALQUIER MANERA! LA SANGRE DE LOS MÁRTIRES HA HECHO BROTAR LAS FLORES DE NUESTRA REPÚBLICA. PERMITIRSE UNA CONDUCTA INDECENTE ES PISOTEAR LA SANGRE DE LOS QUE HAN DADO SU VIDA POR NUESTRA LIBERTAD. ASIMISMO, LES PIDO A LAS SEÑORITAS AQUÍ PRESENTES QUE LLEVEN LOS PANTALONES MENOS ANCHOS Y LAS COGULLAS MÁS LARGAS. QUE SE CUBRAN BIEN EL PELO, QUE NO SE MAQUILLEN, QUE...

¿ALGUNA PREGUNTA? SI NO, SE LEVANTARÁ LA SESIÓN.

¡YO, SEÑOR, TENGO UNA PREGUNTA!

USTED DICE QUE LAS COGULLAS SON CORTAS, QUE LOS PANTALONES SON INDECENTES, QUE NO NOS MAQUILLEMOS, ETC.

COMO ESTUDIANTE DE ARTE, ME PASO BUENA PARTE DEL TIEMPO EN EL TALLER. NECESITO LIBERTAD DE MOVIMIENTO PARA PODER DIBUJAR. UN VELO TODAVÍA MÁS LARGO HARÍA LA TAREA AÚN MÁS DIFÍCIL.

EN CUANTO A LOS PANTALONES, SE QUEJA DE QUE SON DEMASIADO ANCHOS, AUNQUE ESCONDEN EFICAZMENTE LAS FORMAS. Y AHORA QUE ESTOS PANTALONES ESTÁN DE MODA, LE HAGO LA PREGUNTA: ¿LA RELIGIÓN DEFIENDE NUESTRA INTEGRIDAD FÍSICA O SIMPLEMENTE SE OPONE A LA MODA?

NO DUDA EN HACERNOS REPROCHES, CUANDO NUESTROS HERMANOS AQUÍ PRESENTES LLEVAN TODO TIPO DE PEINADOS Y DE ROPA. A VECES, LLEVAN PRENDAS TAN CEÑIDAS QUE SE LES PUEDE VER EL CUERPO.

¿CÓMO ES POSIBLE QUE YO, COMO MUJER, NO PUEDA SENTIR NADA VIENDO A ESTOS FORNIDOS SEÑORES DE ARRIBA A ABAJO, PERO ELLOS, COMO HOMBRES, PUEDAN EXCITARSE POR CINCO CENTÍMETROS MENOS DE VELO?

¡¡OHHHH!!

A LA SALIDA DE LA CONFERENCIA.

ERES REALMENTE VALIENTE.

¡NO! ¡BRAVO! ¡QUÉ FRANQUEZA!

GRACIAS.

¡SATRAPI!

LA COMISIÓN ISLÁMICA TE HA CONVOCADO... ¡ÁNIMO!

¿ES GRAVE?

¡NO SÉ NADA!

LA DIRECTORA DE NUESTRA FACULTAD HABÍA HECHO SUS ESTUDIOS EN ESTADOS UNIDOS Y ERA BASTANTE LAICA.

¿QUÉ HA PASADO?

¡ME HA CONVOCADO LA COMISIÓN ISLÁMICA!

¡MIERDA!

¡DESEADME SUERTE!

ERA COMO SI FUERA AL ENCUENTRO DE MI VERDUGO...

...PERO, PARA MI GRAN SORPRESA, MI EJECUTOR RESULTÓ SER "EL RELIGIOSO AUTÉNTICO", EL QUE HABÍA APROBADO MI TEST IDEOLÓGICO.

BUENO, SEÑORITA SATRAPI... SIGUE DICIENDO LO QUE PIENSA... ¡ESTÁ BIEN! ES USTED HONESTA, AUNQUE ESTÁ UN POCO EXTRAVIADA.

SÍ.

LEA LOS TEXTOS SAGRADOS. VERÁ QUE LLEVAR EL VELO ES SINÓNIMO DE EMANCIPACIÓN. ¡UNA MUJER CON VELO ES UNA MUJER LIBERADA!

SI USTED LO DICE.

NO SOY YO QUIEN LO DICE, ES DIOS... VOY A DARLE UNA SEGUNDA OPORTUNIDAD. POR ESTA VEZ, NO SERÁ EXPULSADA. A CAMBIO, LE PIDO QUE PIENSE EN UN UNIFORME ADAPTADO A LAS NECESIDADES DE LOS ESTUDIANTES DE SU SECCIÓN. ¡NADA EXTRAVAGANTE, POR SUPUESTO!

POR SUPUESTO.

ME APLIQUÉ. NO ERA FÁCIL DISEÑAR "EL MODELO" QUE AGRADARA A LA VEZ A LA DIRECCIÓN Y A LAS PRINCIPALES INTERESADAS. HICE MUCHOS BOCETOS.

ASÍ QUE ÉSTE FUE EL RESULTADO DE MI TRABAJO.

COGULLA CORTA →

PANTALONES LARGOS ←

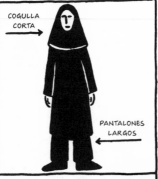

AUNQUE SUTILES, ESTAS DIFERENCIAS REPRESENTABAN MUCHO PARA NOSOTRAS.

ESTA PEQUEÑA REBELIÓN NOS RECONCILIÓ A MÍ Y A MI ABUELA.

EL MIEDO ES LO QUE NOS HACE PERDER NUESTRA CONCIENCIA. TAMBIÉN ES LO QUE NOS CONVIERTE EN COBARDES. ¡HAS SIDO MUY VALIENTE! ¡ESTOY ORGULLOSA DE TI!

ASÍ RECUPERÉ MI AMOR PROPIO Y MI DIGNIDAD. POR PRIMERA VEZ EN MUCHO TIEMPO, ESTABA SATISFECHA CONMIGO MISMA.

# 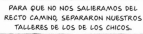 LOS CALCETINES

PARA QUE NO NOS SALIERAMOS DEL RECTO CAMINO, SEPARARON NUESTROS TALLERES DE LOS DE LOS CHICOS.

SOY VUESTRO PROFESOR DE ANATOMÍA. ANTES, DIBUJÁBAMOS DESNUDOS, PERO LAS COSAS HAN CAMBIADO. VUESTRO MODELO ESTARÁ CUBIERTO. INTENTAD ACOSTUMBRAROS.

LO INTENTÁBAMOS...

LA MIRÁBAMOS...

...POR TODOS LOS LADOS...

...DESDE TODOS LOS ÁNGULOS...

PERO NO HABÍA NADA DE SU CUERPO A LA VISTA.

AL MENOS, APRENDIMOS A DIBUJAR LAS TELAS.

314

DESPUÉS DE ALGUNAS SEMANAS, NUESTRO PROFESOR Y NOSOTRAS MISMAS DEDUJIMOS QUE ERA PREFERIBLE QUE VINIERA UN MODELO AL QUE, AL MENOS, SE LE PUDIERAN DISTINGUIR LOS MIEMBROS. LA DIRECTORA LO APROBÓ.

UNA TARDE, ANTES DEL CIERRE DE LA FACULTAD, UNO DE LOS VIGILANTES ME HIZO UNA VISITA.

¿QUÉ HACES AQUÍ TAN TARDE?

DIBUJO.

¿POR QUÉ MIRAS A ESE HOMBRE?

¡BUENO, PORQUE LO ESTOY DIBUJANDO!

SÍ, PERO TÚ NO TIENES DERECHO A MIRARLE. VA CONTRA LA MORAL.

¿QUÉ QUIERE QUE HAGA? ¡¡¿¿¿QUE DIBUJE A ESTE SEÑOR MIRANDO A LA PUERTA???!!

SÍ.

ESTAS SITUACIONES ABSURDAS ERAN BASTANTE FRECUENTES. UN DÍA, POR EJEMPLO, TENÍA QUE IR AL DENTISTA, PERO LAS CLASES ACABARON MÁS TARDE DE LO PREVISTO.

DE REPENTE, OÍ UNA VOZ DESDE UN MEGÁFONO.

¡LA SEÑORITA DEL PAÑUELO AZUL! ¡¡NO CORRA!!

¿?

¡¡¡LA MUJER DEL PAÑUELO AZUL!!! ¡DEJE DE CORRER!

¿?

¡EH, LA DEL PAÑUELO AZUL! ¡PARE DE CORRER!

¿??

¿YO?

SEÑORA, ¿POR QUÉ CORRÍA?

¡LLEGO TARDE! ¡CORRÍA PARA COGER EL AUTOBÚS!

SÍ... PERO... CUANDO CORRE, POR DETRÁS HACE MOVIMIENTOS... CÓMO SE LO DIRÍA... ¡IMPÚDICOS!

¡¿ES QUE NO TIENEN NADA MEJOR QUE HACER QUE MIRARME EL CULO?!

GRITÉ TAN FUERTE QUE NI SIQUIERA ME DETUVIERON.

NOS ENFRENTÁBAMOS AL RÉGIMEN COMO PODÍAMOS.

EN 1990, LA ÉPOCA DE LOS GRANDES IDEALES REVOLUCIONARIOS Y DE LAS MANIFESTACIONES YA SE HABÍA ACABADO. ENTRE 1980 Y 1983, EL GOBIERNO HABÍA ENCARCELADO Y EJECUTADO A TANTOS BACHILLERES Y UNIVERSITARIOS QUE YA NO NOS ATREVÍAMOS A HABLAR DE POLÍTICA.

NUESTRA LUCHA ERA MÁS DISCRETA.

SE BASABA EN PEQUEÑOS DETALLES. PARA NUESTROS DIRIGENTES, EL MÁS MÍNIMO DETALLE PODÍA SER UN MOTIVO DE SUBVERSIÓN.

ENSEÑAR LAS MUÑECAS...

REÍRSE FUERTE...

TENER UN WALK-MAN...

EN RESUMEN... CUALQUIER PRETEXTO VALÍA PARA ARRESTARNOS.

RECUERDO QUE ME PASÉ UN DÍA ENTERO EN EL COMITÉ POR CULPA DE UNA HISTORIA CON UNOS CALCETINES ROJOS.

EL RÉGIMEN HABÍA COMPRENDIDO QUE SI UNA PERSONA SALÍA DE CASA PENSANDO...

¿EL PANTALÓN ES BASTANTE LARGO?

¿LLEVO EL PAÑUELO BIEN PUESTO?

¿SE ME VE EL MAQUI-LLAJE?

¿ME DARÁN LATIGA-ZOS?

YA NO SE PREGUNTABA...

¿DÓNDE ESTÁ MI LIBERTAD DE PENSA-MIENTO?

¿DÓNDE ESTÁ MI LIBERTAD DE EXPRE-SIÓN?

MI VIDA, ¿ES SOPOR-TABLE?

¿QUÉ SUCEDE EN LAS PRISIO-NES POLÍTI-CAS?

¡NORMAL! CUANDO SE TIENE MIEDO, SE PIERDE LA CAPACIDAD DE ANÁLISIS Y DE REFLEXIÓN. NUESTRO PAVOR NOS PARALIZA. POR ESO EL MIEDO HA SIDO SIEMPRE EL MOTOR DE REPRESIÓN DE TODAS LAS DICTADURAS.

ENSEÑAR EL PELO O MAQUILLARSE SE CONVIRTIERON, LÓGICAMENTE, EN ACTOS DE REBELDÍA.

POR SUERTE, QUEDABA LA OTRA MEDIA. POCO A POCO, CONOCÍ A LAS ESTUDIANTES QUE PENSABAN COMO YO.

NOS ENCONTRÁBAMOS EN CASA DE UNOS Y OTROS, Y ALLÍ POSÁBAMOS LOS UNOS PARA LOS OTROS... HABÍAMOS ENCONTRADO, AL FIN, UN ESPACIO DE LIBERTAD.

AL PRINCIPIO SÓLO ÉRAMOS CINCO.

DESPUÉS...

Y AL FINAL...

ÉRAMOS MUCHOS MÁS DE LO QUE HABÍA IMAGINADO.

NUESTRO PROFESOR ESTABA ENCANTADO CON LOS BOCETOS QUE HACÍAMOS EN CASA.

¡BRAVO! ¡UN ARTISTA DEBE DESAFIAR LA LEY! ¡LES FELICITO!

EL TIEMPO IBA PASANDO Y CADA VEZ ME DABA MÁS CUENTA DEL CONTRASTE ENTRE LA IMAGEN OFICIAL DE MI PAÍS Y LA VIDA REAL DE LA GENTE, LA QUE SE VIVÍA EN PRIVADO.

NUESTRO COMPORTAMIENTO EN PÚBLICO Y EN PRIVADO ESTABAN EN LAS ANTÍPODAS.

...ESTE CONTRASTE NOS VOLVÍA ESQUIZOFRÉNICAS.

PARA MANTENER UN CIERTO EQUILIBRIO, HACÍAMOS FIESTAS CASI TODAS LAS NOCHES...

...PERO NI SIQUIERA EN NUESTRAS CASAS NOS DEJABAN TRANQUILOS.

HE VISTO LA PATRULLA DE LOS GUARDIANES DE LA REVOLUCIÓN POR LA VENTANA. ¡CREO QUE VIENEN A ARRESTARNOS!

¡VEN AQUÍ, PEQUEÑO CANALLA! ¡ASÍ QUE ORGANIZAS FIESTAS! ¡TE VOY A QUITAR LAS GANAS DE DIVERSIÓN!

SE LLEVABAN A TODO EL MUNDO A LA CÁRCEL. EVIDENTEMENTE, LA PRIMERA VEZ PASAMOS MUCHO MIEDO.

...PERO PRONTO SE CONVIRTIÓ EN UN HÁBITO. LLEGAMOS A REÍRNOS DE ELLO.

BARBUDO, TU BARBA APESTA...

DESPUÉS VENÍA LA CANTINELA DE SIEMPRE...

...CONTRA LA MORAL... LA SANGRE DE LOS MÁRTIRES... ...VEINTE MIL TOUMANS...

...NUESTROS PADRES PAGABAN Y NOS SOLTABAN...

...HASTA LA SIGUIENTE. PARA HACER FIESTAS, HACÍAN FALTA RECURSOS. *

PERO UNA NOCHE...

¡VUESTRO COLEGA SE HA IDO AL INFIERNO!

¡VENGA, PÓNGANSE LOS VELOS!

¡¡LLÉVENSE A ESTAS PUTAS!!

PAPÁ, FARZAD ESTÁ...

LO SÉ. HE PASADO MIEDO... A LO MEJOR DEBERÍAS...

PERO NO ACABÓ LA FRASE. A PESAR DEL PELIGRO, MI PADRE SIEMPRE ME DEJABA VIVIR COMO QUERÍA.

AL DÍA SIGUIENTE, NOS ENCONTRAMOS EN MI CASA.

POBRE FARZAD. ERA TAN GUAPO. ¡NO PUEDO CREER QUE ESTÉ MUERTO!

¡PODRÍA MATAR A TODOS LOS BARBUDOS CON MIS PROPIAS MANOS!

NO VENDRÉ MÁS A ESTAS VELADAS. ¡ES DEMASIADO PELIGROSO!

TE EQUIVOCAS. ¡ESO ES EXACTAMENTE LO QUE ELLOS QUIEREN! ¡IMPEDIR QUE VIVAMOS! ¡NADA LES JODE MÁS QUE VERNOS FELICES!

¡ALÍ TIENE RAZÓN!

ESA MISMA NOCHE, ALÍ DIO UNA GRAN FIESTA EN SU CASA.

NUNCA HE BEBIDO TANTO EN MI VIDA.

# LA BODA

EN 1991, ESTABA EN SEGUNDO DE ARTES GRÁFICAS.

TODO IBA BIEN: LOS ESTUDIOS ME INTERESABAN, QUERÍA A MI NOVIO, ESTABA BIEN RODEADA.

MIS AMIGOS Y YO HABÍAMOS EVOLUCIONADO. HABÍA ATEMPERADO MI VISIÓN OCCIDENTAL DE LA VIDA, Y ELLOS, POR SU PARTE, SE HABÍAN ALEJADO DE LAS TRADICIONES. ADEMÁS, SE HABÍAN FORMADO MUCHAS PAREJAS NO CASADAS.

HAY QUE DECIR QUE ERA DIFÍCIL ESTAR JUNTOS FUERA DEL MATRIMONIO. SI ÍBAMOS DE VIAJE...

SEÑOR, QUEREMOS UNA HABITACIÓN PARA DOS NOCHES.

SU CERTIFICADO DE MATRIMONIO, POR FAVOR.

...SI QUERÍAMOS ALQUILAR UN PISO...

SOY AGENTE INMOBILIARIO. ME INTERESA FIRMAR EL MÁXIMO NÚMERO DE CONTRATOS. VUESTRA SITUACIÓN FAMILIAR ME DA IGUAL, PERO EL PROPIETARIO SE NIEGA. PIENSEN QUE TIENE RAZÓN. TENDRÁ PROBLEMAS CON LAS AUTORIDADES... Y ADEMÁS, DESDE UN PUNTO DE VISTA MORAL, LO QUE HACEN NO ESTÁ BIEN. DEBERÍAN CASARSE.

EN EL FONDO, NI REZA NI YO ESTÁBAMOS LISTOS PARA COMPROMETERNOS. EN DOS AÑOS, SÓLO NOS HABÍAMOS VISTO EN SU CASA O EN LA MÍA (BUENO, QUIERO DECIR EN LAS DE NUESTROS PADRES).

TE QUIERO. ¿QUIERES QUE NOS CASEMOS?

?

¡SÓLO TENGO VEINTIÚN AÑOS! ¡NO HE VISTO NADA! ¡PERO LE QUIERO! ¿CÓMO PUEDO SABER SI ES EL HOMBRE DE MI VIDA SIN VIVIR CON ÉL...?

¿QUÉ DICES?

DAME UN POCO DE TIEMPO.

TÓMATE TODO EL TIEMPO QUE NECESITES.

NECESITABA HABLARLO CON MIS PADRES, PERO MI MADRE ESTABA DE VIAJE EN EL EXTRANJERO.

POR SUERTE, MI PADRE ESTABA EN CASA.

¡PAPÁ! REZA ME HA PEDIDO EN MATRIMONIO. NO SÉ QUÉ HACER.

SÓLO TÚ PUEDES SABERLO. ADEMÁS, SI QUIERES CONOCERLE TIENES QUE VIVIR CON ÉL, Y PARA ESO HAY QUE CASARSE.

SIEMPRE QUEDA EL DIVORCIO.

DESDE LUEGO.

UNOS DÍAS MÁS TARDE YA HABÍA TOMADO UNA DECISIÓN: ME CASARÍA. SE LO ANUNCIÉ A MI PADRE. NOS INVITÓ, A REZA Y A MÍ, A UN RESTAURANTE PARA HABLARLO.

¡BIENVENIDOS!

DESPUÉS DE CENAR.

COMO TU FUTURO SUEGRO, ME TOMO LA LICENCIA DE PEDIRTE TRES COSAS.

PRIMO: SEGURAMENTE SABES QUE EN ESTE PAÍS "EL DERECHO AL DIVORCIO" PARA UNA MUJER ES FACULTATIVO. SÓLO LO TIENE SI SU MARIDO AUTORIZA ESA OPCIÓN EN LA FIRMA DEL ACTA DE MATRIMONIO. MI HIJA DEBE TENER ESE DERECHO.

SECUNDO: MI ESPOSA Y YO HEMOS EDUCADO A NUESTRA HIJA CON MUCHA LIBERTAD. SI SE QUEDA TODA LA VIDA EN IRÁN, SE MARCHITARÁ. ASÍ QUE OS PIDO A LOS DOS QUE, EN CUANTO OBTENGÁIS EL DIPLOMA, CONTINUÉIS VUESTROS ESTUDIOS EN EUROPA. TENDRÉIS MI APOYO ECONÓMICO.

TERTIO: VIVID JUNTOS TODO EL TIEMPO QUE OS SINTÁIS VERDADERAMENTE FELICES. LA VIDA ES DEMASIADO CORTA PARA VIVIRLA MAL.

¡CAMARERO, LA CUENTA POR FAVOR!

SÍ, SEÑOR.

MUCHO DESPUÉS, MI PADRE ME CONFESÓ QUE SIEMPRE SUPO QUE ME DIVORCIARÍA. QUERÍA QUE ME DIERA CUENTA YO SOLA QUE REZA Y YO NO ESTÁBAMOS HECHOS EL UNO PARA EL OTRO. TENÍA RAZÓN.

DESPUÉS LLAMÉ A MI MADRE A CASA DE MI TÍA, EN VANCOUVER.

¡HOLA MAMÁ! ¿QUÉ TAL?

¡AHORA QUE TE HE OIGO, MUCHO MEJOR!

MAMÁ, TENGO UNA GRAN NOTICIA QUE DARTE... AHÍ VA: ¡VOY A CASARME!

¿TE CASAS? ¿¿PERO CON QUIÉN?

¿BUENO, TÚ QUÉ CREES? ¡CON REZA, CLARO!

¡PERO AÚN ERES DEMASIADO JOVEN! ¡ESCUCHA! ESPERA A QUE VUELVA. ESTARÉ AHÍ DENTRO DE TRES SEMANAS. YA HABLAREMOS.

¿QUÉ TAL?

BUENO, NO ESTÁ DE ACUERDO.

YA ME LO ESPERABA... NO PASA NADA. HABLARÉ CON ELLA. NO TE PREOCUPES.

NUNCA SUPE QUÉ SE DIJERON, SIN EMBARGO CUANDO MI MADRE VOLVIÓ A TEHERÁN...

AH, CARIÑO, YO ME OCUPO DE TODO. LA CEREMONIA TIENE QUE ESTAR A TU ALTURA.

A PARTIR DEL DÍA SIGUIENTE...

¿QUÉ TE PARECE?

EH... EL VESTIDO ES BONITO, PERO NO PUEDO PONERME ALGO ASÍ.

DESPUÉS ME LLEVÓ A UN SITIO FAMOSO POR SUS "PEINADOS DE NOVIA", PARA IR PROBANDO.

¿TE GUSTA, PEQUEÑA?

...

FUI SOMETIDA A DECENAS DE EXPERIMENTOS DE TODO TIPO: MAQUILLAJE, RAMOS DE FLORES PARA LA MANO, ZAPATOS...

YA SÉ QUE QUERÉIS HACERLO LO MEJOR POSIBLE, PERO ODIO LOS VESTIDOS DE NOVIA, LOS PEINADOS DE MODA Y TODO LO DEMÁS... ¿NO PODRÍAMOS HACER UNA FIESTA MÁS MODESTA...?

ESCUCHA. SÓLO TENEMOS UNA HIJA: ¡TÚ! PUEDE QUE ÉSTA SEA TU ÚNICA BODA. PUEDES VESTIRTE Y PEINARTE COMO QUIERAS, PERO DÉJANOS AL MENOS FESTEJAR ESTA OCASIÓN A NUESTRA MANERA.

CEDÍ Y MIS PADRES LO APROVECHARON PARA INVITAR A CUATROCIENTAS PERSONAS, DOS ORQUESTAS, EQUIPO DE VÍDEO, FLORES...

¡HA LLEGADO LA NOVIA!

¡QUERIDA!

PRIMERO PASAMOS ANTE EL MULLAH.

SEÑOR REZA... QUIERE USTED TOMAR A LA SEÑORITA MARJANE...
SEÑORITA MARJANE... QUIERE USTED TOMAR AL SEÑOR REZA...

¡SÍ!

¡SÍ!

DESPUÉS, LLEGÓ EL TURNO DEL FOLKLO-RE. LA TRADICIÓN MANDA QUE UNA MUJER SATISFECHA CON SU VIDA FROTE DOS PANES DE AZÚCAR SOBRE NUESTRAS CABEZAS PARA TRANSMITIRNOS SU ALEGRÍA Y PROSPERIDAD.

LA TRADICIÓN MANDA TAMBIÉN QUE METAMOS LOS DEDOS EN MIEL...

...Y QUE NOS LOS CHUPEMOS MUTUAMENTE PARA EMPEZAR NUESTRA VIDA DE PAREJA CON DULZURA.

DESPUÉS LLEGARON LOS REGALOS.

¡TOMAD, ES PARA VOSOTROS!

¡MAMÁ!

ENTONCES, ¿PARA CUÁNDO LOS NIÑOS?

PRONTO.

¡ESTÁS RADIANTE!

¡MUCHAS GRACIAS!

¿ES USTED LA NOVIA?

¡JI, JI, JI! ¡NO! ¡ES ELLA!

?

MAMÁ, ¿ESTÁS AHÍ?

¡NO!

¿HAS LLORADO?

NO.

BASTÓ QUE LE PUSIERA LA MANO EN EL HOMBRO PARA QUE EMPEZARA.

SIEMPRE HE QUERIDO QUE TE HICIERAS INDEPENDIENTE, EDUCADA, CULTIVADA... Y RESULTA QUE TE CASAS A LOS VEINTIÚN AÑOS. QUIERO QUE TE VAYAS DE IRÁN, QUE SEAS LIBRE Y EMANCIPADA..

¡MAMAÍTA! CONFÍA EN MÍ. SÉ LO QUE ME HAGO.

EL RESTO DE LA VELADA PASÓ ENTRE SONRISAS Y LÁGRIMAS, PERO SOBRE TODO CON MUCHO CANSANCIO. POR FIN, A LAS DOS DE LA MAÑANA.

¡HASTA LUEGO!

¡SED FELICES!

¡BUENA SUERTE!

LLEGAMOS A NUESTRA CASA...

...CUANDO SE CERRÓ LA PUERTA DEL PISO TUVE UNA EXTRAÑA SENSACIÓN.

...¡YA ME ARREPENTÍA! DE GOLPE ME HABÍA CONVERTIDO EN "UNA MUJER CASADA". HABÍA SEGUIDO EL ESQUEMA SOCIAL CUANDO SIEMPRE ME HABÍA QUERIDO MANTENER AL MARGEN. SEGÚN MIS IDEAS, "UNA MUJER CASADA" NO ERA COMO YO. ESO REQUERÍA MUCHO COMPROMISO. NO PODÍA ACEPTARLO, PERO ERA DEMASIADO TARDE.

A PESAR DE TODO, LO INTENTABA. PERO MI CRISIS EXISTENCIAL Y DE IDENTIDAD SÓLO ERA PARTE DEL PROBLEMA. LA OTRA PARTE ERA REZA.

¡ME GUSTARÍA PONER ESTE CUADRO AHÍ!

¡NO, MEJOR AHÍ!

VOY A COMER CON MIS PADRES. ¿NO VIENES?

NO, NO ME APETECE.

¿NO QUIERES VENIR AL ANIVERSARIO DE KIANA?

NO.

VOLVERÉ TARDE.

COMO QUIERAS.

RECAPITULANDO, ME DOY CUENTA DE QUE SIEMPRE SUPE QUE NO FUNCIONARÍA. PERO DESPUÉS DE MI TRISTE HISTORIA DE AMOR EN VIENA, NECESITABA VOLVER A CREER EN ALGUIEN...

...LO NECESITABA TANTO QUE LE MENTÍA CONSTANTEMENTE.

ME ENCANTAN LAS MUJERES CON VESTIDO.

¡JUSTO MI ESTILO!

NO ME GUSTAN LAS CHICAS GROSERAS.

¡AH! ¡YO TAMBIÉN LAS ODIO!

ME GUSTAN LOS OJOS CLAROS.

ME COMPRABA LENTILLAS AZULES.

BLA BLA BLA BLA BLA BLA BLA BLA BLA BLA BLA BLA

¡ESTOY DE ACUERDO CON TODO LO QUE DICES!

ÉL SE HABÍA CASADO CON...

ELLA →

Y SE HABÍA ENCONTRADO CON...

ELLA →

AL CABO DE UN MES DE CASADOS, DORMÍAMOS EN HABITACIONES SEPARADAS.

ÉL TENÍA SU VIDA...

¿DÓNDE ESTÁ TU MUJER?

DE VACACIONES, CON SU PRIMA.

...YO, LA MÍA.

¿QUÉ TAL REZA?

BIEN, ESTÁ CON SU HERMANO.

HABÍA TANTA GENTE QUE NOS CONSIDERABA UNA PAREJA MODELO DESDE HACÍA TANTO TIEMPO QUE NO CONSEGUÍAMOS ASIMILAR NUESTRO FRACASO...

...MANTENÍAMOS LAS APARIENCIAS EN PÚBLICO.

¿CERRARÁ ESA BOCAZA?

¡QUÉ IDIOTA!

PERO CUANDO NOS QUEDÁBAMOS SOLOS...

¡NUNCA QUIERES SALIR! SI TENGO QUE IR SOLA A TODAS PARTES, ¿DE QUÉ ME SIRVE QUE VIVAMOS JUNTOS?

¡YO TE DEJO HACER TODO LO QUE QUIERAS! ¡NO SOY EL TÍPICO MACHISTA QUE TE ANDARÍA PIDIENDO CUENTAS! ¡ASÍ QUE DÉJAME EN PAZ!

EN DOS MESES, PASAMOS DE LAS PELEAS CADA DOS SEMANAS A LOS INSULTOS COTIDIANOS.

# LA PARABÓLICA

EN 1991, EL AÑO DE MI BODA, IRAQ ATACÓ KUWAIT.

¡BIEN HECHO! ¡APOYARON AL CABRÓN DE SADDAM DURANTE OCHO AÑOS CONTRA NOSOTROS! ¡QUE RECOJAN LO QUE SEMBRARON!

¡SADDAM ESTÁ DEMASIADO ARMADO Y LOS KUWAITÍES NO DEJAN DE SOBREPASAR SU CUOTA DE PRODUCCIÓN PETROLÍFERA! ¡QUE SE EXTERMINEN ENTRE ELLOS!

AHORA QUE IRÁN SE HA DECLARADO NEUTRAL EN ESTE ASUNTO, ¡LOS KUWAITÍES PIDEN PERDÓN POR HABER APOYADO A NUESTRO ENEMIGO! ¡PRONTO VENDRÁN A EXILIARSE AQUÍ!

ESO ES LO QUE HICIERON.

LOS EMIGRANTES KUWAITÍES ERAN FÁCILES DE DISTINGUIR. TENÍAN COCHES MUY MODERNOS, AL REVÉS DE LOS IRANÍES, QUE ESTABAN ECONÓMICAMENTE DESTRUIDOS DESPUÉS DE MUCHOS AÑOS DE GUERRA. MI ÚNICO CONTACTO CON ELLOS FUE UN DÍA POR LA CALLE.

HOW MUCH? HOW MUCH?

FUCK YOU! SON OF A BITCH!!

CUANDO LE EXPLIQUÉ ESTA ANÉCDOTA A UN TÍO MÍO QUE CONOCÍA BIEN KUWAIT, ME DIJO: "ALLÍ, COMO EN TODOS LOS PAÍSES ÁRABES, LAS MUJERES ESTÁN TAN PRIVADAS DE DERECHOS QUE PARA UN KUWAITÍ UNA CHICA QUE ANDA POR LA CALLE BEBIENDO UNA COCA-COLA SÓLO PUEDE SER UNA PROSTITUTA."

A PARTE DE ESTOS PEQUEÑOS INCONVENIENTES, NO SENTÍAMOS QUE AQUELLO NOS CONCERNIERA EN ABSOLUTO, AUNQUE SUCEDIERA EN EL GOLFO PÉRSICO, ES DECIR, ¡EN NUESTRA CASA!

MARTI, VEN A VER.

LA GUERRA HA DESATADO EL PÁNICO EN LOS PAÍSES EUROPEOS...

LA GENTE LLENA LOS CARROS. UNA LOCURA EN LOS SUPERMERCADOS OCCIDENTALES...

...VEAMOS ALGUNOS TESTIMONIOS.

¡VIVÍ LA SEGUNDA GUERRA MUNDIAL! ¡FUE HORRIBLE!

¡TENEMOS DOS BEBÉS! ESTAMOS OBLIGADOS A COMPRAR RESERVAS DE LECHE EN POLVO Y PAÑALES.

¡HABRÁ ATENTADOS! ¡RESPONDERÁN! ¡NOS ATACARÁN EN NUESTRO PROPIO TERRITORIO!

¡ !    ¡ !!

¡JA, JA, JA!

¡JA, JA, JA!

ES INCREÍBLE, ¡¡LA GUERRA ESTÁ A 6.000 KILÓMETROS DE SU CASA Y TIENEN MIEDO!! ¡CUALQUIERA DIRÍA QUE NO TIENEN NADA DE QUE PREOCUPARSE Y SE ANGUSTIAN POR CUALQUIER COSA!

¿DE QUÉ OS REÍS?

HEMOS VISTO POR LA TELE A LOS EUROPEOS ASUSTADOS POR LA GUERRA DEL GOLFO Y PAPÁ Y YO PENSÁBAMOS QUE SEGURAMENTE LES FALTAN PROBLEMAS.

¿PERO DESDE CUÁNDO OS FIÁIS DE NUESTROS MEDIOS? SU OBJETIVO CONSISTE EN HACER PROPAGANDA EN CONTRA DE OCCIDENTE.

¡NO TE ENGAÑES, MAMÁ! LOS MEDIOS OCCIDENTALES TAMBIÉN NOS ATACAN. ¡DE AHÍ NUESTRA FAMA DE INTEGRISTAS Y TERRORISTAS!

TIENES RAZÓN. ENTRE EL FANATISMO DE UNO Y EL DESPRECIO DE LOS OTROS, NO HAY DONDE ESCOGER.

PERSONALMENTE, ODIO A SADDAM Y NO TENGO NINGUNA SIMPATÍA POR LOS KUWAITÍES, PERO TAMBIÉN DETESTO EL CINISMO DE LOS ALIADOS QUE SE LLAMAN "LIBERADORES", CUANDO ESTÁN AHÍ POR EL PETRÓLEO.

POR SUPUESTO. ¡SÓLO HAY QUE MIRAR A AFGANISTÁN! ESTUVIERON EN GUERRA DURANTE DIEZ AÑOS. HUBO 900.000 MUERTOS Y AÚN HOY EL PAÍS SIGUE EN EL CAOS...

¡NADIE MOVIÓ NI UN DEDO! ¡PORQUE AFGANISTÁN ES POBRE!

¡¡¡LO PEOR ES QUE LA INTERVENCIÓN EN KUWAIT SE HACE EN NOMBRE DE LOS DERECHOS DEL HOMBRE!!!

¿QUÉ DERECHOS? ¿QUÉ HOMBRES?

EN AQUELLA ÉPOCA, ESTE TIPO DE ANÁLISIS ERA MUY CORRIENTE. DESPUÉS DE NUESTRA PROPIA GUERRA, ESTÁBAMOS CONTENTOS DE QUE ATACARAN IRAQ Y DE QUE NO FUÉRAMOS NOSOTROS.

SADDAM ME ROBÓ UNA PIERNA. ESPERO QUE LO MATEN.

EN IRÁN YA NO HAY GUERRA. EL RESTO, ¡ME DA IGUAL!

¡NUESTRA ECONOMÍA IRÁ VIENTO EN POPA!

MI MARIDO FUE UN MÁRTIR DE LA GUERRA. ¡ESPERO QUE SADDAM VAYA AL INFIERNO!

HARÉ MI SERVICIO MILITAR EN TIEMPO DE PAZ.

SUFRO DEL CORAZÓN, ¡¡SUERTE QUE SE HAN ACABADO LAS BOMBAS!!

¡ABAJO SADDAM!

POR FIN PODÍAMOS DORMIR TRANQUILOS, SIN MIEDO A LOS MISILES...

YA NO TENÍAMOS QUE HACER COLAS CON NUESTROS CUPONES DE RACIONAMIENTO...

LEJÍA

ACEITE

AZÚCAR

ARROZ

...EL RESTO, NO IMPORTABA.

ADEMÁS, YA NO HABÍA OPOSICIÓN. LA RESISTENCIA HABÍA SIDO EJECUTADA.

O HABÍA HUIDO DEL PAÍS COMO HABÍA PODIDO.

EL RÉGIMEN TENÍA EL PODER ABSOLUTO...

...Y LA MAYOR PARTE DE LA GENTE, EN BUSCA DE UNA CIERTA FELICIDAD, HABÍA OLVIDADO SU CONCIENCIA POLÍTICA.

YO NO ERA NINGUNA EXCEPCIÓN. APARTE DE LOS MOMENTOS QUE PASABA CON MIS PADRES, VIVÍA AL DÍA SIN HACERME PREGUNTAS. HASTA QUE EN ENERO DE 1992 SUCEDIÓ ALGO IMPORTANTE.

ERA FARIBORZ AL TELÉFONO. ¡ACABA DE INSTALAR UNA ANTENA PARABÓLICA EN SU CASA!

¡VENGA, RÁPIDO! ¡VAMOS PARA ALLÁ!

LA ANTENA PARABÓLICA ERA SINÓNIMO DE APERTURA AL RESTO DEL MUNDO.

AL FIN PODÍAS DESCUBRIR UNA VISIÓN DIFERENTE DE LA QUE DICTABA NUESTRO GOBIERNO.

¡MIRAD A ÉSE! ¡ESTÁ TAN IMPACIENTE QUE NI SIQUIERA SALUDA!

¿DÓNDE ESTÁ LA ANTENA?

¡AHÍ ESTÁ!

NOS PASAMOS TODO EL DÍA EN CASA DE FARIBORZ VIENDO MTV Y EUROSPORT.

AL FINAL DE LA TARDE, SENTÍAMOS QUE TENÍAMOS UNA MENTALIDAD MÁS ABIERTA.

PRONTO, ESTE APARATO DECORABA LOS TECHOS DE TODOS LOS PISOS DEL NORTE DE TEHERÁN.*

*LOS BARRIOS ELEGANTES.

EL RÉGIMEN SE DIO CUENTA DE QUE ESTE NUEVO FENÓMENO IBA EN CONTRA DE SU DOCTRINA. ASÍ QUE LOS PROHIBIÓ; PERO ERA DEMASIADO TARDE. LA GENTE QUE HABÍA DISFRUTADO DE OTRAS IMÁGENES QUE LAS DE LOS BARBUDOS SE RESISTIERON ESCONDIENDO LA ANTENA DURANTE EL DÍA.

PARABÓLICA DE NOCHE.

PARABÓLICA DE DÍA.

MIS PADRES TAMBIÉN CONSIGUIERON UNA. A PARTIR DE ENTONCES, ME PASABA DÍAS Y NOCHES ENTEROS MIRANDO LA TELE EN SU CASA.

NO IMPORTABA EL PROGRAMA. SI HABÍA PERSONAS GUAPAS, YA ESTABA CONTENTA. UNA NOCHE...

¡HOLA! ¿SIGUES AHÍ? ¿DÓNDE ESTÁ TU MADRE?

CON SUS AMIGAS.

¡QUÉ CABRÓN! ¡HA VUELTO A SALIR INDEMNE!

ESCUCHA, ¡TENEMOS QUE HABLAR!

¡ESPERA, ESPERA, VAN A DETENERLO!

¡NO! ANTES HABLEMOS.

PERO... ¿¿AHORA QUÉ TE PASA??

ESTA MAÑANA, CUANDO ME HE IDO A TRABAJAR, ESTABAS EN EL SOFÁ, VUELVO 12 HORAS MÁS TARDE Y SIGUES EN EL MISMO SITIO.

¿QUÉ ESTÁ PASANDO? ¿TE DEPRIME TU MATRIMONIO? ¡YA NO TE RECONOZCO! SIEMPRE HAS SIDO CURIOSA, LEÍAS, ¡TE INTERESABA TODO! SIEMPRE HAS IDO ADELANTADA A TU EDAD... Y AHORA...

...AHORA SOY UNA MUJER CASADA. TENGO VEINTIDÓS AÑOS. ¡SOY UNA ADULTA!

CUALQUIERA PUEDE TENER VEINTIDÓS AÑOS Y ESTAR CASADO. ¡¡¡ESO NO REQUIERE NINGÚN ESFUERZO INTELECTUAL!!... ¡SERÍA MEJOR QUE PENSARAS EN EL DIPLOMA! ¡FALTA MENOS DE UN AÑO!

¿ESO PIENSAS? ¡PUES ME VOY!

MUY BIEN, HASTA LUEGO.

MI PADRE TENÍA RAZÓN. TODO EL MUNDO PODÍA CASARSE. DE HECHO, TODO EL MUNDO LO HACÍA. HABÍA LAS QUE SE CASABAN CON IRANÍES DE AMÉRICA, ESPERANDO CONVERTIRSE ALGÚN DÍA EN ACTRICES DE HOLLYWOOD...

LAS QUE SE CASABAN CON VIEJOS RICOS...

OTRAS MÁS AFORTUNADAS QUE SE CASABAN CON JÓVENES RICOS...

HABÍA AUTÉNTICAS HISTORIAS DE AMOR, COMO LA DE NIOUCHA Y ALÍ...

Y DESPUÉS ESTÁBAMOS REZA Y YO.

EN CUANTO A LAS SOLTERAS, ESPERABAN SU TURNO.

AHORA MISMO, TENGO TRES PRETENDIENTES; UNO ES MÉDICO PERO VIVE EN IRÁN, EL OTRO VIVE EN LOS ÁNGELES PERO ES MUY FEO Y EL TERCERO ES MUY GUAPO PERO ES POBRE.

YO, EN TU LUGAR, ¡ME QUEDARÍA CON LOS TRES!

MI PADRE TENÍA TANTA RAZÓN QUE, AL DÍA SIGUIENTE, FUI A PEDIRLE DISCULPAS.

PAPÁ, ¿AÚN ME HABLAS?

¿TÚ QUÉ CREES?

NO QUERÍA HERIRTE. SÓLO QUERÍA DESPERTARTE.

LO SÉ, PAPÁ. REACCIONÉ VIOLENTAMENTE PORQUE DISTE EN EL BLANCO.

DESPUÉS SE FUE A LA BIBLIOTECA Y VOLVIÓ CON TRES LIBROS.

TOMA, LÉETE ESTO. SON "LOS SECRETOS DE LA CIA", "LA FRANCMASONERÍA EN IRÁN" Y "LOS RECUERDOS DE MOSSADEGH".*

¡QUÉ BIEN! ¡GENIAL!

PARA RECUPERAR EL TIEMPO PERDIDO, ME LOS LEÍ TODOS EN DIEZ DÍAS. EN CONTRA DE LO QUE CREÍA, LOS ENCONTRÉ MUY INTERESANTES.

*PRIMER MINISTRO IRANÍ. NACIONALIZÓ EL PETRÓLEO EN 1951.

MIS NUEVOS INTERESES ME HICIERON RODEARME DE GENTE NUEVA, A MENUDO MUCHO MAYOR QUE YO. ENTRE ELLAS, UN TAL DR.M, EN CASA DEL CUAL SE REUNÍAN TODOS LOS INTELECTUALES EL PRIMER LUNES DE CADA MES.

EN UN PAÍS COMO EL NUESTRO, CON TANTOS RECURSOS, ¡NO ES NORMAL QUE EL 70% DE LA POBLACIÓN VIVA POR DEBAJO DEL UMBRAL DE LA POBREZA!

SÍ, SI MOSSADEGH HUBIESE PODIDO LLEVAR A CABO SU PROYECTO DE REFORMA, IRÁN AHORA NO ESTARÍA EN ESTA SITUACIÓN.

ES CULPA DE LOS INGLESES Y LOS AMERICANOS. ¡FUERON ELLOS LOS QUE LE DESTITUYERON, AL ORGANIZAR EL GOLPE DE ESTADO DE 1953!

PUEDE SER, PERO, ¿QUÉ HICIMOS NOSOTROS PARA IMPEDÍRSELO? ¡LOS EXTRANJEROS NUNCA HUBIESEN PODIDO CUMPLIR SUS OBJETIVOS SIN LA AYUDA DE LOS TRAIDORES IRANÍES! ¡¡SI QUEREMOS RECONSTRUIR ESTE PAÍS, TENDREMOS QUE EMPEZAR POR ADMITIR NUESTROS PROPIOS ERRORES!!

APOYADA POR MIS PADRES, ANIMADA POR EL DR.M Y SUS AMIGOS Y UN POCO GRACIAS A MÍ MISMA, CAMBIÉ DE VIDA.

UNA VEZ MÁS, LLEGUÉ A LA CONCLUSIÓN DE SIEMPRE: TENÍA QUE INSTRUIRME.

# EL FIN

EN JUNIO DE 1993, AL FINAL DE NUESTRO CUARTO AÑO DE CARRERA, EL CATEDRÁTICO DEL DEPARTAMENTO DE COMUNICACIÓN VISUAL NOS CONVOCÓ A REZA Y A MÍ.

SOIS MIS DOS MEJORES ALUMNOS. ASÍ QUE TENGO UN PROYECTO PARA EL DIPLOMA QUE PROPONEROS. CONSISTE EN CREAR UN PARQUE DE ATRACCIONES A PARTIR DE LOS HÉROES DE NUESTRA MITOLOGÍA.

EL TEMA ERA TAN EXTRAORDINARIO QUE OLVIDAMOS NUESTRAS DIFERENCIAS Y ACEPTAMOS TRABAJAR JUNTOS.

NOS PASAMOS TODO EL VERANO EN BIBLIOTECAS...

MUSEOS...

VISITANDO A SABIOS, INVESTIGADORES Y DOCTORES EN HUMANIDADES.

EN LA MITOLOGÍA GRIEGA LOS HÉROES ESTÁN PREDESTINADOS, ¡PERO EN LA NUESTRA NO EXISTE EL CONCEPTO DE DESTINO!

DESDE JUNIO DE 1993 HASTA ENERO DE 1994, ESTUVIMOS TAN OCUPADOS QUE NO DISCUTIMOS NI UNA SOLA VEZ.

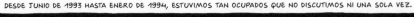

343

TRABAJAMOS A DESTAJO DURANTE SIETE MESES.

POR FIN LLEGÓ EL DÍA DE LA PRESENTACIÓN DE NUESTRO PROYECTO.

ANTES DE QUE LLEGARA EL JURADO, NUESTROS ALLEGADOS PUDIERON APRECIAR NUESTRAS OBRAS DE CERCA.

DR.M, GRACIAS POR VENIR. ES UN GRAN HONOR PARA MÍ.

EL HONOR ES MÍO.

DADO QUE YO ERA MÁS LANZADA QUE REZA, HABÍAMOS DECIDIDO QUE YO DEFENDERÍA NUESTRA MEMORIA.

NUESTRA MITOLOGÍA ES UNA DE LAS MÁS COMPLEJAS DE LA TIERRA, Y NUNCA HEMOS SABIDO EXPLOTARLA POR MIEDO A VULGARIZARLA. MUCHAS COSAS COMO EL SANTO GRIAL, LOS CABALLEROS DE LA MESA REDONDA, ETC. PROVIENEN DE IRÁN. EN NUESTRO PAÍS NO TENEMOS PARQUES DE ATRACCIONES Y LOS MUÑECOS SON AMERICANOS. DE AHÍ PARTE NUESTRA INICIATIVA.

CONSEGUIMOS UN VEINTE SOBRE VEINTE. DESPUÉS DE LA DELIBERACIÓN.

¡MUY BIEN, HIJOS! ¡HA SIDO IMPECABLE! GRACIAS A JÓVENES COMO VOSOTROS, AÚN TENGO ESPERANZA EN EL FUTURO DE IRÁN. DEBERÍAIS PROPONER VUESTRO PROYECTO A LA ALCALDÍA DE TEHERÁN. CONOZCO PERSONAL- MENTE AL TENIENTE DE ALCALDE. PODÉIS LLAMARLE DE MI PARTE.

**Panel 1:**

UNA SEMANA MÁS TARDE.

TENGO CITA CON EL TENIENTE DE ALCALDE.

NO PUEDE PASAR CON UN PAÑUELO. DEBE PONERSE LA COGULLA.

**Panel 2:**

AL DÍA SIGUIENTE.

TENGO CITA CON EL TENIENTE DE ALCALDE.

NO PUEDE ENTRAR. VA MAQUILLADA.

**Panel 3:**

AL DÍA SIGUIENTE.

TENGO CITA CON EL TENIENTE DE ALCALDE.

ES EN EL TERCER PISO. DESPACHO 314.

**Panel 4:**

...ELLA ES GORD AFARID, UNA GUERRERA SIN IGUAL. LA PUNTA DE SU ESPADA SEÑALA EN DIRECCIÓN AL HIPÓDROMO.

DÉJEME VER.

**Panel 5:**

MMM...

**Panel 6:**

LA MITAD DE SUS PERSONAJES SON MUJERES SIN VELO, SENTADAS SOBRE TODO TIPO DE ANIMALES REALES O MÍTICOS. ¡SE PUEDEN DISTINGUIR SUS FORMAS Y SU PELO!

¡LAS CUBRIREMOS!

**Panel 7:**

UNA GORD AFARID CON CHADOR YA NO ES UNA GORD AFARID. ¡LO SABE MEJOR QUE YO!

VOY A SERLE FRANCO: AL GOBIERNO LE IMPORTA UN COMINO LA MITOLOGÍA. LO QUE QUIEREN SON SÍMBOLOS RELIGIOSOS. SU PROYECTO ES REALMENTE INTERESANTE, ¡¡¡PERO IRREALIZABLE!!!

...ENTIENDO...

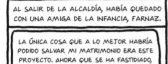

AL SALIR DE LA ALCALDÍA, HABÍA QUEDADO CON UNA AMIGA DE LA INFANCIA, FARNAZ.

LA ÚNICA COSA QUE A LO MEJOR HABRÍA PODIDO SALVAR MI MATRIMONIO ERA ESTE PROYECTO. AHORA QUE SE HA FASTIDIADO, CREO QUE NOS SEPARAREMOS.

¡NO VEO QUÉ TIENE QUE VER EL PARQUE DE ATRACCIONES CON TU PAREJA!

¡ESTÁ CLARO! DESDE QUE VIVIMOS JUNTOS, ES LA PRIMERA VEZ QUE HEMOS PASADO EL TIEMPO JUNTOS EN LO MISMO. ESTO NOS HA ACERCADO.

¿AÚN LE QUIERES?

NO LO SÉ.

ENTONCES, ESCÚCHAME BIEN. HACE UN AÑO, MI HERMANA DEJÓ A SU MARIDO...

...DESDE QUE TIENE EL CERTIFICADO DE DIVORCIADA, EL CARNICERO...

EL PASTELERO...

EL PANADERO...

EL VENDEDOR DE FRUTAS Y LEGUMBRES...

EL VENDEDOR AMBULANTE DE TABACO...

HASTA LOS MENDIGOS DE LA CALLE LE MANIFESTABAN SUS DESEOS DE ACOSTARSE CON ELLA.

PARA LOS HOMBRES, POR UNA PARTE SU COLA ES IRRESISTIBLE Y POR OTRA, COMO ESTÁS DIVORCIADA, YA NO ERES VIRGEN. ASÍ QUE YA NO TIENES NINGUNA RAZÓN PARA RECHAZARLOS. ¡¡NO LO DUDAN!! ¡NO ES NINGUNA SORPRESA! ¡DESDE QUE NACEN, SU MADRE LOS LLAMA "DOUDOUL TALA".*

ASÍ QUE, A NO SER QUE TU VIDA SEA UN INFIERNO, ¡QUÉDATE CON TU MARIDO! YA SÉ QUE TU FAMILIA ES DE ESPÍRITU LIBRE, ¡PERO TODOS LOS DEMÁS TE JUZGARÁN!

*PAJARITO DE ORO.

ESTA CONVERSACIÓN CON FARNAZ ME INQUIETÓ, PERO NO ESTABA DE ACUERDO CON SUS SUGERENCIAS. NO TARDÉ EN DARME CUENTA DE QUE YA NO QUERÍA A REZA. ¡TENÍA QUE DIVORCIARME! ¡FUI A CASA PARA DECÍRSELO!

¿QUÉ DICEN EN LA ALCALDÍA?

NO QUIEREN NUESTRO PROYECTO.

¡NO TE PREOCUPES! EN DEFINITIVA, ES SÓLO UN PROYECTO. ¡TENDREMOS OTROS!

LO SÉ... TENGO QUE IR A VER A MI ABUELA.

¡MUY BUENA IDEA! ¡ELLA SABRÁ ANIMARTE!

VEINTE MINUTOS MÁS TARDE.

ABUELA...

PERO, ¿QUÉ TE PASA?!

¿NO QUIERES SACARTE ESA MALDITA COGULLA? ¡ME DA CLAUSTROFOBIA!

ABUELA, ¡ES TERRIBLE!

¿QUÉ ES TAN TERRIBLE?

CREO QUE YA NO QUIERO A REZA, ME PARECE QUE TENEMOS QUE SEPARARNOS.

¿Y ESO ES LO "TERRIBLE"? ¡DIOS MÍO! ¡ME HAS ASUSTADO! ¡CREÍA QUE ALGUIEN HABÍA MUERTO!

¡YA SABES QUE SUFRO DEL CORAZÓN! ¿TANTAS LÁGRIMAS POR UN DIVORCIO?

¡ESCÚCHAME BIEN! YO LO HICE, HACE 55 AÑOS, Y EN AQUELLA ÉPOCA NADIE ROMPÍA SU MATRIMONIO. ¡¡PERO ME DIJE QUE ERA MEJOR VIVIR MÁS FELIZ SOLA QUE CON UN CAGA-DO!!

SÍ, PERO...

¡NO HAY PEROS QUE VALGAN! EL PRIMER MATRIMONIO ES UNA PRUEBA PARA EL SEGUNDO. SERÁS MÁS AFORTUNADA LA PRÓXIMA VEZ. ADEMÁS, SI LLORAS ASÍ, ¡QUIZÁ ES QUE AÚN LE QUIERES! NADIE TE OBLIGA A DECÍRSELO AHORA MISMO. TÓMATE TU TIEMPO, REFLEXIONA Y EL DÍA QUE ESTÉS SEGURA, ¡LE DEJAS! ¡¡CUANDO UN DIENTE SE PUDRE, HAY QUE ARRANCARLO!!

SEGUÍ LOS CONSEJOS DE MI ABUELA. ESPERÉ. ENCONTRÉ UN TRABAJO COMO ILUSTRADORA EN UNA REVISTA DE ECONOMÍA.

EN CASA ME ABURRÍA. HE VENIDO A DIBUJAR AQUÍ. ¿OS MOLESTO?

¡CLARO QUE NO!

¡ESTÁS EN TU CASA!

TODO IBA BIEN. LA COMPLICIDAD CON MIS COMPAÑEROS ME HACÍA OLVIDAR EL RESTO.

PERO, DOS MESES MÁS TARDE, EN MARZO DE 1994, UN DIBUJANTE HIZO EL SIGUIENTE DIBUJO PARA UN ARTÍCULO SOBRE EL FÚTBOL IRANÍ.

ASESINO.

AL GOBIERNO NO LE GUSTÓ NADA QUE UN MULLAH FUERA LLAMADO ASESINO. ASÍ QUE ARRESTARON AL DIBUJANTE EN CUESTIÓN.

NADIE SABÍA LO QUE LE HABÍA PASADO Y CADA UNO TENÍA SU TEORÍA.

¡LO HABRÁN COGIDO!

¡LE HAN CORTADO LAS MANOS PARA QUE NO VUELVA A DIBUJAR!

¡LO HABRÁN FUSILADO!

¡LO HAN TORTURADO!

¡ESTÁ VIVO PERO CIEGO!

SEA COMO FUERE, A PARTIR DE ENTONCES SE MIRABAN TODA LA PRENSA CON LUPA.

UNOS DÍAS MÁS TARDE, AL LLEGAR AL DESPACHO...

¡MARJANE! ¡HAN ARRESTADO A BEHZAD!

¿NUESTRO BEHZAD? ¿BEHZAD RADI?

¡SÍ!

LA REVISTA SALIÓ AYER Y HAN IDO A BUSCARLE A SU CASA, ¡A LAS CINCO DE LA MAÑANA DE HOY!

...¡¡¡TODO POR CULPA DE ESTO!!!...

SU DIBUJO ILUSTRABA UN ARTÍCULO SOBRE LOS SISTEMAS DE ALARMAS PARA PROTEGER DE LOS ROBOS A LAS MANSIONES DEL NORTE DE TEHERÁN.

BEHZAD HABÍA COMETIDO EL ERROR DE DIBUJAR UN BARBUDO.

PERO UNOS POCOS PELOS NO ERAN RAZÓN SUFICIENTE PARA CONDENARLE; FUE LIBERADO AL CABO DE DOS SEMANAS. GILA, LA GRAFISTA DE LA REVISTA, Y YO FUIMOS A VISITARLE.

BUENOS DÍAS.

BUENOS DÍAS, ¡PASAD!

BUENO, ¿QUÉ TE PASÓ? ¡CUENTA!

¡NADA! LES EXPLIQUÉ QUE EL DIBUJO ESTABA BASADO EN UN CUENTO EN EL QUE EL AMANTE DE UNA PRINCESA SUBÍA A SU CASA UTILIZANDO EL LARGO PELO DE SU AMADA, Y AL NO PODER DIBUJAR A UNA MUJER SIN VELO, DIBUJÉ UN HOMBRE BARBUDO.

ENTONCES SE PUSIERON A GRITARME QUE INSINUABA QUE LOS BARBUDOS ERAN MARICAS. JURÉ QUE ÉSA NO ERA EN ABSOLUTO MI INTENCIÓN.

ME MOLIERON A PALOS... TENGO MORADOS POR TODO EL CUERPO. EN RESUMEN, LA LIBERTAD DE EXPRESIÓN SE PAGA CARA HOY EN DÍA.

¡DING! ¡DONG!

VOY A ABRIR. DEBE DE SER MI MUJER. AHORA MISMO VUELVO.

BUENOS DÍAS, SOY MANDANA.

MARJANE, ENCANTADA DE CONOCERLA.

Y ÉSTE ES NIMA.

DE REGRESO.

¡¡Y PENSAR QUE HA SIDO MI HÉROE DURANTE VEINTE DÍAS!! ¡TANTA CHÁCHARA SOBRE LA LIBERTAD DE EXPRESIÓN, PARA LUEGO NO DEJAR QUE SU MUJER ABRA LA BOCA! ¡AH, LOS HOMBRES IRANÍES!

¡NO DIGAS ESO! NO SON SÓLO LOS HOMBRES IRANÍES, SINO LOS HOMBRES A SECAS. HACE DOS AÑOS SALÍ CON UN DIPLOMÁTICO ESPAÑOL. APARENTEMENTE SE COMPORTABA MEJOR PERO, EN EL FONDO, ERA LO MISMO.

SÓLO QUE AQUÍ, ¡LAS LEYES ESTÁN DE SU PARTE!

SI UN HOMBRE MATA A DIEZ MUJERES EN PRESENCIA DE OTRAS QUINCE, NADIE PUEDE CONDENARLO COMO ASESINO, PORQUE EN UN CASO DE ASESINATO, ¡LAS MUJERES NO PODEMOS PRESTAR DECLARACIÓN! ¡ES ÉL EL QUE TIENE DERECHO AL DIVORCIO Y, SI TE LO CONCEDE, SE QUEDA LA CUSTODIA DE LOS HIJOS! OÍ A UN RELIGIOSO JUSTIFICAR ESTA LEY DICIENDO QUE EL HOMBRE ERA LA SEMILLA Y LA MUJER LA TIERRA EN LA QUE PONÍA ESTA SEMILLA, ¡ASÍ QUE ERA NATURAL QUE LOS NIÑOS FUERAN DEL PADRE! ¿¿¿TE DAS CUENTA??? ¡NO PUEDO MÁS! ¡ME VOY A IR DE ESTE PAÍS!

GILA ME DEJÓ EN CASA. MI CUÑADA ESTABA ALLÍ.

BUENAS NOCHES KATAYOUNE, ¿CÓMO VAS?

¡COMO UNA MUJER EMBARAZADA DE OCHO MESES! ME SIENTO PESADA, PERO BUENO, ES CUESTIÓN DE SEMANAS.

BUENO, OS TENGO QUE DEJAR. NO OLVIDÉIS QUE MI HIJO NECESITARÁ UN PRIMO O UNA PRIMA. ¿A QUÉ ESPERÁIS PARA HACER UNO?

TENEMOS QUE HABLAR.

HACE TRES AÑOS QUE ESTAMOS CASADOS Y TRES QUE DORMIMOS SEPARADOS. NO SOMOS UNA PAREJA DE VERDAD...

SIMPLEMENTE, NO SOMOS UNA PAREJA.

SEGUIMOS JUNTOS POR CARIÑO, CLARO, PERO SOBRE TODO POR COSTUMBRE. NO PODEMOS ADMITIR QUE NO ESTAMOS HECHOS EL UNO PARA EL OTRO PORQUE ESO SERÍA COMO ADMITIR NUESTRO FRACASO.

PERO YO SIGO ENAMORADO DE TI.

CUANDO ESTABA ENAMORADA DE TI, TÚ IBAS CON PIES DE PLOMO. AHORA ES DEMASIADO TARDE, REZA. YA NO TE AMO.

VÁMONOS A FRANCIA JUNTOS. ESTA PRESIÓN SOCIAL SEGURO QUE NOS AFECTA.

POR ESO MISMO NOS CASAMOS, PARA EVITAR LA PRESIÓN SOCIAL. ¡NUESTRO AMOR LLEVA MUCHO TIEMPO MUERTO! NO SIRVE DE NADA VOLVER A INTENTARLO. ES UNA PÉRDIDA DE TIEMPO.

NO SÉ CÓMO CONSEGUÍ DECIRLE TODO ESTO DE GOLPE. MI ABUELA TENÍA RAZÓN: ME HABÍA TOMADO MI TIEMPO Y NUNCA ME ARREPENTÍ DE LO QUE HABÍA DICHO.

UNOS DÍAS MÁS TARDE, FUI A VER A MIS PADRES.

¡QUIERO IRME A FRANCIA!

MUY BIEN, NECESITARÉIS UN VISADO, HABÉIS PENSADO EN...

PAPÁ, NO NECESITAREMOS, ME VOY YO SOLA. REZA IRÁ SI QUIERE, ¡PERO VAMOS A DIVORCIARNOS!

¡LO SABÍA!

¿LO SABÍAS Y SIN EMBARGO ME HINCHASTE LA CABEZA DURANTE UNA SEMANA PARA QUE APROBARA LA BODA?

SÍ, PORQUE SI NO LO HUBIERA HECHO, ELLA NUNCA HABRÍA SABIDO QUE LO SUYO NO IBA A FUNCIONAR. NADIE ESCARMIENTA EN CABEZA AJENA.

¡MANIPULADOR!

¿QUÉ MANIPULACIÓN?

NO VOLVERÉ A HABLARTE.

EN FIN, NOS ALEGRAMOS MUCHO DE TU DECISIÓN. NO ESTÁS HECHA PARA VIVIR AQUÍ. A NOSOTROS, LOS IRANÍES, ¡NO SÓLO NOS APLASTA EL GOBIERNO, SINO TAMBIÉN EL PESO DE NUESTRAS TRADICIONES!

LA REVOLUCIÓN NOS HA HECHO RETROCEDER CINCUENTA AÑOS. HARÁN FALTA GENERACIONES ANTES DE QUE TODO ESTO EVOLUCIONE. TÚ SÓLO TIENES UNA VIDA. ES TU DEBER VIVIRLA LO MEJOR QUE PUEDAS. ADEMÁS, AHORA TIENES 24 AÑOS. NO ES COMO CUANDO TE FUISTE A AUSTRIA, YA NO NOS NECESITAS.

ES LO QUE YO TE DECÍA: "NO SUFRAS POR ELLA, NUESTRA HIJA SIEMPRE HA SABIDO SALIR ADELANTE."

ES VERDAD.

¿SUFRÍAS POR MI CULPA?

TENÍA MIEDO DE QUE ARRUINARAS TU VIDA.

YO TAMBIÉN.

...NO HABÍA PODIDO CONSTRUIR NADA EN MI PROPIO PAÍS, ME DISPONÍA A DEJARLO OTRA VEZ. LLEGUÉ A FRANCIA POR PRIMERA VEZ EN JUNIO DEL 94 PARA HACER EL EXAMEN DE ACCESO A ARTES DECORATIVAS EN ESTRASBURGO. ME ADMITIERON. DESPUÉS TUVE QUE VOLVER A IRÁN PARA CAMBIAR MI VISADO DE TURISTA POR UNO DE ESTUDIANTE.

ENTRE JUNIO Y SEPTIEMBRE DE 1994, FECHA DE MI PARTIDA DEFINITIVA, IBA TODAS LAS MAÑANAS A LAS MONTAÑAS DE TEHERÁN PARA MEMORIZAR TODOS LOS RINCONES.

ME FUI DE VIAJE CON MI ABUELA A LA ORILLA DEL MAR CASPIO, DONDE ME LLENÉ LOS PULMONES CON ESE AIRE TAN PARTICULAR. ESE AIRE QUE NO EXISTE EN NINGÚN OTRO LADO.

VISITÉ LA TUMBA DE MI ABUELO Y LE PROMETÍ QUE IBA A ESTAR ORGULLOSO DE MÍ.

TAMBIÉN FUI A LA PARTE TRASERA DE LA PRISIÓN DE EVINE,* DONDE DESCANSA EL CUERPO DE MI TÍO ANOUCHE, EN UN LUGAR INDEFINIDO, JUNTO A OTROS MILES DE CADÁVERES. LE DI MI PALABRA DE MANTENERME SIEMPRE LO MÁS ÍNTEGRA POSIBLE.

*PRISIÓN POLÍTICA DE TEHERÁN.

TAMBIÉN PASÉ MOMENTOS FANTÁSTICOS CON MIS PADRES...

...HASTA EL 9 DE SEPTIEMBRE DE 1994, EL DÍA QUE ME ACOMPA-ÑARON AL AEROPUERTO DE MEHRABAD, JUNTO CON MI ABUELA.

HABÍA DECIDIDO IRME, PERO DE TODAS FORMAS ME SENTÍA MUY TRISTE...

MI PADRE LLORÓ, COMO DE COSTUMBRE...

Y MI MADRE MANTUVO LA COMPOSTURA.

ESTA VEZ TE VAS PARA SIEMPRE. ERES UNA MUJER LIBRE. EL IRÁN DE HOY EN DÍA NO ES PARA TI. ¡TE PROHÍBO QUE VUELVAS!

SÍ, MAMÁ.

LA DESPEDIDA FUE BASTANTE MENOS TRISTE QUE DIEZ AÑOS ATRÁS, CUANDO EMBARQUÉ HACIA AUSTRIA. YA NO HABÍA GUERRA, YA NO ERA UNA NIÑA, MI MADRE NO SE SINTIÓ MAL Y MI ABUELA, AFORTUNADAMENTE, ESTABA ALLÍ...

...AFORTUNADAMENTE, PORQUE DESPUÉS DE AQUELLA TARDE DEL 9 DE SEPTIEMBRE DE 1994, SÓLO VOLVÍ A VERLA UNA VEZ EN EL AÑO NUEVO IRANÍ, EN MARZO DE 1995. MURIÓ EL 4 DE ENERO DE 1996... LA LIBERTAD TENÍA UN PRECIO...

FIN

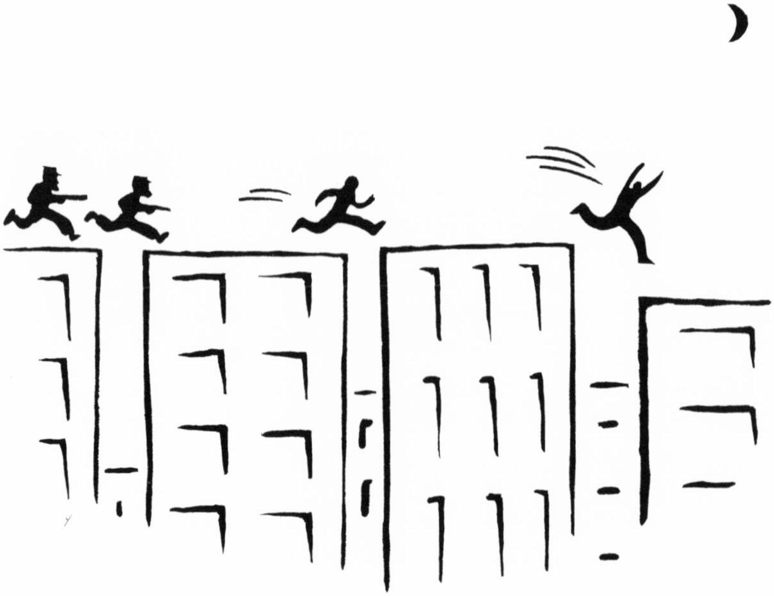

Cómic publicado por primera vez en el *SZ-Magazin* nº44, en el año 2003.

Marjane Satrapi

# Persépolis

¿ES QUE EN IRÁN TODO EL MUNDO ES TERRORISTA?
HE VISTO LA PELÍCULA "NO SIN MI HIJA". ¡TIENE QUE SER TERRIBLE VIVIR EN ESAS CIRCUNSTANCIAS! ¡POBRE!
SI, COMO DICES, LA MAYORÍA DE IRANÍES SON COMO TÚ O COMO YO, ¿CÓMO ES POSIBLE QUE SE HAYA PRODUCIDO LA REVOLUCIÓN ISLÁMICA?
¿QUÉ DIFERENCIA HAY ENTRE CHIÍTAS Y SUNÍES?
¿LAS IRANÍES LLEVAN SIEMPRE VELO?
¿NUNCA HAS ESCU-CHADO MÚSICA POP?
¿ES VERDAD QUE ALLÍ LAS MUJERES NO PUEDEN TRABAJAR?
¿OS DESPLAZÁIS EN CAMELLO?
¿SE PUEDE ESQUIAR EN IRÁN? ¡YO CREÍA QUE SÓLO HABÍA DESIERTO!
HABLÁIS EN ÁRABE, ¿VERDAD?

¡ME HACEN LAS MISMAS PREGUNTAS DESDE HACE TRECE AÑOS!

CREÍA QUE, GRACIAS AL CINE IRANÍ, SE SABÍA QUE EN IRÁN NIEVA...

¡Y NOSOTROS TAMBIÉN VIVIMOS EN LA ERA DE LA COMUNICACIÓN! GRACIAS A INTERNET Y A LA TELEVISIÓN POR CABLE, TENEMOS ACCESO A TODO...

ES COMO SI CUANTA MÁS INFORMACIÓN SE TIENE, MENOS SE SUPIERA. ES LÓGICO. YO, POR EJEMPLO, SI VEO DEMASIADOS CUADROS EN UN MUSEO, ME OLVIDO DE TODOS ENSEGUIDA.

DEMASIADA INFORMACIÓN BLOQUEA EL CEREBRO, POCA NOS HACE IGNORANTES.

PERO LO PEOR ES LA INFORMACIÓN UNIDIRECCIONAL.

MIRAD, ESTO ES LO QUE OS HAN MOSTRADO DE MI PAÍS EN LOS ÚLTIMOS 24 AÑOS.

 NO QUIERO DAROS UNA LECCIÓN SOBRE LA HISTORIA DE IRÁN. NO OS DIRÉ TAMPOCO QUE EXISTE DESDE HACE 4000 AÑOS, QUE SU CULTURA ESTO O SU CIVILIZACIÓN LO OTRO... OS QUIERO HABLAR DEL IRÁN QUE CRÉEIS CONOCER, DEL POSTERIOR A 1979.

 TODOS SABÉIS QUE EN EL 79 HUBO UNA REVOLUCIÓN EN IRÁN. LA LLAMÁIS ISLÁMICA. PERO LO QUE NUNCA OS HAN CONTADO ES QUE SE TRATÓ DE UNA REVOLUCIÓN DEMOCRÁTICA.

LOS IRANÍES SE REBELARON CONTRA EL SHA.

¡FUERA EL SHA!

¡ABAJO LOS ESTADOS UNIDOS!

¡VIVA LA LIBERTAD!

HAY QUE DECIR QUE EL IRÁN DEL SHA NO ERA EXACTAMENTE UN PARAÍSO. POR EJEMPLO, LA DIFERENCIA ENTRE LAS CLASES SOCIALES ERA MUY GRANDE.

COMO DECÍA MI PADRE:

¡EN UN PAÍS COMO ÉSTE, ENORME, EL TERCER PRODUCTOR MUNDIAL DE PETRÓLEO, CON SÓLO 35 MILLONES DE HABITANTES, NO ES NORMAL QUE EL 70% SEAN POBRES!

PERO EL PROBLEMA NO ERA SÓLO LA POBREZA, SINO TAMBIÉN LA LIBERTAD DE EXPRESIÓN.

DESPUÉS DE TODO, EL SHA HABÍA LLEGADO AL PODER GRACIAS A UN GOLPE DE ESTADO DE LOS AMERICANOS EN 1953...

YA SABÉIS, EL MISMO GOLPE DE ESTADO QUE DESTITUYÓ AL PRIMER MINISTRO IRANÍ QUE NACIONALIZÓ NUESTRO PETRÓLEO EN 1951. EN AGRADECIMIENTO A LOS AMERICANOS, EL SHA LES REGALÓ EL 60% DE LA PRODUCCIÓN DE PETRÓLEO. EL 19 DE AGOSTO DE 2003 SE CELEBRÓ EL 50 ANIVERSARIO DEL GOLPE.

PERO VOLVA-
MOS A LA RE-
VOLUCIÓN. SU
PROMESA FUE
LA DEMOCRACIA,
Y EL NUEVO RÉGI-
MEN DEMOSTRÓ
MUCHA TOLERAN-
CIA DESDE EL
PRINCIPIO.

¡VIVA EL
SOCIALISMO!

¡VIVA
LA LUCHA
ARMADA!

¡VIVA EL
COMUNISMO!

¡VIVA EL
LIBERALISMO!

¡VIVA
YO!

EN RESUMEN, DURANTE ALGUNOS MESES, Y A PESAR DE LAS LUCHAS A PORRAZOS
DE LOS FANÁTICOS, LOS IRANÍES DISFRUTARON DEL DERECHO DE EXPRESARSE
ABIERTAMENTE. PERO A PARTIR DE 1980, EL GOBIERNO SE ENDURECIÓ. SE ENCARCELÓ
A MUCHOS ANTIGUOS REVOLUCIONARIOS Y OPOSITORES AL RÉGIMEN DEL SHA.

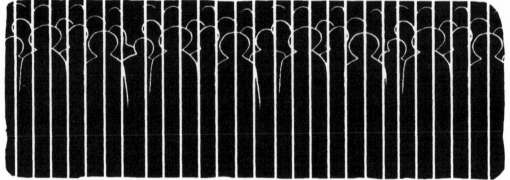

Y ENTONCES, CUANDO EN 1980 ESTALLÓ LA GUERRA CONTRA IRAQ, TODO EMPEZÓ
A EMPEORAR MÁS Y MÁS. EN NOMBRE DEL ENEMIGO EXTERIOR SE EXTERMINABA
AL ENEMIGO INTERIOR. SE EJECUTÓ A MUCHOS PRISIONEROS POLÍTICOS.

HE AQUÍ UNA FAMILIA IRANÍ EN 1979.

HE AQUÍ LA MISMA FAMILIA EN 1982.

HE OLVIDADO MENCIONAR QUE LAS MUJERES EN 1979 NO LLEVABAN VELO.

ESTA HORRIBLE GUERRA DURÓ OCHO AÑOS, Y PROVOCÓ CASI UN MILLÓN DE MUERTOS.

¿CÓMO HA PODIDO DURAR TANTO ESTA GUERRA? PORQUE, PARA MANTENER-LA, SE NECESITAN ARMAS.

QUIZÁS LAS FABRICABAN LOS PROPIOS IRANÍES E IRAQUÍES... POR OTRO LADO, LA EXISTENCIA DE ARMAS DE DES-TRUCCIÓN MASIVA EN IRAQ HACE CREÍBLE ESA SUPOSICIÓN.

PERO OTROS DICEN QUE FUERON LOS PAÍSES OCCIDENTALES LOS QUE ARMARON A AMBOS PARTIDOS, PARA MANTENER LA GUERRA Y VENDER POR ADELANTADO MISILES Y TANQUES.

CUANDO IRÁN PENETRA EN IRAQ

CUANDO IRAQ PENETRA EN IRÁN

¡...PERO YO CREO QUE ESO ES SÓLO PROPAGANDA POLÍTICA!

HASTA HE ESCU-CHADO A GENTE QUE ASEGURABA QUE ALEMANIA HABÍA VENDIDO ARMAS QUÍMICAS A IRAQ DURANTE ESTA FAMOSA GUERRA...

...Y QUE DESPUÉS LOS HERIDOS DE IRÁN ERAN ENVIADOS A ALEMANIA PARA QUE LOS CURASEN ALLÍ.

SI ESTO FUERA CIERTO, SIGNIFICARÍA QUE...

...SIGNIFICARÍA QUE NOSOTROS FUIMOS REDU-CIDOS A COBA-YAS HUMANOS.

?!!

EN FIN, POCO IMPORTA. AUNQUE FUERA ASÍ, ÉSTA ES LA VISIÓN ACTUAL DEL MUNDO.

# Marjane Satrapi

Nace el 22 de noviembre de 1969 en Rasht (Irán), en el seno de una familia acomodada y de ideología progresista. Tras la difícil situación política imperante en su país en los años posteriores a la revolución de 1979, es enviada a Viena a proseguir sus estudios secundarios. De regreso a Irán, se matricula en Bellas Artes en la Universidad de Teherán, obteniendo un máster en Comunicación Visual. En 1994 se traslada a Francia, país en el que aún reside en la actualidad, recalando en Estrasburgo, donde estudia Artes Decorativas, y posteriormente en París. Pese a que su vocación inicial era ser grafista, a partir de 1997 se dedicará a la ilustración de libros de cuentos para niños en editoriales como **Nathan** y **Albin Michel**.

En París conoce a **Christophe Blain**, lo que le permite entrar en contacto con los miembros del colectivo **L'Association**, que le sugieren convertir sus recuerdos de infancia y adolescencia en un cómic. El resultado será PERSÉPOLIS, cuyo primer tomo, publicado en el 2000 por **L'Association**, obtiene el premio "Coup de coeur" al mejor autor revelación del Salón de Angoulême. Un año después, el segundo tomo recibe, también en Angoulême, el Premio al Mejor Guión. Los tomos tercero y cuarto alcanzan una aclamación aún mayor, que consagra a su autora a nivel internacional: en España, PERSÉPOLIS es galardonada en 2003 con el 1º Premio de la Paz Fernando Buesa Blanco.

Concluida la saga de PERSÉPOLIS, Satrapi ha publicado nuevas obras: BORDADOS (2003) presenta una serie de reflexiones sobre la condición femenina, mientras que POLLO CON CIRUELAS (2004; Premio al Mejor Álbum del Salón de Angoulême 2005) es una historia ambientada en su Irán natal y protagonizada por un hombre que ha perdido la ilusión de vivir. Asimismo, existe un proyecto para la adaptación cinematográfica de PERSÉPOLIS.

En un mundo con tan pocas mujeres dibujantes como es el del cómic, y un país dominado por el machismo como Irán, la aparición de una autora de espíritu rebelde hace de **Marjane Satrapi** un personaje singular. Pero la verdadera razón por la que ha llenado portadas en todo el mundo y ha llegado a lo más alto ha sido conseguir que una obra como PERSÉPOLIS trascienda a la misma sociedad, rompa todas las fronteras y se convierta en un símbolo de tolerancia y libertad.

## OTROS TÍTULOS DE
## MARJANE SATRAPI